ヤング・シャーロック・ホームズ4

炎の嵐

わたしがこの本を書いているときに亡くなった父、
ジャック・レーンに捧げます。
お父さん、安らかにお眠りください。

以下の方々にも、心からの感謝を。
物語の舞台をエディンバラにするというアイディアをくださった、
〈スコットランド児童書信託協会〉の素敵なみなさま。
アイルランドの児童書団体
〈ブックゾーン・フォー・ボーイズ〉のみなさま。
お世話になったお礼に、アイルランドを舞台にして、
作品を書きたいと思っています。
〈メアリ・キングズ・クロース〉を教えてくれたヘレン・パーマー。
細かいところまで徹底的な仕事をしてくれた
編集者のポリー・ノーラン。
作品に関心を持ってくれた、
ネイザン・ゲイ、ジェシカ・ゲイ、ネイオーミ・ゲイ。
このシリーズが大注目を浴びると
太鼓判を押してくれたジェシカ・ディーン。
みなさま、ありがとうございました。

YOUNG SHERLOCK HOLMES : FIRE STORM
by
Andrew Lane
First published 2011 by Macmillan Children's Books
an imprint of Pan Macmillan, a division of
Macmillan Publishers International Limited.

Japanese translation published by arrangement
with Macmillan Publishers International Ltd
through The English Agency(Japan)Ltd.

編集部より

本作品は一八六〇年代後半の世界を舞台にしたフィクションです。一部の描写に現在の観念からすると不快な思いをされる方がいらっしゃるかもしれませんが、当時の風俗や社会思想を背景にした作品であることをご理解ください。

✣ プロローグ ✣

小柄《こがら》な中国人は、手に針をしっかりと持ち、その先端《せんたん》を目の前のインク壺《つぼ》につけた。インク壺《つぼ》の横には、一本の腕《うで》。テーブルをはさんで座っている船乗りのものだ。その太さといったら、肉屋のまな板にのっているハムといい勝負だ。

「青い錨《いかり》でいいのか?」中国人は言った。その名前はカイ・ルン。顔にはしわが目立ち、編んでうしろに垂らした長い髪《かみ》は灰色をしている。

「しつこいな」船乗りが言う。「錨《いかり》がいいって言ってんだろ! おれは船乗りだ。海の男なんだ」

「魚はどうだ?」カイ・ルンは穏《おだ》やかに言った。錨《いかり》を彫《ほ》るのは簡単だが、つまらない。これまでの人生の半分を、船乗りたちの腕《うで》に青い錨《いかり》を彫《ほ》って過ごしてきた。錨《いかり》の下に渦巻《うずま》き模様を描《えが》き、その中に恋人《こいびと》の名前を入れることもある。問題は、これまでの人生の残りの半分を、その名前をほかのものに変える作業に費やしてきたことだ。鉄条網《てつじょうもう》でも花でもなんでも、元は女の名前だったとわからないようになればいい。「きれいな魚を彫《ほ》ってやるぞ。七色のウロコを持った金魚なんてどうだ？　船乗りにはもってこいじゃないか」

「錨《いかり》がいいんだ」男は譲《ゆず》らなかった。

「わかった。錨《いかり》だな」カイ・ルンはため息をついた。「どんな錨《いかり》がいい？　ふつうのやつでいいのか？」

「どんな錨《いかり》もなにも、錨《いかり》は錨《いかり》だろう」

「なら、ふつうの錨《いかり》だな」

準備をはじめた。皮膚《ひふ》に針を刺《さ》すと、その下の組織にインクが流れこみ、そこに色がつく。何年、何十年ものあいだに皮膚《ひふ》が衰《おとろ》えたり日焼けをしたりしても、皮下に入ったインクの色はずっと抜《ぬ》けることがない。針を何度も刺《さ》し、さまざまな色のインクを使うことによって、どんなものでも描《えが》くことができる。魚、ドラゴン、心臓……もちろん青い錨《いかり》も。いったいいくつめだろう。

バン！　突然《とつぜん》ドアが開いた。あまりに勢いよくあけられたので、ドアは内側の壁《かべ》に当たった。むきだしのレンガに傷がつく。戸口に男が立っていた。背が高くて横幅《はば》もある。左右にも、つるつるに剃《そ》った頭の上にも、隙間《すきま》がほとんどないくらいだ。服は汚れてぼろぼろだ。着の身着のままで旅でも続けていたんだろうか。寝《ね》るときもそれを着たままだったにちがいない。

「おい、おまえ」アメリカ人のような発音だ。「出ていけ！」船乗りを見てそう言うと、立てた親指を肩《かた》のうしろにむかって動かした。言葉がわからなくても、このジェスチャーでわかるだろう、ということか。

「なに言ってやがる！　おれは予約してたんだぞ！」船乗りは立ちあがり、両手で拳《こぶし》を作ると、戦いのポーズをとった。一歩前に出て戸口に近づく。入ってきた大男も前に出た。

船乗りの頭のてっぺんが、大男のあごに届くか届かないかといったところ。大男は船乗りと目を合わせたまま左手を伸《の》ばし、ドアの外側についている金属の把手《とって》を握《にぎ》った。手に力がこもる。一瞬《いっしゅん》おいてから、カイ・ルンにとって悲しむべきことが起こった。把手《とって》がぐにゃりと曲がったのだ。金属ではなく、紙でできていたようにしか見えない。

「まあいい」船乗りが言った。「刺青屋《いれずみ》なんてほかにもある」

大男がわきによけると、船乗りは彼《かれ》を押《お》しのけるようにして出ていった。あとを振《ふ》りかえりもしない。

「客を逃《に》がしてくれたな」カイ・ルンが言った。大男のことを怖《こわ》いともなんとも思っていないようだ。年をとっているだけあって、長い人生ではいろんなものを見ていたのだろう。本当に怖《こわ》いものなど世の中にはあまりないということを知っている。カイ・ルンにとって、死はなじみの友だちなのだ。「ほかの客を連れてきてくれると助かるんだが」

大男はまたわきによけた。すると、別の男が入ってきた。大男よりは小柄《こがら》で、身なりもいい。手にステッキを持っている。いっしょにひんやりした空気も入ってきた。カイ・ルンの全身を、ある感情が駆《か》けぬけた。一瞬《いっしゅん》考えて、気がついた。この感情は——恐怖《きょうふ》だ。

恐《おそ》ろしい、と思った。

「なにか彫《ほ》ってほしいのか?」カイ・ルンは声の震《ふる》えを抑《おさ》えながら聞いた。

「ああ、額に頼《たの》む」この男も、発音はアメリカ流だ。「女の名前を」

落ち着いたしゃべりかただった。一語一語の発音がはっきりしている。うしろから光が射してくるので、顔は逆光になってよく見えない。しかし、オイルランプの小さな光を受けて、ステッキの持ち手部分がぎらついている。もしかしたら、あれは大きな金塊《きんかい》ではないのか。カイ・ルンは一瞬《いっしゅん》息をのんだ。そしてすぐに気がついた。ステッキのいちばん上の部分は人間の頭蓋骨《ずがいこつ》の形になっている。

「恋人《こいびと》の名前を額に?」カイ・ルンは聞いた。「ふつうは腕《うで》とか胸に——心臓のそばに——彫《ほ》るもんじゃないか」

「女といっても、恋人《こいびと》じゃない」ステッキを持った男の声は落ち着いていた。相変わらずきちんとしたしゃべりかただ。しかしその奥底《おくそこ》にひそむなにかに、カイ・ルンは、言いようのない恐怖《きょうふ》を感じていた。「いいから額に彫《ほ》ってくれ。脳に近いところに彫《ほ》ってあれば、忘れずにすむ。できるだけ丁寧《ていねい》に頼《たの》む。失敗は許さん」

「わたしは街でいちばんの刺青《いれずみ》師だ」カイ・ルンは胸を張った。

「そう聞いている。だからここに来た」

カイ・ルンはほっと息をついた。「女の名前は?」

「書いてきた。アルファベットは読めるか?」

「もちろん」

男は左手を出した。紙切れを持っている。カイ・ルンは男の皮膚《ひふ》に触《ふ》れないように気をつけながら、それを受けとった。名前が書いてある。丁寧《ていねい》に書いてあるので、問題なく読めた。

「バージニア・クロウか」

「そのとおり」

「何色にする?」カイ・ルンは聞きながら、「青」と返ってくるものと思っていた。しかし、返事は意外なものだった。

「赤。赤で彫《ほ》ってくれ。血の色で頼《たの》む」

1

「ストップ、ストップ！」ルーファス・ストーンが声をはりあげた。「わたしを殺す気か！」

シャーロックはバイオリンの弦《げん》から弓を離《はな》した。「おおげさだなあ」

「おおげさなもんか。これ以上聞いていたら、心臓が口からとびだしてくる。ネコの悲鳴を聞くのはもうたくさんだ、と言ってね」

シャーロックの気持ちは、秋の落ち葉みたいにしおれてしまった。さっきまでの自信は、もうどこにもない。「そんなにひどかったかな」

「そこが問題なんだ」ストーンが言う。「どこが悪いのかがわかっていない。それじゃあ直しようがないだろう」

ストーンは首のうしろをこすりながら、どこへ行くともなく、その場を離《はな》れていった。うまく説明する言葉を探しているんだろう。着ているのはストライプ柄《がら》のゆったりしたシャツ。袖《そで》をざっくり折りかえしている。ベストはきちんとしたものだ。そこそこ上等なスーツのベストだけを着てきたんだろうか。カジュアルなコーデュロイパンツを合わせて、ずいぶん傷んだ革のブーツを履《は》いている。くるりと振《ふ》りかえってシャーロックを見た。その顔に浮《う》かんでいたのは困惑《こんわく》の表情。いや、それだけではない。ストーンのもうひとつの思いを読みとったシャーロックは、胸がつぶれるような気分だった。ストーンは、〝期待はずれだったな〟と思っているのだ。

シャーロックは目をそらした。そんな表情を見ていられない。友だちであり、お兄さんのような存在でもあると思っていた人に、そんな顔をされるなんて……。

そのまま視線を泳がせて、レッスン室を見まわした。そうしていればストーンと目を合わせなくてすむ。レッスン室はファーナムにある古い建物の屋根裏部屋だった。ストーンはこの下の部屋を借りて住んでいる。大家《おおや》の女性がストーンを気に入ってくれて、バイオリンの練習とレッスンをここでやってもいいと言ってくれたそうだ。といっても、レッスンを受ける生徒は、いまのところただひとりだけれど。

屋根裏部屋はとても広くて、埃《ほこり》っぽい。屋根のタイルとタイルの隙間《すきま》から光が斜《なな》めに差しこんで、壁《かべ》に斜《なな》めの筋を作っている。屋根を支える筋交いのようだ。ストーンによると、ここは音響《おんきょう》がひどくて、干し草小屋で弾《ひ》くようなものだという。それでも自分の部屋で弾《ひ》くよりはだいぶましとのこと。壁際《かべぎわ》には箱やトランクが積みあげられている。壁際《かべぎわ》の床には小さな出入り口があって。ここを出て梯子《はしご》を降《お》りれば、階段の踊《おど》り場に出ることができる。バイオリンと弓を片手に持って梯子《はしご》の昇《のぼ》り降《お》りをするのはちょっとハラハラするものの、シャーロックは、まわりの世界から切り離《はな》されたような屋根裏部屋の雰囲気《ふんいき》や、広々《ひろびろ》とした感じが気に入っていた。

いつか自分も、ひとりになってゆったりくつろげるようなところを住まいにしてみたい。そこには絶対にだれも入れてやらない。

外でハトが羽ばたいている。軒下《のきした》のねぐらに戻《もど》ってきたのだろう。一時的に日差しが遮《さえぎ》られ、かわりに外の冷気が忍《しの》びこむ。いてつく空気が屋根のタイルの隙間《すきま》から細い指をさしこんでくる。

シャーロックはため息をついた。バイオリンがいつになく重く感じられる。なぜか、手にもなじまない。はじめてバイオリンを手にしたときのようだ。目の前の譜面台《ふめんだい》には、モーツァルトの曲が広げてある。ストーンによると、オリジナルではなくバイオリン用に書きなおされたもの。曲名は「夜の女王の歌」。有名なオペラ曲に出てくるアリアだそうだ。五線譜《ごせんふ》のあいだに、たくさんの黒い丸が閉じ込《こ》められている。シャーロックの目にはなにかの暗号のように見えるが、それを読みとくのは簡単だった。単なる換字《かえじ》式暗号にすぎない。この線の上にある黒丸はこの高さの音、と決まっている。ただし、黒丸の前に井《い》桁《げた》のような記号がついているときは別で、音が少し高くなる。シャープだ。同様に、ちょっと傾《かたむ》いた感じのbの字がついていれば、音が少し低くなる。これはフラット。シャープやフラットがついていたら、ひとつ上、あるいはひとつ下の音よりも、半分だけ高い音、あるいは半分だけ低い音を出さなければならない。単純なルールだし、わかりやすい。そうやって書かれた音楽を実際の音にしているだけなのに、ルーファス・ストーンはどうしてあんなに文句を言うんだろう。

上達が遅《おそ》くて、ストーンをいらつかせているのはわかっている。自分だって、さっと楽器を構えて、最初からきれいに弾《ひ》けたら、さらには毎回間違《まちが》いなく弾《ひ》けたらどんなにいいだろうと思う。しかし残念ながら、人生とはそんなに甘《あま》いものではない。だけど。なんでもうまくいく人生があったっていいじゃないか。そういえば、昔、家にあったピアノについても、同じように思っていたものだ。あのピアノの前に何時間も座りつづけて、考えたものだ。どうしてすぐに弾《ひ》けるようにならないんだろう。ピアノほど単純な楽器はないじゃないか。鍵盤《けんばん》のどこかを押《お》せば、音が出る。同じところを押《お》せば、毎回必ず同じ音が出る。つまり、どこを押《お》せばなんの音が出るかをおぼえてしまえば、弾《ひ》けるはずだ。それなのに、どんなに頭を使って考えてみても、姉のようには弾《ひ》けなかった。姉の奏でる音楽は流れるように美しく、まるで小川のせせらぎのようだった。

バイオリンには弦《げん》が四本しかない。たった四本だ。難しいはずがない。

「問題は」突然《とつぜん》ストーンが言って、振《ふ》りかえった。シャーロックをじっと見る。「きみは音符《おんぷ》を音にしているだけで、曲を弾《ひ》いていないということだ」

「意味がわかりません」シャーロックは身構えた。

「わからないというのがわからない」ストーンはため息をついた。「木は森じゃない。森は、すべての木を合わせたものだ。いや、それだけじゃない。下生え、動物、鳥、空気、それらのものすべてが森を形作っている。そういうものを全部無視して木材を何本か積みあげてみても、そこに感情は生まれない。雰囲気《ふんいき》もなにも生まれない」

「その感情っていうのは、どこから来るんですか。音楽の場合」

「ひとつひとつの音符《おんぷ》から生まれるわけじゃない」

「けど、譜面《ふめん》に書いてあるのは音符《おんぷ》だけじゃありませんか！」

「そこにきみがなにかを加えるんだ。気持ちをこめて弾《ひ》くってことだ」

「どうやって？」

ストーンは首を横に振《ふ》った。「たとえば、わずかなためを作るとか。ちょっと強調してみるとか。ほんの少し速くしたり遅《おそ》くしたり。そういうところに感情が生まれる」

シャーロックは譜面台《ふめんだい》の譜面《ふめん》を指さした。「そんなこと、なにも書いてありませんよ！　作曲家が、ここは速くしろとか遅《おそ》くしろとか思っていたのなら、それをちゃんと書きこんでくれたらよかったのに」

「書いてあるとも。イタリア語でね。ただし、それは単なるヒントにすぎない。その曲をどう弾《ひ》くかは、自分で決めなきゃいけないんだ」ストーンはまたため息をついた。「きみは結局、曲を計算問題とか文法問題のようにとらえているんだろう。わかっている事実をすべて目の前に並べてほしい、そうしたら答えを出してやる、そう思っているんじゃないのか？　音楽はそういうものじゃない。音楽には解釈《かいしゃく》が必要だ。自分ならではのなにかを付け加えなきゃならない」そこまで言って、ストーンは少しためらった。言葉をさがしているようだ。「演奏とは、作曲家と演奏家の二重奏みたいなものなんだよ。その九十パーセントは作曲家が担当するが、残りの十パーセントは演奏家に託《たく》されている。物語を読むことと、物語を感じることの違《ちが》いみたいなものかな」しゅんとしたシャーロックの顔を見ながら、ストーンは続けた。「チャールズ・ディケンズという作家が自分の作品を朗読するところを見たことはないかい？　ないならそのうち行ってみるといい。有料だが、その価値はあるぞ。ディケンズは、登場人物によって声色《こわいろ》を変え、ステージ上を歩きまわり、切迫《せっぱく》した場面はたたみかけるように読む。まるでその物語を初めて読むみたいに、驚《おどろ》きと興奮を観客に伝えてくるんだ。音楽の演奏もそうあるべきだ。その曲に初めて向き合うような気持ちで弾《ひ》かなきゃならない」いったん言葉を切り、顔をしかめた。「曲に初めて向き合うといっても、そのやりかたはいろいろだ。きみの場合、初めて出会った曲だけど、間違《まちが》えずに弾《ひ》いてやるぞ、といわんばかりの演奏になっている」

反論の余地もない、とシャーロックは思った。

「ぼく、あきらめるべきですか?」

「あきらめちゃだめだ」ストーンは厳しい口調で言った。「絶対にあきらめるな。バイオリンだけじゃない、なにごともそうだ」ストーンは長い髪《かみ》に指を通した。「ぼくの教えかたが間違《まちが》っていたのかもしれないな。よし、別の角度から考えてみよう。いいかい、きみは数学の問題を解くように、音楽にとりくんでいる。だったら、音楽に数学をとりいれた作曲家の曲が向いているのかもしれない」

「そんな人がいるんですか?」シャーロックは半信半疑で聞いた。

ストーンはちょっと考えてから答えた。「そうだな。たとえばヨハン・セバスチャン・バッハ。曲の中に数学的なトリックと暗号を組みこんだことで有名だよ。『音楽の捧《ささ》げもの』という曲集の中には、対称形《たいしょう》になっている曲がいくつかある。最初の音と最後の音が同じで、二番目の音と最後から二番目の音が同じ。真ん中の音までずっとそうなっているんだ」

「すごいね」シャーロックは心底驚《おどろ》いていた。なんて大胆《だいたん》なアイディアだろう。「それでちゃんと曲になっているの?」

「もちろん。バッハはすばらしい作曲家だよ。数学的なトリックをとりいれたからって、音楽性を損なったりはしない。むしろ曲に深みを増しているんだ」ストーンは、やっと興味を示してくれたね、というようににっこり笑った。「わたしはバッハの専門家とはとうてい言えないが、さっき話したのとは別の数学的ルールをとりいれた曲があるのは知っている。イタリア語の名前がついていたな。さあ、モーツァルトに戻《もど》ろう。今度は感情をこめて弾《ひ》いてくれ。常に気持ちをこめること。指はあとからついてくる」

シャーロックはバイオリンを肩《かた》にのせ、首とあごではさんだ。左手の指先を使って、ネックの端《はし》のほうで弦《げん》を押《お》さえる。いつのまにか、指先がかちかちになっているのは、ストーンの指導が厳しいせいだ。弓を弦《げん》の上に構えた。

「スタート!」ストーンが言う。

シャーロックは譜面《ふめん》を見た。しかし、理解しようとするのはやめて、視線をさっと横に流していった。ひとつひとつの音符《おんぷ》ではなく、譜面《ふめん》全体をながめる。木ではなく森を見なくてはならない。さっきも弾《ひ》いたばかりだから、音の並びはおぼえている。深く息を吸って、弾《ひ》きはじめた。

はじめのうちは、なにがなんだかわからなかった。指が勝手に動いて、正しい弦《げん》の正しい場所を押《お》さえていく。次はそこだよと脳が指令を出すのだが、指はそれよりほんの少し先に動いているのだ。どうすればいいかを体が知っているかのようだ。心が解きはなたれて自由になり、音楽の上にふわふわ浮《う》かびながら、曲の意味をさがしている。だれかがこの曲を歌っている、そんなイメージを持って弾《ひ》いた。バイオリンの音は、その歌声だ。ところどころでためを作り、ところどころを強めに歌い、大切な思いを響《ひび》かせる。

気がついたときには曲が終わっていた。

「ブラボー!」ストーンが声をあげた。「完璧《かんぺき》じゃないが、よくなったぞ。きみが音楽を感じながら弾《ひ》いているのが伝わってきた。ただ弾《ひ》いてるだけじゃない」斜《なな》めに差しこんでくる光に目をやった。「今日はここまでにしよう。いいところでやめるのがいちばんだ。スケールの練習も続けるように。だが、一音ずつの練習もやってほしい。ひとつの音を長く伸《の》ばして弾《ひ》くんだが、そこにいろんな思いをこめてみてくれ。悲しいときはどんな音になるか。うれしいとき、腹を立てているときはどうか。気持ちを曲のすみずみにまで行きわたらせたらどうなるか、やってみてごらん」

「ぼく……感情をこめるっていうのが苦手なんです」シャーロックは元気のない声で言っ

た。

「わたしは得意だ」ストーンも静かに言う。「だから、きみの力になれると思う」シャーロックの肩《かた》に手を置き、ぎゅっと握《にぎ》ると、すぐに手を離《はな》した。「じゃ、帰りなさい。あのアメリカ娘《むすめ》をさがして、いっしょに遊んだらどうだ？」

「バージニアのこと？」シャーロックは、バージニアのことを思っただけで胸がどきどきした。しかし、自分でもわからない。うれしいからなのか、怖《こわ》いからなのか、どっちだろう。「でもなあ——」

「優柔不断《ゆうじゅうふだん》なやつだな。迷わず会いにいけばいいじゃないか」

「そうします。明日も同じ時間でいいですか？」

「ああ、明日も同じ時間に会おう」

シャーロックはバイオリンをケースに入れて、すべるように梯子《はしご》をおりた。そのまま階段をおりる。一階までおりると、ストーンの大家の女性がキッチンから出てきた。ストーンと同じくらいの年で、髪《かみ》は黒、目は緑。なにか話しかけてきたが、シャーロックは家から駆《か》けだすところだったので、ほとんど聞きとれなかった。次の瞬間《しゅんかん》、シャーロックはきりっと冷たい空気に包まれ、明るい日差しを浴びていた。

ファーナムはいつもどおりのにぎやかさだった。小石やぬかるみをものともせず、たくさんの人々《ひとびと》が、さまざまな目的を持ってさまざまな方向に歩いている。シャーロックは一《いっ》瞬《しゅん》立ちどまり、その光景を目に焼きつけた。人々《ひとびと》の服。姿。人々《ひとびと》が持ちはこぶ箱やカバンなどの荷物。そして、ひとりひとりを分析《ぶんせき》していった。たとえば、少し離《はな》れたところにいる男性。額に赤い吹《ふ》き出物《でもの》がある。片手に紙を一枚持っているが、それが命の次に大切だとでもいうふうに見える。ここから歩いて二、三分のところに外科医のクリニックがある。男はそこから出てきて、すぐそこにある薬局に向かうところなのだろう。つまり、診察《しんさつ》を受けて、薬をとりにいくところなのだ。次に、道路の反対側にいる男性。いい服を着ているが、無精ひげが伸《の》びているし、目もしょぼしょぼしている。靴《くつ》もすり切れて、泥《どろ》だらけだ。浮浪者《ふろうしゃ》だろうか。着ている服は、教会に寄付されたものなのかもしれない。それから、すぐ目の前を横切った女性はどうだろう。片手で髪《かみ》をかきあげているが、全体の印象に比べて、手のほうが年をとっているように見える。白くてしわが目立つのは、長年水仕事をしてきたからではないか。ということは、あの人は洗濯婦《せんたくふ》だ。

ルーファス・ストーンが木ではなく森を見ろと言ったのは、こういうことだろうか。ただ人の姿を見るのではなく、その人の過去と未来を一瞬《いっしゅん》で見抜《みぬ》くということ。

頭がくらくらした。なにかすごくスケールの大きなものが見えたような気がしたせいだ。しかしそれは一瞬《いっしゅん》のことで、目の前には、また人々《ひとびと》の行き交う街の風景が広がっていた。

「どうした、大丈夫《だいじょうぶ》か?」だれかの声がした。「いまにもそこで倒《たお》れるんじゃないかと思ったよ」

振《ふ》りかえると、マシュー・アーノット——マティ——が立っていた。マティはシャーロックより小柄《こがら》で、年もひとつかふたつ下だ。なのに、そのときシャーロックの目にうつったマティは、少年ではなかった。単なる友だちでもない。示唆《しさ》に富んだ大人の男性だった。しかし次の瞬間《しゅんかん》、目の前にいるのはいつものマティだった。しっかりしていて頼《たよ》りになる、いつものマティ。

「アルバートの具合が悪いのかい?」シャーロックは言った。アルバートはマティの馬だ。マティのハウスボートを引いてくれる。マティはボート暮らしだから、いつでも住む街を変えられる。

「え、なんで?」

「袖口《そでぐち》にわらがついてるからさ」シャーロックは答えた。「アルバートに手渡《てわた》しで食べさせてやってるんじゃないか? いつもなら、アルバートはまわりの草を勝手に食べるから、きみはそんなことはしない。けど、アルバートが自分で食べていないようだから心配になった。そうだろう?」

マティは眉《まゆ》を片方だけつりあげた。「いや、ときどき手渡《てわた》しで食べさせてやりたくなるだけで、いちいち騒《さわ》ぎ立てるほどのことじゃねえよ。アルバートは家族みたいなもんだからさ」まいったなというように肩《かた》をすくめる。「たまには思いっきりかわいがってやる。そんだけだよ」

「ふうん」シャーロックはこの話を引っこめることにした。あとであらためて考えてみよう。「で、ぼくがここにいることがどうしてわかったんだい？」

「バイオリンの音が聞こえた」マティは簡潔に答えた。「街じゅうに聞こえてたよ。そうか、アルバートが食欲をなくしたのはそのせいだな」

「ふん、おもしろいな」

「なあ、そろそろ昼だぜ。マーケットに行けばいろんな余りものが手に入る」

シャーロックは少し考えた。マティとマーケットに行くべきか。それともバージニアに会いにいくべきか。

「あっ、ごめん」急に大切なことを思いだした。「おじに言われてたんだ、お昼には戻《もど》るようにって。最近オークションで手に入れてきたものを分類する手伝いをしてほしいみたいなんだ。古い説話集なんだって」

「へえ、そりゃあおもしろそうだ」マティは笑顔で言った。「せいぜい楽しみな。バージニアには、おまえのかわりにおれが会いにいこうかな」

「そんなことしてみろ。どこかの橋から吊《つ》りさげてやる。鼻まで水没《すいぼつ》させてやるぞ」

マティはそれを聞いて真顔になった。「冗談《じょうだん》だよ」

「ぼくは本気だ」

シャーロックはマティの視線が動いたのに気づいた。市場のほうが気になるようだ。

「行きなよ。傷のついた果物とか、割れたパイとかが手に入るんだろう？　あとで会おう。今日が無理なら、明日にでも」

マティはにこっと笑うと駆《か》けだした。人ごみをぬうように進んでいき、あっというまに見えなくなった。

シャーロックはしばらく黙《だま》って歩きつづけた。ファーナムの中心街を離《はな》れ、おじとおばの家に向かっていく。荷馬車が通りかかるたび、振《ふ》りかえって農夫の顔を見たが、ほとんどの農夫は目をそらしてしまう。冷たいなあ、とは思わないようにした。同じことを何度もやってきてわかったのだが、反応してくれるのは荷馬車二十台のうち一台くらいなものだ。やがて、ある農夫がシャーロックに気づいて声をかけてくれた。「どこに行くんだ？」

「ホームズ荘《そう》です」シャーロックは大声で答えた。

「あそこは臨時雇《りんじやと》いはしてないと思うがね」

「ええ、知ってます。ちょっと……人に会いにいくんです」

「なら、乗りな。ちょうど門の前を通るから」

動いている荷台の端《はし》にバイオリンを投げいれ、自分も乗りこむと、干し草の山に体をあずけながら考えた。どうして素直に〝ホームズ荘《そう》に住んでいます〟と言えないんだろう。このへんの大地主である貴族の子息だとわかったとたん、人々《ひとびと》が態度を変える、そういうところを見たくないからだろうか。そんなのばかげている、とシャーロックは思った。親から家や土地を受け継《つ》ぐ、ただそれだけのことのために、ほかの人々《ひとびと》とふつうに付き合えなくなるなんて。自分は大人になっても、そんな理由で人との付き合いかたを変えたりしないぞ、と心に決めた。

荷馬車に揺《ゆ》られて二十分ほどたってから、シャーロックはわらの山から飛びおりて、「ありがとう！」と明るく礼を言った。腕時計《うでどけい》を見る。お昼までにはあと三十分。それだけあれば、手や顔を洗ってきれいなシャツに着替《きが》えられる。

ホームズ荘《そう》の昼食に会話はない。今日もそうだった。おじのシェリンフォード・ホームズは、本を読んだり、あごひげや本を食べ物で汚《よご》さないように気をつけたりするのに忙《いそが》しいし、おばのアンナはぶつぶつひとりごとを言っている。ひとりごとの内容は、庭をどんなふうに整えようとか、いままで分断されていたホームズ家の人々《ひとびと》がまた仲良くなってうれしいとか、地域の地主たちの噂話《うわさばなし》とか、今年は天気がよくなりますようにとか、そんなところだ。一度か二度、シャーロックに質問が飛んでくる。元気にしているかとか、気分はどうかとか、そんな質問だ。しかしシャーロックが答えようとしたときには、おばはもう自分のひとりごとに夢中になっている。それも含《ふく》めて、いつもどおりの昼食だった。

ただひとつだけ、いつもとちがうことがあった。エグランタインさんがいない。この屋《や》敷《しき》の家政婦で、いつもシャーロックをにらみつけている、暗い影《かげ》をまとった女性だ。食事はいつも、メイドたちがうやうやしく給仕してくれる。黒ずくめの服装をしたエグランタインさんは窓際で、射してくる光に身を隠《かく》すようにして立っているのだが、今日はその姿がない。どこに行ったんだろう。シャーロックは一瞬《いっしゅん》そう思ったが、すぐに、そんなことどうでもいいじゃないかと思いなおした。

おじとおばより早く食事を終えると、シャーロックは席を立っていいかと聞いた。

「ああ、かまわん」おじは本から視線を上げようともしない。「書斎《しょさい》の机の上に説話集が積んである。きみがあれを分類してくれたら本当に助かるよ。著者ごとに分けて、さらにそれを年月順に並べかえてほしい。わたしのねらいは――」おじはちらりと顔を上げて、もじゃもじゃの眉《まゆ》の下からシャーロックを見た。「――キリスト教の分派がどう進んでいったかを調べることなんだ。そしてそれが、比較的《ひかくてき》新しい分派である末日聖徒イエスキリスト教会とどう関わっているのかに興味がある。今回手に入れた説話集は、その点を解きあかしてくれる大切な資料になりそうなんだ」

「わかりました」シャーロックはテーブルを離《はな》れた。

シェリンフォード・ホームズの書斎《しょさい》は、乾《かわ》いた古い本と、白かびと、革表紙と、パイプたばこのにおいがした。中に入ってドアを閉めたとたん、静けさが物理的な重みをもってのしかかってきた。耳をぎゅっと押《お》されているみたいだ。

机には、大量の紙が積みあげられていた。紙の大きさや厚みもさまざま。タイプライターで打ったものもあれば、手書きのものもある。手書きの書体もさまざまだ。ほとんどはリボンやひもで綴《と》じてある。ちょっとどきどきしながら革張りの椅子《いす》に座ると、ぎいっという音がした。紙の山を見上げて、うんざりした。ぼくの身長以上の高さがあるじゃないか。視界がさえぎられて、ここが書斎《しょさい》だってこともわからないくらいだ。大変な作業になりそうだ。

とりかかった。手近な山から一冊とって、著者の名前を見る。それを背後に作った仕分けの山に置いていくだけ——そう考えると、なんてことのない作業だが、実際はそう単純なものではなかった。著者の名前がどこにも書かれていないものもあるし、日付がないものもある。名前も日付もないものもある。ほかの手がかりをもとに判断する必要がありそうだ。手書きの原稿《げんこう》は、字が手がかりになる。ギザギザの字や、すごく几帳面《きちょうめん》な字。そく。多くは教会の特徴《とくちょう》から、この原稿《げんこう》とこの原稿《げんこう》は同じ人が書いたもの、というふうに見分けがつく。それをひとつの山にすればいい。特定の地名が手がかりになることもあった。多くは教会の名前だが、よく出てくる地名があれば、著者はその近くに住んでいたんだろう、同一人物か、少なくとも同じグループに属する人だ、ということになる。しばらく見ているうちに、タイプライターの原稿《げんこう》にも、いくつかの特徴《とくちょう》があることに気がついた。nの字が薄《うす》いとか、aの字の位置がほかよりちょっと高いとか。同じ特徴《とくちょう》があるということは、同じタイプライターで打ったということだ。これもひとつの山にすることができる。中身を細かいところまで読むことはしなかった。そんなことをしたら時間ばかりかかって、作業が終わらない。それでも、ぱらぱらとページをめくって、著者や日付のヒントをさがしていくだけで、話の概要《がいよう》は見えてくる。田園地帯に住む人々《ひとびと》の暮らしぶり。神への限りない愛。ものごとの本質を見きわめようとしても結局は徒労に終わるむなしさ。これらの原稿《げんこう》を書いた著者たちの人となりさえ理解できるような気がした。まじめで気難しく、永遠に続く業火を恐《おそ》れる人もいれば、神が創造したものの美しさにひたすら感動している人もいる。細部にばかり気をとられて、全体の流れにまったく気づかない人もいる。また、少なくともひとりは女性だった。聖職者である夫のために、かわりに説教の文章を書いていたらしい。

とにかく大変な作業だった。一時間か二時間、シャーロックは休みなく作業を続けた。そのあいだ、邪魔《じゃま》が入ることもなかった。

少し休憩《きゅうけい》しよう、と思った。ぐっと伸《の》びをして、背中の凝《こ》りをほぐす。立ちあがり、机からちょっと離《はな》れてみて、驚《おどろ》いた。机の上にある紙の山はさっきとほとんど変わりがない。床《ゆか》には新しい山が十三か十四できているというのに。

いつのまにか、おじの書棚《しょだな》のあいだをうろついていた。本のタイトルをなんとなくながめる。はじめのうちはとくに目的もなく見ていた。さがしたい本があるわけでもなかった。しかし、ふと思った。ここにならバッハの本があるかもしれない。音楽全般《ぜんぱん》のことが書かれた本でもいい。音楽に数学をとりいれた作曲家がバッハ以外にもいないだろうか。もっと詳《くわ》しいことが知りたい。シェリンフォード・ホームズは、全国各地にいる牧師や司祭のために説教の原稿《げんこう》や小冊子を書いて日々《ひび》を過ごしているが、蔵書はキリスト教関係のものばかりではなく、ありとあらゆる分野を網羅《もうら》している。

ヨハン・セバスチャン・バッハといえば、宗教音楽をたくさん書いたことでも有名だ。教会のオルガンのための作品も多い。ディープディン男子校で使っている讃美歌集《さんびか》にも、通っていた教会の讃美歌集《さんびか》にも、バッハの曲がたくさんのっていた。宗教の専門家による本の中には、バッハの作品について書かれたものがあってもおかしくない。

書棚《しょだな》のあいだの薄暗《うすぐら》い通路を歩きながら、音楽に関する本をさがした。ドアが視界から消えたとき、カチリと音がした。おじが入ってきたんだろう、シャーロックはそう思って、机のほうに戻《もど》ろうとした。作業がどこまで進んだかを知らせたい。しかし、書棚《しょだな》のあいだから出た瞬間《しゅんかん》、大きくふくらんだ黒いスカートが奥《おく》の書棚《しょだな》の陰《かげ》に消えていくのが見えた。

エグランタインさん？　どうしてここに？

なにか目的があってここに来た、そんな動きだった。どういうことだろう。シャーロックはできるだけ音をたてないようにしながら、少しずつ近づいてみた。理由はわからないが、エグランタインさんは人目を盗《ぬす》んで行動している。ここに入ってきたことを誰《だれ》にも知られたくないんじゃないか。少なくとも、本棚《ほんだな》の埃《ほこり》を払《はら》いにきたのではない。そういう仕事はもっと下っぱのメイドがやることになっている。

書棚《しょだな》から頭の一部だけを出し、体は全部隠《かく》したまま、観察した。やっぱりエグランタインさんだ。書棚《しょだな》のまんなかあたりで床《ゆか》に膝《ひざ》をついている。スカートが床《ゆか》に大きく広がっている。エグランタインさんは、書棚《しょだな》の本をいっぺんに何冊もつかんでは、カーペットの床《ゆか》に落としはじめた。見ているだけでも悲鳴が出そうになる。本をあんなに粗末《そまつ》に扱《あつか》うなんて、ひどい。床《ゆか》に落ちた本の中には、ページが開いて折れまがったものや、背表紙がゆがんでしまったものもある。本をあらかた出してしまうと、エグランタインさんはさらに深くかがみ、カーペットに頭を近づけて、空っぽになった書棚《しょだな》の奥《おく》をのぞきこんだ。なにをさがしているのか知らないが、見つからなかったようだ。はあっと残念そうなため息をついてから、本を戻《もど》していく。元の順序などかまうようすもなく、本が逆さまになったり、背表紙が向こうがわになってしまったりしても気にせず、ただ本を棚《たな》につっこむだけだ。

エグランタインさんは左のほうに目をやった。シャーロックとは反対側だ。危ない。シャーロックは頭をひっこめた。同時に、エグランタインさんの顔が右に動く。思い過ごしだとはわかっているが、エグランタインさんの鋭《するど》い視線はカーペットを焦《こ》がし、ただよう埃《ほこり》を騒《さわ》がせたように見えた。

二十数えて、また頭を少しだけ出した。そのとき、不規則などんどんという音が聞こえはじめた。誰《だれ》にも見られていないのを確認したエグランタインさんが、また別の場所の本を床《ゆか》に落としはじめたのだ。さっきより高い棚《たな》から、本を次々《つぎつぎ》に落としていく。あいた場所をのぞきこみ、がっかりしたように顔をしかめる。そしてまた本を適当に戻《もど》した。

「わたしの書斎《しょさい》でなにをしている!」声が響《ひび》いた。「すぐに出ていけ!」

シャーロックは驚《おどろ》いて顔を上げた。書棚《しょだな》の列のいちばん端《はし》に、シェリンフォード・ホームズがいる。音をたてずに入ってきたようで、エグランタインさんだけでなくシャーロックもまったく気づいていなかった。

エグランタインさんはゆっくり体を起こした。「おろかな男」ゆっくり、はっきり、そう言った。「自分がこの家の主《あるじ》だと思ったら大間違《おおまちが》いよ。いま、すべてを牛耳っているのはわたしなんだから」

2

シャーロックは驚《おどろ》いた。喉《のど》から息が出てこない。おじにむかって、よくもそんな失礼なことを！　次に喜びがこみあげてきた。あそこまで言ってしまったら、エグランタインさんはもうこの家にはいられない。一時間以内に追い出されるだろう。だれもそのことを悲しまない。

シェリンフォード・ホームズは、おろした拳《こぶし》をぎゅっと握《にぎ》ったが、顔に浮《う》かんでいるのは怒《いか》りの表情ではなかった。自分のふがいなさへの苛立《いらだ》ちだ。しかし、使用人に持ち物をさぐられていたのがわかったら怒《おこ》るのが当然ではないか。シャーロックは待った。早くおじが怒《いか》りを爆発《ばくはつ》させ、エグランタインさんを即刻《そっこく》クビにしてほしい。信用照会書なんて書いてやる必要もない。ところが、おじは首を横に振《ふ》るばかりだ。握《にぎ》った拳《こぶし》を自分の脚《あし》にたたきつけている。「なんの権利があってそんなことを」

「権利？　権利ならいくらでもあるわよ。わたしはこの屋敷《やしき》を支配しているも同然。あんたも、あんたの気どった妻も、よくわかっているはず。このわたしを怒らせたらどうなるかってね」

「な――なんて女だ。いまいましい」おじはエグランタインさんと目を合わせることもできず、カーペットを見おろしている。驚《おどろ》いたことに、その目には涙《なみだ》が浮《う》かんでいた。

エグランタインさんは、もったいをつけるようにゆっくりと書棚《しょだな》のあいだを歩き、おじの前に立った。おじより小柄《こがら》だが、おじが背中を丸めているせいで、胸を張ったエグランタインさんのほうがずっと大きく見える。

「おろかとしか言いようがないわね！」エグランタインさんはおじのあごをつかんだ。あっけにとられて物陰《ものかげ》から見ているシャーロックにも、おじのほおにエグランタインさんの指が食いこんでいるのがわかる。「くる日もくる日もこの部屋にこもって、国じゅうにいる同じくらいおろかなやつらのために、くだらない書き物をしているだけなのに、自分は立派な仕事をしている、その努力はたたえられるべきだ、なんて本気で思っているんだから。あんたの書いたものになんか、なんの意味もないってのにね。そのうち思い知らせてやるわ。あんたがなんにも書けなくなっても、世界はちっともかまうことなく動いていくってね。わたしにはそれだけのことができる。あの秘密を武器に、ホームズ家を破滅《はめつ》させてやることができるのよ」

ぐもっている。

「だったらさっさとそうすればいい」おじが言った。口元をつかまれているので、声がくぐもっている。

エグランタインさんは口をあけてなにか言おうとしたが、言葉が出てこなかったようだ。

「できないんだろう」おじが続ける。「おまえがあのことを公《おおやけ》にすれば、たしかにホームズ家は破滅《はめつ》する。だが、おまえもこの家に出入りすることができなくなる。そうしたら、おまえはどうなる？　この一年あまり、この家のなかを隅《すみ》から隅《すみ》までさぐってきたんだろう。なにをさがしているのか知らないが、さぞかし重要なものにちがいない。それをさがせなくなったら困るんじゃないか？」

「わたしがなにをさがしているか、知らないですって？　ふん、しらじらしい」エグランタインさんは吐《は》きすてるように言うと、おじの顔から手を離《はな》した。「この部屋にあるはず。だからあんたは毎日毎日ここに来て、その椅子《いす》に座ってる。よぼよぼのめんどりが、孵《かえ》ることのない卵をあっためつづけてるみたいにね。ほかのところは全部調べたから、残るはここだけなのよ」

「出ていけ」おじはいった。「でないといますぐクビにしてやる。結果がどうなろうとかまわない。神様がわたしを守ってくれるだろう。おまえをクビにして、この悪夢から解放されたいんだ。そうすれば、おまえの宝さがしの妨害《ぼうがい》もしてやれることだし」

エグランタインさんはおじの横を通りすぎ、ドアに近づいてきた。通路の端《はし》まで来ると、さっと振《ふ》りかえってシャーロックを見た。いつもは氷のように真っ白なほおが真っ赤になっている。「わたしを放りだして無傷ですむと思ったら大間違《おおまちが》いよ」金切り声を小さくしたような声で言う。「こっちだって、黙《だま》って身を引くつもりはないわ。いちばん困るのはだれかってことを、よく考えてみなさい」エグランタインさんはシャーロックにいったん背をむけたが、また振《ふ》りかえった。「それと、この生意気な子どもをなんとかすることね。とっとと追いはらってしまいなさい！」

「ほう、シャーロックのことが怖《こわ》いんだな」おじが言った。「シャーロックに正体を暴かれるのが怖《こわ》いんだろう？　自分が追いだされることになるんじゃないか、そう思っているわけか」

「とんでもない。こんな子どもになにができるもんですか。だいたい、おろかなホームズ家の一員だというだけで、程度が知れているというものよ」それだけ言うと、エグランタインさんはその場を離《はな》れていった。続いて、書斎《しょさい》のドアが開いて閉まる音がした。

「あの女は、おまえを恐《おそ》れている」おじが落ち着いた口調で言った。シャーロックは一瞬《いっしゅん》考えて、話しかけられたのは自分だと気がついた。自分がここにいることを、おじは知っていたようだ。

「どうしてでしょう。ぼくにはわかりません」シャーロックは明るいところに出ていった。

「いや、シャーロック、おまえはわからなくていいんだ」おじはいかにも重そうに首を横に振《ふ》った。「いま見たことと聞いたことは忘れてくれ。頭から追いだして、この家にはなんの問題もない、穏《おだ》やかで一点の曇《くも》りもない、そんなふうにふるまっていてほしい。わたしもそうする。蛇《へび》の形をしたサタンなどここにはいないのだ」

「けど……」

おじは眉《まゆ》をひそめ、細い手を上げた。「忘れるんだ」きっぱりと言う。「この話は今後いっさいしない。おまえのほうから持ちだすのもやめてくれ」ため息をついた。「原稿《げんこう》の整理がどこまで進んだか聞きたかったが、わたしは疲《つか》れてしまった。しばらくここで休むとしよう。聖なる書斎《しょさい》で心の平穏《へいおん》をとりもどすことにするよ」ぐちゃぐちゃに本が戻《もど》された箇所《かしょ》に目をやる。「あれは、あとでわたしが片づける。ふだんなら使用人に頼《たの》むところだが、事情が事情だからな……」

シャーロックは無言で書斎《しょさい》を出た。おじがなにやらぶつぶつ言っているのを聞きながら、ドアを閉める。

エグランタインさんが廊下《ろうか》にいた。シャーロックは物陰《ものかげ》に隠《かく》れて、その姿を観察した。メイドのひとりと話しているところだった。

「コックに、話があるからすぐに行くと伝えてちょうだい。今週の献立《こんだて》はひどすぎるわ。もっとまともな献立《こんだて》に変えてもらわないと。少しでもいい加減なところがあったら承知しない、そう言っておきなさい」

メイドが下がっていく。エグランタインさんはしばらくそこに立って、考えごとをしているようだった。シャーロックの頭の中に、大胆《だいたん》なアイディアが浮《う》かんできた。エグランタインさんは、なんの遠慮《えんりょ》もなくこの家のあちこちに入りこんで、さがしものをしている。そのあいだに、エグランタインさんの部屋を調べてやったらどうだろう。もしかしたら、エグランタインさんがなにをさがしているのか、わかるかもしれない。それがわかったら、こっちが先にさがしものを見つけてやる。そうしたら、エグランタインさんはこの家に用がなくなるはずだ。さがしものがなんなのか、突《つ》きとめられなかったとしても、エグランタインさんがおじとおばのどんな弱みを握《にぎ》っているのか、わかるのではないか。おじとおばからその弱みをとりはらってやれば、こうして世話になっていることへの恩返しができる。

エグランタインさんは、屋敷《やしき》の奥《おく》のほうに歩いていった。これからコックと対決するんだろう。かわいそうにな、とシャーロックは思った。コックはいい人だ。シャーロックがキッチンの中を通るたび、ジャムをぬったパンや、クリームをつけたスコーンをくれる。

使用人の中で唯一《ゆいいつ》、エグランタインさんに堂々《どうどう》と口答えができる強い人でもある。

おじは書斎《しょさい》で休んでいるし、おばはたぶんリビングで縫《ぬ》い物をしているだろう。午後はいつもそうだ。しばらくのあいだ、おじやおばに呼ばれることはなさそうだ、とシャーロックは判断した。使用人たちのスケジュールも頭に入っている。この時間帯は、おじやおばの寝室《しんしつ》の暖炉《だんろ》の掃除《そうじ》だ。三階にはだれもこない。三階は使用人たちの部屋と、シャーロックが使っている部屋があるだけだ。

だれにも見られずに三階に上がった。階段をのぼりきって、いちばん手前にあるのがシャーロックの部屋。そのむこうの部屋は、ふつうなら執事《しつじ》が使うんだろうが、執事《しつじ》を雇《やと》うにはお金がかかるので、いまは空室になっている。角を曲がったところにエグランタインさんの部屋があり、さらに、メイドたちの部屋や、厩《うまや》や庭で働く下男《げなん》たちの部屋がある。その奥《おく》には裏階段。使用人が人に見られることなく移動するための階段だ。表側の階段を使えるのは、三階の住人のなかではシャーロックとエグランタインさんのふたりだけ。

角を曲がった。廊下《ろうか》にはだれもいない。当然だ。エグランタインさんの部屋のドアは閉まっているが、鍵《かぎ》はかかっていなかった。それでも決して部屋に入らないというのは、屋《や》敷《しき》の主人と使用人たちのあいだにある侵《おか》しがたい不文律だ。ただ、理屈《りくつ》の上では、おじとおばは使用人の部屋に、いつでも、どんな目的であっても、入ることができるはずだ。そしてその理屈《りくつ》を拡大解釈《かいしゃく》すると、シャーロックにもその権利があると考えられる。そうは言っても、胸がどきどきした。てのひらがじっとり汗《あせ》ばむのを感じながら、ドアノブをつかんだ。

つかんだドアノブをそっとまわし、前に押《お》す。部屋に入ると、急いでドアを閉めた。

部屋はラベンダーとおしろいのにおいがした。ちょっときつい花の香りもかすかに混じっている。傷みかけたランの花を思わせるにおいだ。すり切れたラグマットが床《ゆか》のまんなかに敷《し》かれているが、その他の部分は床板《ゆかいた》がむき出しになっている。ベッドはきちんと整えられているし、洋服は小さなクローゼットにかけられているか、きちんとたたんで整理だんすにしまってある。窓ぎわにヘアブラシが置きっぱなしになっているのと、壁《かべ》に風景画が一枚かかっていること、そしてベッドサイドの棚《たな》に聖書が置いてあることをのぞくと、なんの飾《かざ》り気もない殺風景な部屋だった。

あまりにも生活感がない。ここで毎晩眠《ねむ》っている人がいるなんて、信じられないくらいだ。とはいえ、ここで暮らしているのは、あのエグランタインさんなのだ。いつもつんとすまして、血の通った人間とは思えないほど落ち着きはらっているエグランタインさんなら、一日の仕事をすませたあとここに帰ってきて、まっすぐ立ったまま夜を明かすのではないかと思えてくる。銅像のようにじっと立っているだけ。朝が来ると体のどこかにあるスイッチが入って、また人間のように動きはじめるというわけだ。

肩《かた》をすくめて、ばかな考えを追いはらった。エグランタインさんは超《ちょう》自然的な生き物なんかじゃない。自分と同じ人間だ。ただ、性格がひねくれているだけ。

ドアに背中をつけた。きっとエグランタインさんも、こうしてぼくの部屋に入ってきて、ドアに背中をつけて部屋を見まわしてから、あちこち調べまわったんだろう。そう思うと腹が立ってくる。〝ほかのところは全部調べた〟と言っていた。ということは、ぼくの部屋も調べたんだ！　ひどい女だ。いったいなにをさがしているんだろう。おじ夫婦のどんな弱みを握《にぎ》っているんだろう。

部屋のようすをすばやく頭に刻みこんだ。ヘアブラシや聖書の場所。かけてある絵が少し傾《かたむ》いていることも、ベッドカバーの丈《たけ》が短いのか、枕《まくら》のところまで届いていないことも。いまの状態とはちがうところが少しでもあれば、エグランタインさんは必ず気づくだろう。だから、この部屋を調べたあとは、きっちり元通《もと》りに戻していく必要がある。

整理だんすからはじめた。引き出しをあけて、入っている服を一枚ずつめくっていく。罪の意識がわいてきたが、そんなものは感じなくていいんだ、と自分に言いきかせた。エグランタインさんだって、同じようにぼくの服を調べたんだろうから。整理だんすからはなにも見つからなかったので、次はたんすの下に手を伸《の》ばしてみた。しかし、指先は床板《ゆかいた》に触《ふ》れるばかりで、なにもない。

整理だんすに背を向けた瞬間《しゅんかん》、あることが頭にひらめいた。すばやく引き出しをすべて抜《ぬ》きだして、それぞれの底板の裏を調べた。しかし、なにも貼《は》りつけられていない。からっぽになったたんすの奥《おく》をのぞきこむ。しかし、埃《ほこり》とクモの巣のほかは、古いレースのハンカチが一枚挟《はさ》まっているだけだった。

完全に元通りになっていることをよく確認してから、たんすを離《はな》れてクローゼットの前に移動した。そのとき、どこかから物音が聞こえた。全身が凍《こお》りつく。心臓が痛いくらいにどきどきする。床板《ゆかいた》がきしむ音だろうか。だれかが部屋の外に立っていて、いまのぼくと同じように、聞き耳を立てているんだろう。エグランタインさんがコックとの話し合いを終えて、なにかの理由があって部屋に戻《もど》ってきたのかもしれない。

また音がした。なにかをひっかくような音だ。どこから聞こえてくるんだろう。どこかに隠《かく》れなきゃ、と思って部屋じゅうを見まわした。どこがいいだろう。ベッドの下? クローゼット? 足を踏《ふ》みだしかけて、ためらった。足音を立ててしまったら、ここにいることがバレてしまう。

どうしよう。考えているうちに、また音が聞こえた。わかった! ほっとして全身から力が抜《ぬ》けた。あれは、下の部屋の暖炉《だんろ》を掃除《そうじ》している音だ。鉄の格子についたすすを、シャベルをつかってこそげ落としている音。それが煙突《えんとつ》を伝わって響《ひび》いてくるのだろう。よかった。握《にぎ》っていたこぶしを開いた。

暖炉《だんろ》か。この部屋の暖炉《だんろ》を調べてみよう。冷たい炭の中をさぐり、首を曲げて煙突《えんとつ》をのぞきこむ。なにもない。

ベッドの下はどうだろう。のぞいてみると、空のスーツケースがひとつあるだけだった。クローゼットにはドレスがたくさんかかっているし、上の棚《たな》には帽子《ぼうし》もふたつ置いてあるが、どれも黒だった。思ったとおりだ。家政婦とはこういうものなんだろうか。それともエグランタインさんが黒い服しか着ないというだけなんだろうか。敬称《けいしょう》は〝ミセス〟だから、夫がいるか、未亡人か、どちらかだ。エグランタインさんなら、黒いウェディングドレスで教会の通路を歩いたんじゃないかと思えてしまう。シャーロックはぶるっと体を震《ふる》わせ、不気味な光景を頭から追いやった。

ラグマットのまんなかに立って、四方を見まわした。あやしいところは全部調べた。狭《せま》い部屋だし、きちんと片づいているから、ものを隠《かく》せそうなところはすぐにわかる。家政婦の部屋にどうしてこんなものが、というような不自然なものもなかった。

自分だったらどうだろう。自分の部屋になにかを隠《かく》すなら、どこを選ぶ?

そうか。ふと気がついて、ラグマットの外に出ると、マットをめくった。なにもない。

床板《ゆかいた》があるだけだ。いや、ここになにかがあるとは思っていなかった。エグランタインさんは頭のよさだけが取り柄《え》みたいな人だ。床《ゆか》に敷《し》いたラグマットの下に隠《かく》すだけなんて、そんな単純なやりかたをするはずがない。だから期待はしていなかったが、一応たしかめただけだ。

床板《ゆかいた》を見ていると、あやしく思えてきた。足でしっかり踏《ふ》みしめて、床板《ゆかいた》の緩《ゆる》いところはないか調べていった。板の一枚をはがして、その下に隠《かく》したのかもしれない。だとしたら、その板はしっかりはめこんであって、ちょっと調べてもわからないようにしてあるはずだ。バールを使わなければ板ははずれないだろうし、そんなものを使えば板に跡《あと》が残ってしまう。

ほかに、さっきから気になっているものがある。壁《かべ》の絵だ。というか、最初は気にしないようにしていた。あやしいと思うのは、少し傾《かたむ》いているからだろう、自分が几帳面《きちょうめん》な性格だから目につくだけだろう、と。それでもやはり気になってしまう。裏になにか隠《かく》してあるかもしれない。そっと壁《かべ》から額縁《がくぶち》をはずし、ひっくりかえして裏を見た。

鉛筆《えんぴつ》で値段が書いてあるだけだ。

ため息をついて、絵を元に戻《もど》した。さっきと同じように、わずかに傾《かたむ》ける。

両手を腰《こし》にあてて、また部屋を見まわした。この部屋に秘密があるとしたら、すごくうまく隠《かく》してあるようだ。

待てよ。この部屋の中にあると決めつけていいんだろうか。

なんとなく、小さな窓に近づいてみた。窓の下には庭がある。屋敷《やしき》の裏側だ。だれの姿も見えないから、こちらが見られるおそれもない。窓は少しだけあいていた。もっと大きくあけて、身をのりだした。

なにかがぶらさがっている。木の窓枠《まどわく》に打った釘《くぎ》に巻きつけたひもの先にあるのは――小さな包みだ。窓から一メートルほど下にある。とても小さいから、下の庭から見あげてもわからないだろう。そこになにかがあるはずと思って見なければ、目にはとまらない。

包みをひっぱりあげて、窓枠《まどわく》に置いた。風雨対策だろう、ひもにはタールがぬってあるし、包みは油布でくるんである。窓枠《まどわく》に赤茶けた粉のようなものがついた。油布にレンガの粉をこすりつけたのだろう。たしかに、こうしておけば、外から見たときに目立たない。ずいぶん念入りな仕事をしたものだ。

一瞬《いっしゅん》ためらった。期待に震《ふる》える指でひもをほどき、包みをあけた。

折りたたんだ紙が入っていた。ハンカチで手をふいてから、そっと紙を開いた。紙のどの部分が内側で、どの部分が外側だったかをしっかりおぼえておかなければならない。ここはエグランタインさんの部屋なのだ。秘密の包みを見つけて中を見たことを、エグランタインさんに知られるのは絶対にまずい。

　大きな紙が二枚折りたたまれていたのだとわかった。一枚目の紙はホームズ荘《そう》の見取り図だった。建築士が正しい縮尺で書いたもので、各フロアにどんなふうに部屋が並んでいるかがわかるようになっている。部屋の多くは、赤いインクで×印がつけられている。文字も書きこんであるし、ところどころに矢印とクエスチョンマークがついている。ダイニングと応接室のあいだの壁《かべ》がとくに分厚くなっているのがわかる。その横にもメモ。「壁《かべ》の中に隠《かく》し部屋があるのでは？　両側から調べること」とある。

　二枚目は一枚目より少し小さな紙で、いくつかの言葉が書いてある。一枚目の見取り図に書きこんだのと同じ人の字だ。言葉は四角で囲んであって、それらが何本もの線や矢印でつながれている。これを書いたのがエグランタインさんだとすると、エグランタインさんは、性質のちがうさまざまなものをここに書きだして、それらがどうつながっているのか分析《ぶんせき》しようとしているらしい。見つけたものや考えたことに、一定の法則を見いだそうとしているのだ。しかし、いまのところうまくいっていない。ざっと目を走らせると、ホームズ家の人間の名前だけでなく、シャーロックの知らない人の名前も書いてあるのがわかった。地名もある。どこかで聞いたことのある地名ばかりだ。それと、さまざまな言葉。一見、ただ思いついた言葉を並べたようでもあるが、たぶんエグランタインさんにとっては意味のある言葉なのだろう。紙のまん中には、クモの巣のまん中で獲物を待つクモのように、「黄金の皿《プレート》」という言葉が鎮座《ちんざ》している。まわりを二重の円で囲んでいるのは、よほど大切な言葉なのだろう。

黄金の皿？　それが、エグランタインさんがさがしているものなんだろうか。

未練はあったが、紙を元のようにたたんだ。紙についている折り目を、開いたときと逆の順序で折っていく。手元に残してもっと調べられればいいのだが、リスクが大きすぎる。ほかの紙に書きうつすのも無理だ。書いてあることが多すぎて、全部書きうつすには時間がかかってしまう。シャーロックは複雑な気分だった。この部屋に来る前にくらべていろいろわかったようでもあるし、なにもわかっていないようでもある。

折りたたんだ紙を油布で包み、ひもで縛《しば》って、窓の外に垂らした。もちろんその前に庭をよく見て、だれもいないことをたしかめた。

窓を閉めた。そういえば、少しだけあいていたんだった。

最後にもう一度室内を見まわした。なにか見逃《みのが》したものはないだろうか。そして、どこかに調べた痕跡《こんせき》が残っていないだろうか。どちらの答えもノーだった。

ドアの前で聞き耳を立て、だれもいないことを確かめてから、エグランタインさんの部屋を出た。廊下《ろうか》を歩きはじめてから、ふと思った。自分の部屋に寄っていこうか。いや、部屋に戻《もど》ったところで、ちょっと休むくらいのことしかできない。それに、いまはほかにやることがある。シャーロックは階段をおりた。

重厚なオーク材のドアが閉まる音がした。あれは、私道と庭に面したドアの音だ。たったいま、だれかが家を出ていったらしい。縦に細長い窓から外を見ると、黒ずくめの人間が馬車に乗りこむどころだった。エグランタインさんだ。コートを着ているから、街まで行くのだろう。コックとの話し合いを終えたところということか。シャーロックの体に震《ふる》えが走った。危なかった。コートがキッチンに置いてあったからよかったが、そうでなければ部屋にとりにきて、鉢合《はちあ》わせしていたはずだ。

馬車ががたごと音をたてて、道路に出ていった。シャーロックは窓に背を向けてキッチンに行った。

「シャーロックぼっちゃま！」コックの声が迎《むか》えてくれた。コックは大柄《おおがら》な女性で、オーブンの熱にあたっているせいでほおはいつも赤いし、両手はいつも粉まみれ。しかし今日はちがった。顔は青白く、目のまわりにしわがよっている。泣くのをがまんしているみたいだ。「いま、オーブンにパン生地を入れたところなんです。少したってから来てくだされば、焼きたてのパンにバターをつけて、召《め》しあがっていただけますよ！」

「ありがとう」シャーロックは答えた。「だけどぼく、エグランタインさんをさがしているんだ」

コックの顔が、五秒で五歳《さい》老けたように見えた。「街にお出かけです。もう帰ってこなけりゃいいのに！　あたくしの仕入れてくる野菜がお口に合わないんですってよ」鼻をすすった。「なんであんなに偉《えら》そうにしているのかしらねえ。ここはホームズの奥様《おくさま》のお屋《や》敷《しき》だっていうのに。それに、しゃれたホテルで料理に文句を言うならわかるけれど、ここはホテルじゃなくて個人のお屋敷《やしき》ですからね」

「たしかに、ちょっと気難しい人だよね」シャーロックは言葉を選んで言った。エイミアス・クロウから教わったテクニックのひとつだ。こういう曖昧《あいまい》な言葉を返してやれば、相手がおしゃべり好きな人なら、もっとたくさんの話を引き出すことができる。コックはシャーロックの知り合いのなかでもトップクラスのおしゃべり好きだ。

「そうなんですよ。あんなに人のあらさがしが得意な人、そうそういやしません。しかも、肉屋の包丁なみによく切れる毒舌をお持ちですからね。これまでにありとあらゆるタイプの家政婦とつきあってきましたけど、まあ、あれくらい不愉快《ふゆかい》な人はいませんでしたよ」

「そもそも、おじとおばがあの人を雇《やと》ったのはどうしてなんだろう。よっぽどいい推薦書《すいせんしょ》を持っていたのかなあ」

「そんなによくできた家政婦さんなら、もっといい評判が聞こえてきそうなもんですけどね」

「あの人、家のあちこちで見かけるけど」シャーロックは切りだした。「そこに立ってるだけで、なにもしてない。ただまわりに目を光らせたり、聞き耳を立てたりしてるだけだよね」

「まさにそういう人なんですよ」コックが同意する。「カラスみたいに枝にとまって、獲《え》物《もの》の毛虫が出てくるのをいまかいまかと待ちかまえているんです」コックのほおに赤みが戻《もど》ってきた。また鼻をすする。「あの人、ここに来てすぐに、キッチンを文字通りひっかきまわしたんですよ。中にあるものを全部庭に出して、壁紙《かべがみ》やタイルをひっぺがして。まあ、あの人の名誉《めいよ》のために言っておくと、それを人にやらせたんじゃなく、全部自分でやったんですけどね。ドアを閉めきって、丸一日かけてやってました。ネズミ対策の経験を積んできたから、ここでは一匹《ぴき》も出ないようにしてやる、とかなんとか言ってましたっけ。失礼な！　あたくしのキッチンにネズミなんかいるわけないのに！」

「たしかに、変わった人だよね」

「さっきビスケットを焼いたんですよ。少し召《め》しあがりますか？　夜までにおなかがすくでしょう？」

「うん、ありがとう」シャーロックはにっこりした。「あのおいしいビスケットだね。うれしいな」

「作ったものをおいしいとおっしゃってくださる人がいて、あたくしもしあわせですよ」

コックが焼いたばかりのビスケットを三枚食べてから、シャーロックはキッチンを出た。いまのところ、わかったことはあまり多くない。確実なのは、エグランタインさんはおじとおばを脅迫《きょうはく》してこの家に入りこみ、なにかをさがしているということ。さがしているのは、あの紙に書かれていた〝黄金の皿〟だろうか。ありうる話だとは思うが、ちょっとちがう気もする。おじとおばの住む屋敷《やしき》にそんなものがあるとは思えない。あのふたりがそんなものをほしがる理由がわからない。シャーロックがここに住みはじめて一年以上になるが、ここで見た皿といえば、普段使《ふだんづか》いの磁器の皿と、日曜日や、お客さんが来たときに出すボーンチャイナの皿だけだ。どちらにも金は使われていない。金箔《きんぱく》の飾《かざ》りさえついていない。

今日はこのあとなにをして過ごそうか。急に、屋敷《やしき》にいるのがいやになってきた。重いコートでも着ているみたいに、重たい空気が肩《かた》にのしかかってくる。外に出たい。エイミアス・クロウ——と、バージニア——のところへ行こうか。いや、いまはエグランタインさんの問題に時間を使うべきではないか。なにかできることがあるような気がする。エグランタインさんがファーナムに出かけて、コックが仕入れてくるのより新鮮《しんせん》な野菜を手に入れようとしているのなら、すぐに見つけることができるだろう。物陰《ものかげ》からしばらく観察していてやろうか。どうせ、野菜のことなんて、出かける口実に過ぎない。なにかほかの目的があって出かけたにちがいない。

玄関《げんかん》を出て、厩《うまや》に行った。シャーロックの馬もそこにいる。いや、シャーロックは〝ぼくの馬〟と思っているが、実際は、シャーロックがホームズ荘《そう》にやってきたばかりの頃《ころ》、悪人のモーペルチュイ男爵《だんしゃく》から盗《ぬす》んだ馬だ。さいわい、モーペルチュイ男爵《だんしゃく》は馬をとりかえしにこなかったし、馬もここでならきちんと世話をしてもらえる上に、毎日のように外に出ることもできるから、ホームズ荘《そう》に来たことを喜んでいるようだ。馬の名前はフィラデルフィア。ちょっとした遊び心でつけた名前だが、馬は文句を言わない。

フィラデルフィアにまたがった。正しいまたがりかたは、ホームズ荘《そう》で働く馬丁《ばてい》に教えてもらった。ふつうの駆け足《キャンター》で、ファーナムに通じる道路に出る。この何ヶ月かで、馬の乗りかたが格段にうまくなった。そう、兄といっしょのロシア旅行から帰ってからのことだ。

アリス・ホルトの森に入る。控《ひか》えめな駆《か》け足で、背の高い木々《きぎ》のあいだの小道を走りながら、シャーロックはあのロシア旅行のことを思いだしていた。またもや、パラドール評議会という謎《なぞ》の集団が手を出してきた。パラドール評議会は国際的な犯罪者集団で、モーペルチュイ男爵《だんしゃく》が指揮をとる壮大《そうだい》な犯罪計画にも関わっている。ただし、シャーロックの兄のマイクロフト・ホームズに汚名《おめい》を着せ、ロシア諜報《ちょうほう》機関の頂点に立つ人物を暗殺しようという彼《かれ》らの計画は失敗に終わった。あれからずっと、彼《かれ》らは鳴りをひそめているが、どこかでなにかを企《たくら》んでいるにちがいないと、シャーロックは確信していた。そのことをときどき兄にたずねはするが、兄は自分もまったくわからないのだと答えるばかり。わかっているのは、どこかでやつらがなにかを企《くわだ》てていることだけだと、兄も言う。

ファーナム郊外《こうがい》の景色が見えてきた。ホームズ荘《そう》を出てからの道沿いには、わらぶきの小さな家がところどころに建っているだけだったが、ここらまで来ると、それらに代わって、タイルの屋根をのせた赤レンガの建物が並びはじめる。街の中心部まで馬で入っていくと、エグランタインさんに姿を見られるおそれがある。そこで、前にも使ったことのある厩《うまや》にフィラデルフィアをつなぎ、厩務員《きゅうむいん》に小銭を渡《わた》した。これで馬に餌《えさ》と水をやっておいてもらえる。ここからは歩いていこう。

野菜の話が本当なら、エグランタインさんは市場にいるだろう。シャーロックは市場をめざして歩いていった。二階建ての建物の柱列の陰《かげ》を通って、できるだけ目立たないようにした。市場にはさまざまな露店《ろてん》が並び、ありとあらゆる食料品が売られている。果物や生の豆もあれば、肉の燻製《くんせい》や貝もある。

エグランタインさんの姿は見えないが、野菜の露店《ろてん》のそばにマティがいる。なにかが転げおちてくるのを待ちかまえているようだ。

マティもシャーロックに気づいて、手を振《ふ》ってきた。その視線がまた露店《ろてん》に戻《もど》る。一瞬《いっしゅん》迷ったような顔をしてから、シャーロックのほうに歩いてきた。

「ランチを狙《ねら》ってるのかい?」

「食べものにランチもディナーもあるもんか。食べものがあれば、いつだって食事どきさ」

「なるほど。ところで、エグランタインさんを見なかった?」

「あの家政婦か」マティは大げさに体をふるわせた。「関わり合いになりたくない女だよな。近づくとろくなことがない」

「そう、あの人だよ。見かけなかったかい?」

マティはあごをしゃくった。その方向に目をやると、芝生《しばふ》の上にマスを並べて売っている露店《ろてん》があった。「ついさっき、あそこにいた。小さすぎる、こんなのマスじゃない、とかなんとか言ってたな」

「どっちに行ったか、わかる?」

マティは肩《かた》をすくめた。「おれから離《はな》れてってくれればいいとしか思ってなかったからな。なんでだい？　なんかあったのか？」

エグランタインさんとおじとのことをマティに話すべきだろうか。シャーロックは少し迷ったが、結局はやめた。家族の内輪話を他人にぺらぺら話すものではない。少なくともいまは黙《だま》っていよう。「いや、なんだか気になってね。なにか企《たくら》んでるのかなと思って」

「あの女を見つけるのなんて、わけもないさ」マティが言う。「いつも、日曜日か葬式《そうしき》かって格好だもんな」

さまざまな露店《ろてん》のあいだを、人々《ひとびと》をかきわけるようにして歩いていく。買い物に来た人もいれば、ただ見物するだけの人もいて、市場は大にぎわいだ。四方八方からいろんな会話の断片が聞こえてくる。

「……だから言ってやったのよ、それを買ってきてくれなきゃ家を出てってやるって……」

「……約束したはずだ。もう取引は成立してる。だから……」

「……いいか、あんな男と二度と付き合うんじゃない。今度ふたりでいるところを見つけたら、一週間は立ち上がれないくらい、こっぴどく殴《なぐ》りつけてやる……」

その中で、ある声がとくに耳に残った。アメリカ訛《なま》りのしゃべりかただ。エイミアス・クロウとの付き合いや、ニューヨークに行った経験のおかげで、シャーロックは、アメリカ訛《なま》りを聞くとすぐわかるようになっていた。もしかしたらクロウ先生が来ているんだろうか。そう思って振《ふ》りかえったが、そこにいたのは、クロウよりもだいぶ若い感じの男だった。険しい顔をして、髪《かみ》はうしろにとかしつけ、ひとつに結んでいる。右の耳がないようだ。黒っぽい傷跡《きずあと》があるだけ。衣服は埃《ほこり》っぽく、長旅を経験してきたのか、ずいぶんくたびれている。連れの男はブロンドの短髪《たんぱつ》。顔には丸い傷跡《きずあと》のようなものがたくさんついている。重い疱瘡《ほうそう》を患《わずら》ったことがあるのだろうか。

「……生きたまま皮をはがれちまうぞ。その皮で帽子《ぼうし》を作るらしい」片耳のない男が言っている。

「なんとしても、クロウと娘《むすめ》を見つけるしかない。それしか手がないんだ！」

「見つからなかったらどうなるか……。アブナーのことをおぼえているな？」

「ああ」黒髪《くろかみ》の男は、思いだしたくもないというように顔をしかめた。「あいつ、いまでは壁《かべ》を見つめるだけの毎日を送ってるらしい。まあ、ボスにあれだけのことをされればな……。まともにものを考えることもできなくて、息をして食べるだけしかできないみたいだぞ」

そのふたりは、シャーロックとマティが歩いているのとは逆方向に歩いていたので、会話はあっというまに聞こえなくなった。ただ、ふたりともひどく真剣《しんけん》なようすだった。いますぐクロウ先生のところに行こう、とシャーロックは思った。だれかがさがしていましたよ、と知らせてやるべきだ。

そんなことを考えているうちに、シャーロックとマティは、市場のはずれまでやってきた。

「ここでちょっと待っててくれ」マティが言って、市場の端《はし》にある二階建ての建物のほうに駆《か》けだした。その姿はあっというまに暗がりに紛《まぎ》れて見えなくなった。シャーロックが市場のほうに目を向けてエグランタインさんをさがそうと思ったとき、マティの頭が建物の胸壁《きょうへき》の上にあらわれた。いつのまにか、屋根にのぼっていたのだ。手を振《ふ》ってくる。シャーロックも手を振《ふ》りかえした。マティは鋭《するど》い目つきで市場の人ごみを見渡《みわた》している。

まもなく、一点を指さした。

エグランタインさん？　シャーロックは口の形だけでマティに聞いた。マティがわかってくれるといいのだが。

ポークパイ！　マティが答える。声を出しているのかどうか、シャーロックにはわからなかったが、口の動きははっきりわかった。マティがにやりと笑う。冗談《じょうだん》だよ！　口が動く。あそこにいるぞ！

シャーロックが親指を上げて応えると、マティの頭が見えなくなった。

シャーロックは買い物客や商人でごったがえす市場にふたたび入っていき、マティが指さした方向に進んでいった。人々《ひとびと》の頭に目をこらす。エグランタインさんは髪《かみ》をうしろでひっつめにしている。形が独特なので、見ればすぐわかる。それにしても、いろんな髪形《かみがた》があるものだ。さっと見渡《みわた》しただけでも、髪《かみ》も帽子《ぼうし》もみんなちがう。髪《かみ》の色だけでも、黒、赤、ブロンド、グレー、白。つるつるの頭もある。それらの髪《かみ》が、まっすぐだったり、くるくるカールしていたり、お下げに編まれていたり、短く刈《か》りこんであったりする。帽子《ぼうし》のない人、ボンネット式の帽子《ぼうし》の人、スカーフを巻いた人、平らな帽子《ぼうし》の人、山高帽《やまたかぼう》の人……。どれも、さがしている頭ではない。さがしているのは、黒髪《くろかみ》をきっちりまとめているので、頭皮を黒く塗《ぬ》ったように見える頭だ。やがて、とうとう見つけた。市場のはずれに、こちらに背を向けて立っている。背の低い男と話しているところだ。男は髪《かみ》を長く伸《の》ばし、油をつけてとかしつけている。分け目はちょうどまん中。しみだらけの顔をして、ひどく汚《よご》れた上着を着ている。肩《かた》や肘《ひじ》や袖口《そでぐち》がてかてかだ。あんな男がエグランタインさんの知り合いだなんて、意外だな、とシャーロックは思った。

さらに近づいてみた。視線はふたりからそらし、会話を立ち聞きしていると人に思われないように気をつけた。

男の声が聞こえる。「もう時間がないぞ。なのにいつまでたっても収穫《しゅうかく》なしだ。本当にあの家にあるのか?」

「あの家のほかに考えられないわよ」エグランタインさんの声がする。はきはきとした、感情のない口調だ。「わざわざ言われなくてもわかってるわ、自分がいつからあの家にいるかってことくらい」

「おれにできることがあるなら手伝うぜ」

「シャーロックを始末して」エグランタインさんが吐《は》きすてるように言った。「いつもそこそ嗅《か》ぎまわって目障りだし、小賢《こざか》しいったらないのよね」

「一時的におとなしくさせるのと、永遠におとなしくさせるのと、どっちがいい?」

「永遠におとなしくさせてちょうだい。八《や》つ裂《ざ》きにして、あちこちにばらまいてやればいい。どんなにさがしても、全部は見つからないくらいにね」

3

シャーロックは、あいた口がふさがらないほど驚《おどろ》いていた。エグランタインさんに憎《にく》まれているのはわかっていたが、死んでほしいとまで思われていたなんて！　殺害指令まで出されてしまった。なぜだろう。そこまで恨《うら》まれるようなことをしただろうか。ホームズ荘《そう》で偉《えら》そうにしているのを非難しただけじゃないか。

髪《かみ》に油をつけた男がなにか言っている。シャーロックは耳に神経を集中させた。

「考えておこう。ああ、本気だ。だが、あのお高くとまったホームズ家は、いい金づるだからな。おれがつかんだ秘密をネタに脅《おど》してやれば、それなりの金を引きだせる。まあ、とりあえずはようすを見るとしよう。脅《おど》してちまちま金をせびるより、あんたを家政婦として雇《やと》わせておいたほうがいい」下卑《げび》た笑いをもらす。「現実を見て、ありがたいと思うことだ。あんたみたいな無愛想で口うるさい女を好きこのんで雇《やと》ってくれる家なんて、あると思うのか？　おれは手に入る金をみすみすあきらめて、あんたに働き口と給料を提供してやってるんだ」

エグランタインさんは反論しようとしたが、男が手を上げて制した。

「ああ、言いたいことはわかってるさ。お宝を見つけたら山分けにするんだから、おたがい金持ちになれるはずだ、そう言いたいんだろ？　問題は、おれたちは宝があるってことを前提に動いてるが、その肝心《かんじん》のお宝を見たこともないし、本当に存在するっていう確証がひとつもないってことだ。だが、ホームズ家のやつらを脅《おど》せば、確実に金が手に入る。手の中に金がある、あるいは、おれの場合は腹の中にビールがあるってのは、いいもんだろ？　悩《なや》ましいじゃないか。額は小さいが現実の金を手に入れるのと、額は大きいがあるかどうかわからない金を狙《ねら》うのと、どっちがいいかってね」

エグランタインさんはふんと笑った。「ハークネスさん、それは前にも話し合ったはずよ。一度決めたことを蒸し返してるようじゃ、だれにも信用してもらえなくなるわね」

「おれはゆすり屋だ」ハークネスは非難されても動じない。「絶対に信用してもらっていいことがひとつだけある。金の支払《しはら》いが止まったら、そいつの秘密をバラすってことだ」ため息をついて続ける。「ねえさん、あんたは働き口の先々《さきざき》で、人の秘密を見つけては、おれに報告してくれた。で、おれはそいつらから定期的に金をせしめる。だが、あんたが例のお宝とやらの情報を手に入れてからこっち、いろいろうまくいかなくなっちまった。

前のやりかたに戻《もど》したらどうかと思うんだが」

「第一に」エグランタインさんは氷みたいに冷たい声で言った。「わたしはあなたの〝ねえさん〟じゃないし、これからもそうなるつもりはないわ。第二に、あなたの脅迫《きょうはく》ビジネスとやらで、お金がいくら稼《かせ》げるっていうの？　あなた、競馬や賭《か》けボクシングで大勝負をするのが好きなのに、そんなお金で足りるの？　成功したいなら、わたしに賭《か》けるしかないんじゃない？」

ハークネスはため息をついた。「あんたは毒舌家だが、言うことはもっともだよ、ベティ。あと一ヶ月待ってみよう。だが一ヶ月だぞ。いいな？　一ヶ月たったら、おれがホームズ家を攻《せ》める。じわじわと金をせびりとってやる」

「言っておきますけど、わたしをファーストネームで呼んでいいなんて、言ったおぼえはないわ」エグランタインさんはそう言いながらも、少し態度を軟化《なんか》させたように見えた。男の腕《うで》に触《ふ》れて続ける。「もう少しで見つかりそうなのよ、ジョシュ。わたしにはわかる。あと少し、時間があればいい。生意気なシャーロックの邪魔《じゃま》さえ入らなければね。目障りだから、さっさと片づけてくれる？」

「ああ、手下に命じておく。どうだ、食事でもしていくか。時間はあるか？」

エグランタインさんは首を横に振《ふ》った。「あのいまいましい一家の夕食までには帰らないと。まったく、ときどきやつらに毒を盛ってやりたくてたまらなくなるわ。ダイニングのカーペットの上でもがき苦しむ姿を見てやりたい。けど、それをするにはまだ早い。今日はもう戻《もど》るわ」

「じゃ、また連絡《れんらく》を」ハークネスは笑い声をあげた。「黄金の皿を見つけたら、すぐに知らせてくれよ」

「もちろん」エグランタインさんはハークネスに背を向けたが、すぐに振《ふ》りかえった。「ああ、忘れてたわ。メイドの部屋でこんなものを見つけたの」スカートのひだに隠《かく》していたらしい手紙をとりだした。「男の子からのラブレター」

「そんなくだらないゴシップ、興味ないね」ハークネスが言う。

「そうかしら。手紙を書いたのはファーナム市長の長男だけど?」

ハークネスは急に興味を持ったのか、首をかしげて言った。「市長の息子が一介《いっかい》のメイドにラブレターを? まあ、小銭稼《かせ》ぎにはなるな。市長は人づきあいにはうるさい人間だ。息子は貴族の娘《むすめ》と結婚《けっこん》させると公言してる。そんなラブレターが表に出たら困るだろう」眉《まゆ》をひそめる。「手紙は直筆なのか? サインはあるんだろうな?」

「愛とキスのこもったのがね」

ハークネスはにやりと笑った。「人間ってのは学習しない生き物だな。おれは手紙なんか書かない。あとに残さない主義なんだ。万が一のことを考えないとな」手を伸《の》ばし、エグランタインさんから手紙を受けとる。「ありがとよ。いま、現金で払《はら》ったほうがいいか？ でなきゃいつもの口座に入れておく」

「あとでいいわ。忘れずにいてくれれば」

「忘れやしないさ。記憶力《きおくりょく》には自信がある」

ふたりは別々《べつべつ》の方向に歩きはじめた。男がエグランタインさんのほおにキスのひとつもするんじゃないか、とシャーロックは思っていた。最後に友情らしきものが通ったように見えたからだ。しかし、男はキスしようと思ったかもしれないが、実行には移さなかった。

シャーロックはふたりを交互《こうご》に見ながら考えた。エグランタインさんのあとをつけるべきだろうか。それともハークネス？ どちらも放っておけばいい、という気もする。マティを見つけて、ふたりでファーナムで遊んでいよう。しかし……やっぱりなにもせずにはいられない。事態は思っていたより深刻なのだ。自分の身に危険が迫《せま》っているというだけではない。ホームズ家全体の将来がかかっている。なにが起きているのかを突《つ》きとめて、問題を解決すべきだ。それができるならの話だが。

すぐに心は決まった。髪《かみ》に油をつけた男のあとをつけよう。エグランタインさんは屋敷《やしき》に戻《もど》ると言っていた。どこでなにをするのか、だいたい読めている。男のことはなにもわからないから、どういう人間なのか知っておきたい。今後、自分にとって脅威《きょうい》になる人間でもあるのだから。

ハークネスは、ホームズ荘《そう》で働くメイドのひとりに対して悪事を働こうとしている。どのメイドだろう。名前を知っているメイドはひとりもいないし、話をしたこともほとんどないが、どのメイドも感じがいいし、よく働いてくれる。そのうちのひとりが身分違《ちが》いの恋《こい》をしているからといって、なにが悪い？　どちらかが罰《ばっ》せられる理由なんかないし、ましてや青年の父親には関係のないことだ。

この国の階級意識は古くさすぎる。労働者階級、中産階級、上流階級――それがどうしたというんだ？　そんなものは社会を悪くするばかりじゃないか。

エグランタインさんがなにかの理由でこちらに戻《もど》ってこないかを確認してから、シャーロックは人ごみを抜《ぬ》け、ハークネスのあとを追いはじめた。

距離《きょり》はじゅうぶんにとった。ハークネスが振《ふ》りかえったとき、気づかれるといけない。こちらの顔は知らないだろうが、尾行《びこう》にはつねに気をつけるタイプだろう。そのうち、妙《みょう》なことに気がついた。街の人々《ひとびと》の一部が――主に身なりのいい人たちだ――自分を避《さ》けるように歩いていく。目も合わさないようにしているようだ。悪い意味で有名人になってしまったということか。ディープディン男子校の上級生たちが下級生をいじめていたのが思いだされる。そういう上級生たちは、いつもいばりくさって廊下《ろうか》を歩いていた。下級生はみんな、大きな魚から逃《に》げる小魚みたいに、彼《かれ》らを避《さ》けていたものだ。

だれかが横を歩いている。シャーロックはちらりとそちらを見た。だれなのか、確かめたいような確かめたくないような、複雑な気持ちだった。もしかしたら、エグランタインさんが戻《もど》ってきたのかもしれない。しかし、ちがった。横にいるのはマティだった。マティはシャーロックを見てにやりと笑った。手にはカリフラワーを持って、生のまま食べている。

「どうしたんだ?」口の中をカリフラワーでいっぱいにしたまま、マティが言った。

「尾行中《びこう》だ」

「だれだ? あの女か?」

シャーロックはかぶりを振《ふ》った。「いや、エグランタインさんが会ってた男だよ。ハークネスって呼ばれてた。ジョシュ・ハークネス」

マティの顔がこわばった。大きく見ひらいた目には不安の色が浮《う》かんでいる。「ジョシュ・ハークネス? 髪《かみ》をランプの油で洗ってるみたいな、背の低いやつかよ」

「そうだよ」

マティは首を横に振《ふ》った。「シャーロック、そいつには関わらないのが身のためだ。いろんな噂を聞いてる。運河で働くやつらが言ってたぞ。街で〝仕事〟をする泥棒のほとんどは、ハークネスに上納金を払《はら》ってるらしい。稼《かせ》ぎの五パーセントを毎週払《はら》うんだってさ。払《はら》わないと、体の五パーセントを持っていかれるらしい。指とか、爪先《つまさき》とか、耳とか、鼻とか……体重の五パーセントになるまで、次々《つぎつぎ》に切り取られるんだ。それがハークネスのルールで、例外はない」体をぶるっとふるわせて、続ける。「おれもやつと話したことがある。おれがファーナムに来てすぐのころだった。市場で肩《かた》をつかまれて、こう言われたんだ。『よう、若いの。あちこちで食べものをくすねてるようじゃないか。それはかまわん。ジョシュ・ハークネスはそんなことにケチをつけるような男じゃない。だが、これだけはおぼえておけ。果物やパイじゃなく、金を盗《ぬす》むようになったら、おれに分け前をよこせ。まわりのやつらに聞いてみろ。それが決まりだってわかる。分け前をよこさないときは——』ハサミでなにかを切るようなしぐさをして、最後はこうだ。『——こっちからもらいにいく。もらうのは金とはかぎらないぞ』ってね。シャーロック、やつは悪党だ。それも、悪党の中の悪党だ」

シャーロックはうなずいた。そのあいだも、ふたりは人ごみの中を歩きつづけた。「わかった。たしかに、冷血人間って印象だったよ。けど、あいつはホームズ家に狙《ねら》いを定めてるんだ。なにか弱みを握《にぎ》っているらしい」

「ああ、やつは恐喝《きょうかつ》もやってるからな。人のちょっとした秘密を嗅《か》ぎつけては、それをネタにして、金を毎週払《はら》わせてる。金額は、それを秘密にすることでどんな特権をなくさずにすむかってことによるらしい」マティはまた首を振《ふ》った。「こっちから何ペンス、あっちから何シリング、そっちから何ポンド、って具合でも、全部合わせればけっこうな額になる。自分じゃ働きもせずに、そうやって大金を稼《かせ》いでやがる」

「しかも、自分がお金を手に入れるために、他人を不幸にしてるんだ」シャーロックは苦々《にがにが》しい口調で言った。考えれば考えるほど腹が立ってくる。「寄生虫みたいな男だ。そんなやつ、罰《ばっ》してやればいいのに。どうして野放しにされてるんだろう」

「やつに脅《おど》されてる人たちはみんな、怖《こわ》くて警察になんか行けないのさ。警察に行けば秘密をばらされる。それに、ファーナムの警察官の半数は、やつに脅《おど》されてるって話もある。だから、やつの悪事は表には出てこない」

「だったら自分で立ち向かうしかない」シャーロックは言った。自分の言葉に自分でも驚《おどろ》いたが、そのとおりだと感じてもいた。

マティがなにか言おうとしたとき、ジョシュ・ハークネスが角を曲がって市場を出た。手にはまだ、例の手紙を持っている。シャーロックはマティを見て、〝声を出すな〟というジェスチャーをした。人ごみを抜《ぬ》け、曲がり角に近づく。シャーロックはレンガできた建物の外壁《がいへき》に身を隠《かく》すようにして、そっと角のむこうを見た。ハークネスの顔が目の前にあるのではないか、そんな気がしたが、ゆすり屋はずっと先のほうを歩いていた。通りにはほかに人気《ひとけ》がない。シャーロックは身を隠《かく》したまま、ハークネスが次の角を曲がるのを待った。まっすぐ歩いているうちにうしろを歩けば、敵が角を曲がるとき、視界に入って簡単に気づかれてしまう。なにしろ、通りにいるのは自分たちだけなのだ。

ハークネスは通りのつきあたりまで歩いて、左に曲がった。その姿が見えなくなると、シャーロックとマティは建物の陰《かげ》から出て駆《か》けだした。

つきあたりまで行くのに何秒もかからなかった。今度もさっきと同じように建物の陰《かげ》に身を隠《かく》し、角のむこうがわをのぞいた。ハークネスは六メートルほど先を歩いている。まわりのものなど目に入らないというように、きびきびした足どりでまっすぐ進んでいく。ずいぶん自分に自信があるようだ。

なにかのにおいが気になりはじめた。つんとするにおいだ。洗剤《せんざい》と、なにかもっといやなもの——下水のようなもの——を混ぜたようなにおい。そのにおいが目にしみて、涙《なみだ》が出てきた。いやな感じだ。

ハークネスが次の角に近づいた。しかしそこを曲がるのではなく、ある家のドアの前で立ちどまり、鍵《かぎ》をあけた。用心深く左右を確認している。秘密の手紙は手に持ったままだ。

シャーロックは頭を引いた。さっきから出そうになっているくしゃみをがまんする。もういいだろう、そう思ってまた顔を出すと、ハークネスの姿は消えていた。

「あそこ、なにがあるんだろう」シャーロックはマティに聞いた。

マティも角から顔を出した。シャーロックの顔とマティの顔が上下に並んだ格好だ。マティは鼻をくんくんさせると、「皮なめし工場だ」と断言した。

「牛の皮を農場や食肉処理場から運んできて、革製品に使えるように加工するんだ。キュアリングってやつだよ」

「キュアリング?」シャーロックはおうむ返しに言った。前にも聞いたことのある言葉だが、どういう作業なのかがわからない。

「ああ」マティはシャーロックの顔を見あげ、そんなことも知らないのか、というように言った。「おまえ、もっと外に出かけたほうがいいんじゃないか? キュアリングってのは、原皮を保存するための加工だよ。それをやると皮が固くなって、長持ちするし、腐《くさ》らなくなるんだ」

「どうやってやるんだい?」

「生皮についてる血や肉をナイフでこそげ落として、薬品で洗うんだ」

シャーロックも鼻をくんくんさせた。アンモニアのにおいが鼻やのどの奥《おく》にへばりついている。「なるほど、これはその薬品のにおいなんだね」

マティは顔をしかめた。「このにおいなら、ファーナムじゅうに漂《ただよ》ってるじゃないか。あの薬品がなにから作られてるか、考えてみろよ」

「どういうこと？」

「こう言えばわかるかな。だれかに聞いたんだけど、あの薬品は〝尿素《にょうそ》〟って名前なんだってさ」

シャーロックは考えた。尿素《にょうそ》。つまり……そういうことか。マティを見て、同じように顔をしかめた。「つまり、皮をなめすのにおしっこを使ってるってことかい？」

マティはうなずいた。「それだけじゃないけどな。だが、あまり考えないほうがいいんじゃないか？　とにかく、あそこの前を通るときは鼻をおさえたほうがいい」首を振《ふ》って続ける。「こんな話を聞いたことがある。あそこで働いてた男のひとりが、生皮の入った大きなタンクをかきまわしてたんだ。長い棒を使ってね。ところが、バランスを崩《くず》して、タンクの中に落っこちた」

「そのまさかだよ」

シャーロックは目を見ひらいた。「まさか……」

「どうなったの？」

「溺《おぼ》れた」

「溺《おぼ》れた……?」

「ああ。おれはそんな死にかたをしたくないな。眠《ねむ》ってるあいだに、安らかに死にたいよ。おしっこに溺《おぼ》れて死ぬのはいやだ」

「けど、工場の中に入らなきゃ」シャーロックはきっぱりと言った。

「はあ?」

「工場の中に入るんだよ」

「おまえ、頭は大丈夫《だいじょうぶ》か?」

「だって、ジョシュ・ハークネスはあの中にいるんだ」

「わかってるよ。だが、問題はにおいだけじゃないんだぞ。においといえば、去年、アメリカの鉄道駅のトイレから助けだしてくれたよな。あのトイレのにおいも相当なもんだった。出られなくなった人の死体でも放置されてるんじゃないかと思うようなにおいだった。ここの工場のにおいはもっとひどいだろう。それに、ここは危険だ。百キロ圏内《けんない》に近づくのもいやだと思うような男が中にいる。シャーロック、おまえってやつは……ときどき心底あきれるよ」

シャーロックはため息をついた。「ぼくだって行きたくなんかないさ。けど、あいつはホームズ家の秘密を握《にぎ》ってるんだ。おじとおばを脅迫《きょうはく》しようとしてる。ふたりともやさしくて、他人に迷惑《めいわく》をかけるような人たちじゃない。一年以上前からぼくを屋敷《やしき》に住まわせて、面倒《めんどう》をみてくれてる。恩返しがしたいんだ」通りに目をやった。表情が険しくなるのが自分でもわかる。「それに、あのゆすり屋が気に入らない。放っておけない」

「わかったよ」マティはあたりを見まわした。「あのドアから入ろうとしても時間のむだだ。中から鍵《かぎ》をかけてるだろうし、鍵《かぎ》がかかってないとしても、ドアの内側がどうなってるかわからない。いきなり人がうじゃうじゃいたらまずいだろ？　角のむこうがわの窓が割れてるから、そこから入ってみるか」

「窓が割れてるなんて、よく知ってるなあ」

マティはげんなりした顔でシャーロックを見た。「知ってるさ。ファーナムじゅうの割れ窓が頭に入ってる。ピンチのときに役立つんだ。どの家も、テーブルにはけっこうな残り物があるものなんだぜ。ただ、この建物の割れ窓は使いたくなかったな。皮なめし工場なんてさ。しかも持ち主が持ち主だ」

「ハークネスはどうして窓を直さないんだろう」

マティは肩《かた》をすくめた。「まともな頭を持ったやつなら、こんなところに押《お》し入ろうとしない。やつだってそれくらいわかってるんだろ。窓が割れてりゃ、新鮮《しんせん》な空気も入ってくるだろうし。空気を入れかえないと、きっとどえらいにおいになると思うぜ」

シャーロックはうなずいて、角のむこうがわに出た。ハークネスが入っていったドアの前を通りすぎる。ドアのほうは見ないようにした。じつは少しだけあいていて、ハークネスが外をうかがっているかもしれないからだ。あの堂々《どうどう》とした歩きかたからして、自分が尾行《びこう》されるなんて考えてもいないか、尾行《びこう》されてもかまわないと思っている可能性が高いが、こちらは万が一を考えたほうがいい。あの男は意外にずるがしこいタイプかもしれない。

ドアの前を通った瞬間《しゅんかん》、全身に鳥肌《とりはだ》が立った。ドアがぱっと開くんじゃないか、という気もした。なにごともなく通りすぎたときは、ひそかに安堵《あんど》の息をついた。次の角までそのまま進む。

マティはすぐ横を歩いていた。ふたりいっしょに角を曲がり、小石だらけの横道に入る。皮なめし工場の壁《かべ》が横道に面している。マティの言っていた割れ窓は、シャーロックにもすぐにわかった。地面から二・五メートルくらいの高さにあって、ガラスにはクモの巣がかかっている。窓全体の右下にあたる部分だ。ガラスが割れているというより、その部分のガラスがなくなっている。

そこから漏《も》れてくるにおいをかいだだけで、回れ右をしたくなった。いまにも吐《は》きそうだ。しかしシャーロックはみぞおちにぐっと力をこめて、ごくりと息をのみこんだ。吐《は》き気なんかに負けていられない。やらなきゃならないことがある。

窓を見あげた。あの高さまでよじのぼるのは無理だ。壁《かべ》の石膏《せっこう》ももろそうだから、足をついてふんばったら、ぽろぽろ崩《くず》れてしまうかもしれない。なにかいい方法はないだろうか。

「マティ、ぼくの肩《かた》にのってくれないか。窓をあけて中に入ったら、ぼくをひっぱりあげてくれればいい」

「無理だな」マティは断言した。「不法侵入《しんにゅう》のプロの意見だと思って聞きな。おれが窓までのぼって中に入るのは、わけなくできる。だが、おまえをひっぱりあげるのは無理だよ」眉間《みけん》にしわをよせる。「逆にしないか。おまえがおれの背中にのって、先に中に入る。それからおれをひっぱりあげるんだ」

シャーロックは高い窓とマティの小柄《こがら》な体を交互《こうご》に見た。しぶしぶうなずいて、答えた。

「そうだね。だけど、大丈夫《だいじょうぶ》かなあ。きみにけがはさせたくない」

マティは肩《かた》をすくめた。「けがなんて、日常茶飯事さ。あざもひっかき傷も、そのうち治る。ま、そのブーツで顔を蹴《け》られる程度ですめば万々歳《ばんばんざい》のラリーさんだ」

「ラリーさんって、だれ?」

マティはシャーロックをにらんだ。「ただの言いまわしだよ。みんな、そう言ってるだろ」

「聞いたことないよ」

「だから言ってるだろ。おまえはもっと外に出て、人とつきあわなきゃだめだ」にやりと笑う。「まあいいさ。さっさとすませようぜ」マティはかがんで膝《ひざ》に両手をついた。「さっさとのぼってくれよ。はじめて会ったころはもっと痩《や》せっぽちだったのに、最近は筋肉がついてきたみたいだからな。筋肉ってのは重いんだ」

シャーロックは、ためらう前に体を動かした。マティの背中に右膝《みぎひざ》を置き、左足を上げる。勢いをつけて、立ちあがった。マティがうなったが、背中は安定していた。シャーロックはすばやく窓の中に手を入れ、掛《か》け金《がね》のありそうなところをさぐった。掛《か》け金《がね》をはずし、手を抜《ぬ》いて、窓をあける。弾《はず》みをつけて窓枠《まどわく》にとびのったとき、足元のマティの背中がぐらついた。それでも、ちょうどみぞおちのあたりが窓枠《まどわく》にのったので、そのまま体をよじって中に入った。皮膚《ひふ》が木材にこすれて痛い。床《ゆか》に頭から落ちそうになったが、なんとかバランスをとって窓枠《まどわく》にしゃがんだ。そして室内を見まわした。

そこは小さな部屋で、人はいなかった。箱がたくさん積まれている。一方の壁際《かべぎわ》には、子どものすべり台みたいな木製の傾斜台《シュート》がある。窓枠《まどわく》から床《ゆか》までは一メートル半くらい。

ということは、外の地面から一メートルくらい高いところに床《ゆか》があるわけだ。これなら大丈夫《だいじょうぶ》。シャーロックは床《ゆか》におりて振《ふ》りかえり、窓から身をのりだした。マティがまだかまだかというようにこちらを見あげていた。シャーロックを見て手を伸《の》ばしてくる。シャーロックはその手をつかんでひっぱった。驚《おどろ》くほど重い。背中の筋肉が悲鳴をあげたが、なんとかマティをひきあげることができた。大きなけがをすることなく、マティは窓から中に入ってきた。

箱の山の切れ目にドアがあった。閉まっている。シャーロックはドアノブをまわし、少しだけあけた。

大きな部屋が見える。建物の中心部分だろう。壁《かべ》沿いの高いところに通路が作ってあり、そのところどころにドアがある。右手の壁《かべ》が一部とぎれているのは、そのむこうに外に通じるドアがあるからだろう。床《ゆか》の高さは外の地面と同じくらい。部屋のまん中には大きな木製のタンクが四つある。下半分だけ見ると、大きな樽《たる》のようでもある。入っているのは液体。タンクのふたつを満たしているのは色のついた液体で、スープの具みたいに、なにか固形物も入っているし、ぶくぶくと上がってきた泡《あわ》が表面ではじけている。残るふたつのタンクを満たしているのは、水のように透明《とうめい》な液体だ。

においがとにかくきつい。タンクの上の空気がうずまいているのが目に見えるような気がするほどだ。

「一週間はなにも食えないな」マティが小声で文句を言った。

「鼻から息をしたほうがいい」シャーロックが答える。

「そうしてる。耳から呼吸できたらいいんだけどな」

ジョシュ・ハークネスの姿はないが、人間はふたりいる。タンクからタンクへと移動しながら、長さが身長くらいある木の棒を使って、液体をかきまぜている。棒を動かすたびに、においがいっそうきつくなる。

「あいつら」マティが言った。「ハークネスの取り立てを手伝ってる。たちの悪いやつらだぞ」

シャーロックはいくつものドアに目をやった。どれも閉じているが、そのうちのどこかにジョシュ・ハークネスがいるんだろう。それを直接つきとめにいく勇気はない。

そんなことを考えていたとき、正面のドアが開いてハークネスがあらわれた。手に手紙はない。

「手を休めるな。よくかきまぜろ」ハークネスは大声で男たちに言った。「前のやつはムラがあってたるんでたぞ。怠《なま》け者に払《はら》う金はないからな」

「ボス、おれたちがどんだけかきまぜたって、だめなもんはだめですよ」男のひとりが言いかえした。「皮の質が悪いんでさ。うちのばあちゃんとどっこいどっこいの老いぼれ牛の皮を使ったんじゃ、ムラもできるし、たるみもできる。いいものを作りたきゃ、いい皮を仕入れてくださいよ」

「口答えするな!」ハークネスがどなる。「生意気な口をたたくほど自信があるなら、自分の工場を持ったらどうだ? それもできないなら、与《あた》えられた仕事を素直にやってりゃいいんだ!」

男たちは顔を見合わせて肩《かた》をすくめ、また液体をかきまぜはじめた。ハークネスはしばらくぶつぶつ言っていたが、通路をのしのし歩きはじめた。階段を使って床《ゆか》におりると、タンクのひとつに近づき、中をのぞきこんだ。爪先立《つまさきだ》ちになっている。においは気にならないのだろうか。

「これっぽっちしか入れてないのか。皮をもっと入れろ!」

男たちは、タンクのむこうの、シャーロックからは見えないところへ歩いていった。ハークネスもふたりに加わる。一瞬《いっしゅん》、視界には人の姿がなくなった。

チャンスだ、とシャーロックは思った。すばやく、しかし音を立てないように気をつけながら、通路を走る。ハークネスがさっき出てきたドアをめざした。マティも黙《だま》ってついてくる。

ドアをすばやくあけて中に入り、ドアを閉めた。三人の男たちはタンクの奥《おく》に行ったままだった。この部屋に入ったはいいが、出るときはどうしよう——頭のどこかではそんな不安を感じていたが、きっとまた同じようなチャンスがあるだろうから大丈夫《だいじょうぶ》、と自分に言いきかせた。焦《あせ》らず待つのが肝心《かんじん》だ。いまはとにかく秘密をさぐること。

部屋を見まわした。一方の壁《かべ》に、何本もの棒が立てかけてある。先端《せんたん》にフックがついているのは、タンクの中の皮をひっかけるためだろう。反対側の壁《かべ》には棚《たな》が並んでいる。どの棚《たな》にも段ボール箱がいくつか置いてあった。箱にはA、B、Cといった具合に文字が書いてある。Aの箱を棚《たな》からおろして、ふたをあけてみた。

中身は紙だった。新聞の切り抜《ぬ》き、手紙、公式のものらしい書類、写真もある。何枚かを適当に手にとり、読んでみた。新聞記事は、窃盗《せっとう》や傷害などの犯罪に関するものから、人の出産や結婚《けっこん》や死亡を伝えるものまで、さまざまだった。公式な書類も同様で、裁判の記録や証人の調書、専門用語がごちゃごちゃと書かれた法律箋《せん》もあれば、出生届や婚姻《こんいん》届《とどけ》のようなものもある。教会の教区簿冊《ぼさつ》から破りとってきたらしいものも含《ふく》まれている。手紙もいろいろある。愛憎《あいぞう》さまざまの感情をしたためた手書きのもの、タイプライターで打ったビジネス文書、決闘《けっとう》の申込書《もうしこみしょ》。写真は、普通《ふつう》の人物写真も何枚かあって、裏に名前が書かれている。また、恥《は》ずかしくて正視できないようなものもあった。この箱の中身をひとことで言うなら、さまざまな人生の断片を寄せ集めたもの、というところだ。

シャーロックはしばし考えた。この箱に入っているもののほとんどは――一部の写真は別として――それ自体、まったく罪がない。ただ、特定の状況《じょうきょう》においては、そうではないのだろう。たとえば、ホームズ荘《そう》で働くメイドが恋人《こいびと》からもらったラブレターは――それもこの部屋のどこかにあるにちがいない――表面上はただのラブレターに過ぎない。しかし、それを書いたのが市長の息子であり、メイドと身分違《ちが》いの恋《こい》をしているとなれば、見過ごせないものになる。ほかのすべてのものに、同じことが言えるのだろう。出産は出産でも、未婚《みこん》の母の出産ならスキャンダルになる。結婚《けっこん》もそう。花婿《はなむこ》に妻がいたら、それは重婚《じゅうこん》だ。人が死んだときも、親族が大金を相続することになっていたとしたら、殺人の可能性が出てくる。

暗い気分で、あたりに視線を走らせた。たくさんの箱の中身は、表に出れば、それぞれの人の人生をめちゃくちゃにしてしまうものばかりだ。ただ、表に出なければ大丈夫《だいじょうぶ》というわけではなく、人生をゆっくり破壊《はかい》していくだろう。ジョシュ・ハークネスは、ターゲットにした人々《ひとびと》からお金を少しずつむしりとっていく。人々《ひとびと》はやがて財産を失い、路上で生活するようになる。

Hの箱に目をとめた。この箱のどこかに、エグランタインさんが見つけたホームズ家の秘密があるはずだ。急いでさがしてみようか。その秘密がなんなのか、つきとめるのだ。おじとおばが、それをばらされるくらいだったらエグランタインさんのような毒蛇《どくへび》を手元に置いておくほうがましだ、と思うような秘密とは、いったいなんなんだろう。

それとも、この箱をまるごと消滅《しょうめつ》させてやろうか。いや、ほかの箱もまとめて処分してしまいたい。そうすれば、何百人もの人々《ひとびと》を、ハークネスの毒牙《どくが》から解放してあげられる。

そう考えはじめたら、ほかに選択肢《せんたくし》などないように思えてきた。

問題は、どうやってそれを実行するかだ。

4

手紙や写真や書類を処分するといっても、いま手もとにある道具を使ってやるしかない。箱はたくさんあるから、マティとふたりで全部持ちだすことはできないし、そもそも少しでも持ちだそうとした時点で、ハークネスたちに見つかるおそれがある。やはり、いまここで処分するしかない。

しかし、どうやって？　火をつけたらどうだろう。そうすれば、ハークネスのゆすりのネタをすべて確実に処分してやれる。ただ、火は建物も燃やしてしまうし、近隣《きんりん》の家にも広がるだろう。住人が死ぬかもしれない。良心の呵責《かしゃく》に耐《た》えきれないだろう。一瞬《いっしゅん》、シャーロックは思考が停止してしまった。頭の中がぐるぐる空回りするばかりで、この建物の中に入ってから目にした光景をきちんと整理できない。と、そのときひらめいた。タンクだ！　箱を片《かた》っ端《ぱし》からタンクに沈《しず》めてしまえばいい。アルカリ性の液体でインクが漂《ひょう》白《はく》されたり、紙が溶《と》けてばらばらになってしまえばいいが、もしそうならないとしても、びしょ濡《ぬ》れでぐちゃぐちゃになるのはまちがいない。ジョシュ・ハークネスの王国の一部を使って、王国の資産を滅《ほろ》ぼしてやる。ちょっと詩的な感じさえする作戦だ。

「よし。行くぞ」

「助かった」マティが言った。「においのせいで気を失うとこだった」

「いや、そうじゃない。ここにある箱を全部処分してやろうって話だよ」

マティはぽかんとしてシャーロックを見ている。

「ここにあるのは全部、ハークネスのゆすりのネタだ。放っておくわけにはいかない。やつは人々《ひとびと》の人生をじわじわむしばんでいるんだ」

「下手《へた》すると、おれたちの人生は一瞬《いっしゅん》でおしまいになるんだぜ」マティは、かんべんしてくれよというふうに首を振《ふ》った。「あいつはけだものだ。手負いの熊より危ない生き物だ」

シャーロックは聞き入れなかった。「かまうもんか。このままここを出ていったら、のうのうと街を歩けなくなる。すれちがう三人か四人にひとりは、ここにある秘密を守るために、ハークネスに金を払《はら》いつづけてるんだ、と思ってしまうからね。だれしもプライバシーはあるし、それは守られるべきなんだ」

「表沙汰《おもてざた》になったら刑務所《けいむしょ》にぶちこまれるような秘密でもか?」マティが鋭《するど》い質問を投げてくる。

「そうだよ。それが犯罪だったとしても、それを罰《ばっ》するには、きちんと手続きを踏《ふ》むべきなんだ。報告を受けて、警察が捜査《そうさ》をする。証拠《しょうこ》集めがはじまって、じゅうぶんな証拠《しょうこ》が集まったら、容疑者は逮捕《たいほ》される。それに、ジョシュ・ハークネスが犯人に罰《ばっ》を与《あた》えているとしても、警察の手伝いのつもりでやってるわけじゃない。人々《ひとびと》の罪悪感につけこんで、金儲《かねもう》けをしてるだけだ」

マティは顔をしかめた。「証拠《しょうこ》は証拠《しょうこ》じゃないか。それに、シャーロック、おまえは警察を美化しすぎてる。さっきも言ったが、このへんの警官はわいろを受け取って犯罪を見《み》逃《のが》してる。泥棒《どろぼう》まがいのことをやってる警官だっている。警官の制服を着てたって、犯罪者は犯罪者だ」

シャーロックは何ヶ月か前の出来事を思いだした。兄のマイクロフトが殺人の容疑で逮《たい》捕《ほ》されたとき、警察はろくに証拠《しょうこ》も集めようとしていなかった。それは事実だが、だとしても、法律は尊重すべきだ。

「たしかに、警察は理想のありかたとはほど遠い状態にあるのかもしれない。けど、問題の本質はなんなんだろう。警官の給料が低いのが問題なのかもしれないし、ろくな試験も受けずに警官になれるシステムが悪いのかもしれない。訓練が足りないとか、難しい事件を調べているときに相談できる専門家がいないとか……。わからない。ただ、ジョシュ・

ハークネスみたいなやつをのさばらせるのはよくない、それだけはたしかだ。やつは犯罪の抑止力《よくしりょく》になっていないし、やつにしてみれば、世の中に犯罪が多ければ多いほどありがたいと思ってるんじゃないか?」

「おれがどんなに反対しても、やめるつもりはないんだな」

「ああ」

「おれが手伝っても手伝わなくても、やるつもりなんだな」

「ああ」

「なら、手伝うよ。おまえの命が心配だ。おまえがいなくなったら、毎日が退屈《たいくつ》で死んじまう」

「ありがとう」

「おれは、おまえの意見に賛成もしてないし、反対もしてない。ただ手伝うだけだ」マティはため息をついた。「で、どうするつもりだ?」

「ここにある箱を全部持ちだして、中身をタンクに沈《しず》める」

マティは肩《かた》をすくめた。「おれにもわかることがひとつあるよ。それにはタンクに近づかなきゃだめだ。おれたちは箱を持ってここととタンクを行き来しなきゃならない。やつらが黙《だま》って見てると思うか?」

「別のことに気を引いてやるんだ」

「別のことって?」

「それはまだだけど」少し考えてから言った。「全員が建物の奥《おく》のほうに行ってしまえばいいんだよな」

「火をつけるか?」

「危ないよ」

「おれがわざと姿を見せて、やつらに追いかけさせてやるのはどうだ?」

「そうなると、ぼくひとりで二十六個の箱を運ばなきゃならなくなる」

「そうだ」マティの顔が明るくなった。「夜になるまで待てばいい。また忍《しの》びこんで、ゆすりのネタを片《かた》っ端《ぱし》から始末してやる。夜なら邪魔《じゃま》も入らない。どうだ?」

シャーロックはかぶりを振《ふ》った。「ここはハークネスにとって重要な場所だ。夜には見張りを置くだろう。ぼくたちが忍《しの》びこめたのは、外が明るいからだ。工場の中も騒《さわ》がしいし。夜は静かだからすぐに見つかってしまうよ。だから、日が沈《しず》むまでここにいるってのは無理だ。やるならいますぐでないと」さらに少し考えた。「床板《ゆかいた》をはがしたらどうだろう。この部屋は床《ゆか》が高くなってる。床下《ゆかした》のスペースに箱を隠《かく》せるんじゃないかな。ハークネスには、ただ箱がなくなったことしかわからない」眉《まゆ》をひそめた。大きな問題がある。

「だめだ。床板《ゆかいた》をはがせば、板が割れたり傷がついたりする。床下《ゆかした》に箱があると、ハークネスにばれてしまう」

「お手上げだな」マティが言う。「今日はいったんあきらめようぜ」

「だめだ。なにか方法があるはずだ」シャーロックはいったん思考をストップさせた。たくさんのパズルのピースがうずを巻いている。それがだんだん落ち着いて、意味のある形をなしてきた。「そうだ、こうしよう。マティ、奥《おく》のほうのタンクにこっそり近づいて、タンクに穴をあけてくれ」

「どうやって?」

「ナイフを持ってないか?」

マティはポケットに手を入れて、ナイフをとりだした。折りたたみ式のやつだ。「これならある」

「それを使って、タンクの板に穴をあけるんだ。ここからいちばん遠いところがいい。板を削《けず》るのが難しければ、板と板のあいだにナイフをさしこんで、隙間《すきま》をこじあけろ。だれにも見られずにやるんだ。いいな?」

「わかった。見られずにそれができたとして、そのあとどうなる?」

「タンクの中の液体がもれる。やつらがそれに気づいたら、三人ともそこに集まって、穴をふさいだり床《ゆか》をふいたりしはじめるだろう」

「なるほど、しばらく時間が稼《かせ》げるな。そのあいだに、こっちがわのタンクに箱の中身をぶちまける、と」

「そのとおり。ただ、急いでやらなきゃならない。入ってきた部屋の壁際《かべぎわ》に木製のシュートがあったのをおぼえてるかい？」

「ああ」マティはそう言ったが、いまひとつ納得のいかない顔をしている。

「やつらは、タンクに皮を入れるのに、あれを使ってるんじゃないかな。皮を一枚ずつかついで放りこむなんて、ちょっと想像しにくいからね。骨が折れるし、液体も飛びちる。だからあのすべり台みたいなやつで上から流しこむんだと思う。ぼくがシュートをとってくるから、それを使って、いちばん手前のタンクに箱ごと落としこめばいい」

「なるほどね。いまいちなアイディアだが、それよりいい考えが浮《う》かばないから、しょうがないや」

「よし、はじめよう」

シャーロックはドアに近づき、少しだけあけた。目にしみて鼻につんとくるにおいが強くなる。工場内を見わたしたが、人の姿はまだ見えない。ただ、声は聞こえる。ジョシュ・ハークネスが手下たちとなにをやっているのか知らないが、時間がかかっているようだ。

振《ふ》りかえってマティを見る。「よし。行け!」声を殺して言った。

マティはドアとシャーロックのあいだをすりぬけて、足音をたてずに歩いていく。階段をおりた。そこにも木製のシュートが置いてある。マティはタンクの陰《かげ》から陰《かげ》へと駆《か》けこみながらすばやく移動して、やがてシャーロックの視界から姿を消した。

ここからの何分間かがいちばん危険だ。シャーロックは息をつめて待った。マティはタンクに穴をあけるのに成功しただろうか。必死に板を削《けず》っているのかもしれない。板が硬《かた》くてナイフの歯がたたず、苦労しているのか? ハークネスや手下たちに見つかって、つかまっていたらどうしよう。

視界の端《はし》のほうでなにかが動いた。男のひとりが、フックつきの長い棒を持って、タンクの横に出てきた。足を止め、片手で紙巻きタバコを作っている。シャーロックはマティの姿が見えなくなったあたりを目でさがしたが、マティは出てこない。しかし、男のようすからして、侵入者《しんにゅうしゃ》を見つけてつかまえたばかりとは思えない。マティは無事だ。

目をそらそうとしたとき、タンクの陰《かげ》からこちらをのぞく頭が見えた。マティだ。あの場所からだと、棒を持った男の姿は見えないだろう。しかし、一メートルでもこちらに出てきたら、男の視界に入ってしまう。マティが出てきませんようにと、シャーロックは必死で祈《いの》った。それなのに、マティは大胆《だいたん》にも階段のほうへ歩いてこようとしている。

シャーロックが物音をたててマティの視線をこちらに向けようとした瞬間《しゅんかん》、マティがこちらを見あげてくれた。シャーロックはジェスチャーで〝出てくるな〟と伝えた。マティが首を振《ふ》る。状況《じょうきょう》がわかっていないのだ。シャーロックは男のいるほうをあごでしゃくって、指を二本交互《こうご》に動かし、歩いているように見せた。マティはわかったというようにうなずいた。

シャーロックは男に視線を戻《もど》した。男はタバコに火をつけ、そのへんをぶらぶら歩いている。フックのついた棒は、ライフルみたいに肩《かた》にかついでいた。もうちょっとこっちに来て左を見たら、マティに気づくだろう。

どうしたらいい？　男の気を引いてやればマティは助かるが、こっちの身が危うくなる。かといって、マティが見つかるのはまずい。

そのとき、だれかがタンクのむこうがわで叫《さけ》んだ。ジョシュ・ハークネスに口答えをした男だろう。「漏《も》れてるぞ！　訓練どおりに動け！　マーキー、吸収シートで床《ゆか》をふけ。ニコルソン、麻《あさ》の繊維《せんい》を使って穴を埋《う》めるんだ。上から継《つ》ぎをあてて、釘《くぎ》を打つぞ！」

棒を持った男が駆《か》けつける。シャーロックが手招きすると、マティは急いで階段をのぼってきた。シャーロックも走って出迎《でむか》える。

「部屋から箱を出してくれ。ぼくはシュートをとってくる」

マティはさっきの部屋に戻《もど》っていった。シャーロックはすばやく最初の部屋に戻《もど》った。壁際《かべぎわ》に木製のシュートがあった。思っていたよりどっしりして、重い。全身の力をふりしぼるようにしてそれを持ちあげ、通路に運びだすと、いちばん手前のタンクのそばに置いた。

それができたときには、マティがすでに箱を四つ積みかさねて、次の箱をとりにいっていた。シャーロックは箱をひとつずつ持ちあげ、シュートにのせた。シュートの角度がゆるめなので、箱は勝手にすべりおちてくれない。だったら次の箱で押《お》してやろう。二つめの箱でひとつめの箱を押《お》し、三つめの箱で二つめの箱を押《お》す。一分もたたないうちに、四つの箱をシュートに並べることができた。シャーロックは四つめの箱を強く押《お》した。四ついっぺんに動かすには相当な力がいる。

ひとつめの箱はいまにも落ちそうになって、シュートの端《はし》でゆらゆらしている。シャーロックは一歩さがって、弾《はず》みをつけて箱を押《お》した。ディープディン男子校でラグビーのタックルをした要領だ。箱が前にずれる。その力が次の箱へ、さらに次の箱へと伝わって、最初の箱がタンクに落ちた。

よろこぶのはまだ早い。マティが箱をどんどん運んでくる。シャーロックはそれをシュートにのせて、体当たりする。箱がひとつずつ、タンクに落ちていった。いかにも毒性のありそうな液体に落ちた箱は、いったん浮《う》かんでから、じわじわ液体を吸って沈《しず》んでいった。忘却《ぼうきゃく》の果てまで沈《しず》んでくれればいい。

タンクのむこうからは、人の声と、ガンガンという大きな音がする。

あとは単純作業の繰《く》りかえしだ。箱を持ちあげ、シュートに置き、体当たりする。次の箱を持ちあげる。全身の筋肉がこわばって、ずきずき痛みはじめた。

気づいたときには、マティが横に立って、箱を押《お》すのを手伝ってくれていた。「これで最後だ」マティが言う。疲《つか》れきっているようすだ。髪《かみ》も顔も埃《ほこり》まみれになっている。

「そこでなにを……！」声がした。

シャーロックは床《ゆか》を見おろした。ジョシュ・ハークネスがこっちを見ている。ものすごい怒《いか》りと信じられない思いとが混じり合ったような顔をしている。

「急げ」シャーロックは言った。「残らず落とすんだ！」

「軽い箱を最後にとっておいたんだ。手で投げられるはずだぜ」マティが言う。

そのとおりだった。シャーロックはYと書かれた箱を持ちあげて、砲丸《ほうがん》投《な》げのように投げた。

「よせ！」ハークネスが叫《さけ》ぶ。「やめろ！」

箱はタンクのへりに当たって、一瞬《いっしゅん》手前に落ちてくるかに見えたが、さいわいなことに、タンクの中に落ちてくれた。

「やつらをつかまえろ！」ハークネスが叫《さけ》んだ。さっきタンクのそばにいた男がふたり、工場の奥《おく》から出てきた。シャーロックとマティを見てとまどっているようだったが、ハークネスの怒《いか》りに満ちた顔を見て、こっちに近づいてきた。フックつきの棒を槍《やり》みたいに振《ふ》りまわしている。シャーロックはマティの肩《かた》をつかみ、通路を走った。最初に入ってきた部屋に向かう。うしろから足音が追いかけてくる。

マティが先にドアにたどりついた。マティは振《ふ》りかえってなにか言おうとしたが、シャーロックはマティの背中を押《お》し、自分は身をかがめた。棒が頭の上をかすめる。鋭《するど》いフックがドア枠《わく》に刺《さ》さった。

「逃《に》げろ！」シャーロックは叫《さけ》んだ。「早く！」

マティは床《ゆか》にしりもちをついて、あとずさりしている。シャーロックは振《ふ》りかえり、攻《こう》撃《げき》してきた男と向きあった。男は棒をひっぱり、ドア枠《わく》に刺《さ》さったフックをはずそうとしていく。仲間が三メートルほどのところまで迫《せま》ってきた。血走った目をしている。ハークネスはどこかから梯子《はしご》を持ってきて、箱の沈《しず》んだタンクの中をのぞきこんでいる。ゆすりのネタを少しでも救出できないかと思っているのだろう。

ハークネスがタンクに落ちますように。シャーロックはすばやく祈《いの》ってから、マティのあとを追って部屋に入ると、ドアを閉めた。しかし、稼《かせ》げるのはほんの二、三秒だとわかっていた。

マティは窓のすぐそばにいた。振《ふ》りかえってシャーロックを見ると、両手を組んで足場を作った。「先にあがって、おれをひっぱりあげてくれ」

シャーロックの背後でドアがすごい音をたてた。なにかをたたきつけたような音だ。

シャーロックは三歩で窓に近づくと、かがんでマティの脚《あし》をつかみ、窓まで持ちあげた。

「出ろ！　ぼくも続く」

マティはなにか言いたそうだったが、体はほとんど外に出ていた。そのまま脱出《だっしゅつ》するのが得策だとわかったようだ。戻《もど》ってもしかたがない。

ドアが開いた。ひとりが戸口に立ち、もうひとりがそのうしろに立っている。

「この若造め！」手前の男がどなり、一歩前に出て、棒を振《ふ》りかざした。

シャーロックも、壁《かべ》に立てかけてあった棒を手にした。それを体の前に斜《なな》めにかまえると、足を開いてふんばった。戦うしかなさそうだ。話し合いならいくらでもするのに、どうしてこんなけんかにばかり巻きこまれるんだろう。

相手の男は中ぐらいの背丈《せたけ》で、腹が出ている。しかし、両耳に傷跡《きずあと》があり、鼻すじが曲がっているところからして、ボクシングの経験があるようだ。おそらく違法《いほう》の賭《か》けボクシングだろう。原っぱに作ったリングで戦うもので、クイーンズベリー・ルールズと呼ばれるボクシングのルールなんかには従わない。男は一歩前に出て、シャーロックと同じように棒を斜《なな》めにかまえた。お互《たが》いの棒が交差する格好になっている。男はにやりと笑った。

「おれはリトル・ジョンだ。おまえはロビン・フッドだな」

「子どもの遊びじゃない」シャーロックは答えた。

「そのとおり」男は言って、棒を突《つ》きだしてきた。シャーロックの膝《ひざ》を狙《ねら》ったらしいが、シャーロックは自分の棒でそれを防いだ。衝撃《しょうげき》のせいで腕《うで》がしびれる。噛《か》みしめた歯も痛い。

男はうなずいた。シャーロックの動きが思いのほかいいので、感心したらしい。また棒を突《つ》きだしてきたが、それはフェイントだった。すぐに向きを変えて、棒の上端《じょうたん》でシャーロックの頭を狙《ねら》ってきた。シャーロックは両手で棒を掲《かか》げ、男の攻撃《こうげき》をふたたび防いだ。当たっていたら、頭蓋骨《ずがいこつ》が割れていただろう。しかし男は棒を振《ふ》りおろす前にまた棒の向きを変え、今度はシャーロックの股間《こかん》を狙《ねら》ってきた。シャーロックは体をひねってよけたが、棒は右の腰骨《こしぼね》に当たった。思わず膝《ひざ》をついたとき、鉄のフックが頭のすぐ上の空気を横向きに切りさいていった。

シャーロックは必死で立ちあがった。腰《こし》から膝《ひざ》にかけての痛みをこらえる。男がバランスを崩《くず》した。シャーロックが棒を突《つ》きだすと、フックが男の靴《くつ》のかかとをとらえた。棒をぐいっと引くと、男は仰向《あおむ》けに倒《たお》れて悪態をついた。どすんという音と振動《しんどう》が木の床《ゆか》に広がる。

次の男が仲間をまたいでせまってきた。さっきの男よりも慎重《しんちょう》なかまえだ。棒を左右に揺《ゆ》らし、シャーロックの視線を誘《さそ》う。一度、二度、とフェイントをかけて、棒をいったん引き、思いきり突《つ》きだしてきた。ただの棒ではなく槍《やり》を使っているみたいだ。シャーロックはすばやく身を引きながら、思った。この棒には鋭《するど》いフックがついているから、槍《やり》と同じくらいの殺傷能力がある。

男はまた棒を引いた。突《つ》いてくるかと思ったとき、男は軽く頭をそらして、仲間に話しかけた。「おまえ、しっかりしろ！　外に出て、もうひとりのガキをつかまえろ。まだ近くをうろついてるはずだ。もしいなかったら、戻《もど》ってきておれに加勢しろ」

倒《たお》れていた男は首を振《ふ》りながら立ちあがると、半分むくれて、半分怒《いか》りくるったような顔で、こう言った。「こいつをやらせてくれ、マーキー。八《や》つ裂《ざ》きにしてやる。こいつがなにをやったか、見てただろ？」

「でかい尻《しり》をついてひっくりかえったくせに」マーキーと呼ばれた男がうなる。「いいから外に行け。やられたからやりかえすとか、そういう状況《じょうきょう》じゃないんだ。ボスはこいつと話をつけたがってるんだぞ。おまえにまかせたらこいつの喉《のど》を切りさいちまうだろうが。そうなればおれも連帯責任をとらされる」

さっき聞こえた会話からすると、倒《たお》れたのはニコルソンという男だろう。ニコルソンはあとずさりでその場を離《はな》れると、外に出るドアに向かっていった。最後に恨《うら》みをこめた目でシャーロックをにらみつけるのを忘れなかった。

「窓から逃《に》げるのはやめておけよ」マーキーはシャーロックに笑いかけた。「ニコルソンに見つかったら、地面におりる前に殺されちまう。あの男、人の言うことなんか聞きゃしないからな。あいつ、恥《はじ》をかかされるのが嫌《きら》いなんだ。そりゃもうあきれるほど」

「逃《に》げるかわりにどうしろと？」シャーロックはマーキーの目をまっすぐ見て聞いた。フックつきの棒で攻撃《こうげき》してくるつもりがあるのかどうか、見極めなければならない。

「その棒を置いて、おれについてこい。ボスが話をしたがってる。まあ、ちょっとした話だ」

シャーロックは首を横に振《ふ》った。「自分がなにをやったかはわかってる。外に逃《に》げてあんたの仲間と戦うほうが、ジョシュ・ハークネスと対決するよりずっとましだよ。少なくとも、楽に死ねそうだし」

マーキーは肩《かた》をすくめた。「気持ちはわかる。痛いほどわかる。究極の選択《せんたく》ってやつだな。窓から逃《に》げれば即死《そくし》。おれについてくればちょっとだけ長生きできるが、じわじわ苦しんで死ぬことになる」声がおだやかになった。シャーロックを油断させようとしているかのようだ。「まあ、おれがおまえの立場だったら――」

なんの警告もなく、マーキーは棒を突《つ》きだしてきた。狙《ねら》いはシャーロックの肩《かた》の上。フックでシャーロックの肩《かた》の筋肉をとらえ、手前に引こうと考えたらしい。しかし、シャーロックは相手の目がかすかに大きく見ひらかれたことに気づき、体の動きを予測していた。エイミアス・クロウに教わったことのひとつだ。ほんのわずかな動きから、相手の意図を読みとることができる。「これこそボディランゲージだ」クロウはそう言っていた。シャーロックは棒を左右にさばいて、まっすぐ向かってきたり横にそれたりするマーキーの攻撃《こうげき》をかわしつづけた。

「あくまでも抵抗《ていこう》しようってのか」マーキーは言って、ふたたび攻撃《こうげき》をおさめた。「いまは五分五分だが、ボスが来たら二対一になるんだぞ。勝ち目があると思うか?」

「ゼロじゃない」シャーロックは精一杯《せいいっぱい》の虚勢《きょせい》を張った。

「出口はふたつあるが」マーキーが言う。「どちらもふさがれてる。壁《かべ》や床《ゆか》を通りぬける魔法《まほう》を使えるなら別だが、逃《に》げ道はないとあきらめろ」

「逃《に》げ道はある。もしも――」シャーロックはマティの名前を口にしかけたが、その寸前に気づいて言いなおした。「――もしも、ぼくの仲間が、ニコルソンが行くより早く逃《に》げていれば、まっすぐ警察に駆《か》けこんでいるだろう。まもなく警察がやってくる」

マーキーはばかにしたように首を振《ふ》った。「このへんのおまわりがボスに手を出すもんか。ボスに弱みを握《にぎ》られてるからな」

「弱み？　そんなもの、どこにある？」シャーロックは言った。「ゆすりのネタは、全部タンクに沈《しず》んだよ」

マーキーは眉《まゆ》をひそめ、なにか考えこんでいる。

「ハークネスがゆすりの材料にしていた手紙や書類がすべて皮なめしのタンクに沈《しず》んだとわかったら、警察はどうすると思う？」マーキーの顔に動揺《どうよう》が浮《う》かんだのを見て、シャーロックはさらにたたみかけた。「まずここに来て、それが本当かどうかたしかめるだろうな。それから、ハークネスへのいままでの恨《うら》みを晴らそうとする。力を失ったハークネスなんて、そこらへんの農夫やビール醸造《じょうぞう》職人と同じだ。違《ちが》いがあるとすれば、警官たちに憎《にく》まれているってことくらいかな。五体満足なまま刑務所《けいむしょ》に入れればラッキーだよね」

マーキーの肩《かた》から力が抜《ぬ》けたのがわかる。図星だな、とシャーロックは思った。

「ハークネスからまだ給料をもらえると思ってるのかい？　ゆすりのネタを失い、タンクのひとつは汚染《おせん》され、ひとつは穴があいてる。つまり、ビジネスのひとつは終了《しゅうりょう》、もうひとつも厳しい状況《じょうきょう》になったんだ。ぼくだったら、ほかの勤め先をさがすかな」ちょっと間を置いて続けた。「もしかして、あんたもハークネスになにか弱みを握《にぎ》られてたのかい？　だったら、いまではそれもタンクの中だよ。ジョシュ・ハークネスに残されてるのは自分の口だけ。それじゃ、今後の見込《みこ》みは暗いだろうな。証拠《しょうこ》のない話なんて、だれも信じないからね」

「おまえ、頭がいいな」マーキーはしみじみとうなずいた。「おまえの言うとおりだ。ハークネスに未来はない。警察につかまらないとしても、これまでやつに脅《おど》されてた地主のひとりにつかまって、そいつの法で裁かれるだろう。そのへんの畑のこやしにされる日も遠くないってこった」マーキーは体の力を抜《ぬ》き、棒を落とした。「もしなにかあったら――おれが警察につかまったら――おれを助けてくれよ。おれに助けられたと証言してくれ」マーキーはもう一度うなずき、すがすがしい口調で言った。「転職するかな」そしてシャーロックに背を向け、戸口から出ていった。

シャーロックは信じられない思いだった。マーキーを倒《たお》さないとここから出ていけないと思っていた。あれこれ話しかけていたのはマーキーの気をそらし、自分の息を整え、反《はん》撃《げき》の作戦を練るためだった。ところが、どうやら言葉だけでピンチを切り抜《ぬ》けることができたらしい。

窓に目をやった。ここから逃《に》げてしまいたい。しかし、もうひとりの男――ニコルソンが、たぶん下にいる。これまでの経緯《けいい》からして、あの男はどんな話し合いにも応じてくれないだろう。

シャーロックはしかたなく戸口に向かった。工場の中を通るしかない。

あたりを見まわした。ジョシュ・ハークネスがどこで待ちかまえているかわからない。しかし、ハークネスの姿はどこにも見えなかった。ただ、さっきまでそこにいたらしい痕《こん》跡《せき》はある。手前のタンクのそばに、べたべたに濡《ぬ》れて汚《よご》れた紙や、段ボール箱があったからだ。茶色い水たまりもある。さっきよりにおいがひどい。ハークネスがタンクの中をかきまわして、ゆすりのネタを救いだそうとしたからだろう。紙をちょっと見ただけで、もうどうしようもないのがわかる。なにか書いてあるのがなんとかわかるものでも、ひどい汚《よご》れだらけで、なにが書いてあるのかわからない。

壁《かべ》沿いの通路を歩き、外に通じるドアをめざした。ハークネスがもうここを出ていってくれていたらいいのだが。

甘《あま》かった。

ハークネスはタンクの陰《かげ》からあらわれた。髪《かみ》がぼさぼさになっている。見ひらいた目は、いまにも顔から飛びだしてきそうだ。両手に一本ずつナイフを持っている。室内の明かりが鋭《するど》い刃《やいば》に反射している。

「解剖《かいぼう》用のナイフだ」ハークネスは軽い口調で言ったが、顔には怒《いか》りが燃えていた。「牛の解体に使うもので、とてもよく切れる。切れるなんてもんじゃない。おまえに実感させてやる」

「ぼくを殺してもなんの得にもならないのに」シャーロックは穏《おだ》やかに言ったが、心臓はどきどきしはじめていた。

「ああ、なんの得にもなりゃしない。ただ、そうしないと今夜は眠《ねむ》れそうもないんでね。おまえのせいで、おれはお先真っ暗だ。食べるものも、寝《ね》る場所も、おまえに奪《うば》われた」

「ぼくは、お先真っ暗な生活を送っていたたくさんの人々《ひとびと》を救ってあげたんだ」シャーロックは答えた。「いいことをしたと思ってる」

「だれに頼《たの》まれてもいないのに、よけいなことをしやがって。つい三十分前までは、おれは何不自由ない暮らしをしてた。それが、いまや一文なしも同然。一からやりなおしだ」

「やりなおし？　この街の人たちが、それを許してくれるかどうか」シャーロックはゆったりと階段をおりた。通路にいると逃《に》げ場がなくて危険すぎる。「もうあのゆすり屋を怖《こわ》がらなくていい、そう思った人たちが追いかけてくる。さっさと逃《に》げたほうがいいんじゃないか？」

「そのとおりだ」ハークネスはうなずいた。「だが、せっかくだからみやげがほしい。おまえの皮膚《ひふ》をざっくり切りとらせてもらう。どこかに落ち着いたら、その皮膚《ひふ》をなめしてベストを作り、ジョシュ・ハークネスを怒《おこ》らせたら怖《こわ》いってことをみんなに思い知らせてやる」

シャーロックが口を開こうとしたとき、ハークネスは右手を振《ふ》りかぶって、さっと前に出した。解剖《かいぼう》用ナイフがシャーロックの頭めがけて飛んでくる。空中でゆっくり回転していた。シャーロックが身をかがめると、ナイフは近くのタンクに刺《さ》さった。

ハークネスはもう一本のナイフの重さをはかるように上下させると、左手から右手に持ちかえた。「いつまでも逃《に》げられると思うなよ。だが、逃《に》げられるだけ逃《に》げるがいい。そのほうが仕留めがいがあるってもんだ」

シャーロックは振《ふ》りかえり、タンクに刺《さ》さったナイフを引きぬこうとした。しかし、深く刺《さ》さっていてまったく抜《ぬ》けない。殺気を感じて頭を横にそらしたとき、二本目のナイフがひゅうと音をたてて飛んできた。シャーロックの顔の横をかすめたナイフは、持ち手がタンクに当たり、派手な音をたてて床《ゆか》に落ちた。シャーロックはかがんでそれを拾おうとしたが、同時にハークネスが両手を前に伸《の》ばして襲《おそ》いかかってきた。シャーロックはかがんだ態勢から勢いよく前に飛びだして、ハークネスをよけた。

ハークネスは床《ゆか》のナイフを拾い、タンクに刺《さ》さっていたナイフをものすごい力で引きぬいた。シャーロックに向きなおる。「戦う時間が長くなればなるほど、いいベストができそうだ」

「夢を見るのもほどほどにするといい」シャーロックは言った。「あんたの新しい服は刑《けい》務所《むしょ》の服だと思うよ」横に手を伸《の》ばした。さっきハークネスが使っていた梯子《はしご》がある。いちばん上の横木をつかみ、反対の端《はし》がハークネスを向くようにかまえた。ハークネスの目がさらに大きく見ひらかれる。右手をうしろに引いて、またナイフを投げようとしたが、シャーロックが前に出て、梯子《はしご》でハークネスの胸を突《つ》いた。ハークネスはうしろによろめいた。両手を振《ふ》りまわしてバランスをとろうとしたが、右足のかかとが濡《ぬ》れた紙や段ボールを踏《ふ》んだ。ハークネスがタンクからすくいあげたものだ。足はつるりと滑《すべ》り、ハークネスはうしろむきに転んだ。頭が床《ゆか》を打ち、ごつんという鈍《にぶ》い音がした。白目が見える。

ハークネスが倒《たお》れているうちに、シャーロックは梯子《はしご》を横に放りなげ、ハークネスの胸に馬乗りになった。両膝《りょうひざ》でハークネスの腕《うで》を押《お》さえつける。力を失った両手からナイフを奪《うば》って、ハークネスの顔に切っ先を向けた。ハークネスはおびえ、逃《のが》れようともがいた。シャーロックはナイフを振《ふ》りおろし、ハークネスの首の両側ぎりぎりの床《ゆか》に突《つ》きたてた。

着ているジャケットを床《ゆか》に留めつける形になった。

シャーロックは立ちあがり、ハークネスを見おろした。「警察を呼んでやる。ウサギだってときには抵抗《ていこう》するってこと、おぼえておくんだね」

きびすを返して、ドアに向かった。

⚜ 5 ⚜

警察署に行ったシャーロックは、なめし皮工場での出来事のうち、話したくない部分は省略して報告した。そして署を出ると、新鮮《しんせん》な空気を深々《ふかぶか》と吸いこんだ。泥《どろ》だらけの体できらきらの川に飛びこんだような気分だった。肺にしみついていたひどいにおいが洗い流されていく。外の空気がそれほどきれいなわけではないが、なめし皮工場のにおいとくらべたら、これ以上澄《す》みきった空気はないという気がする。

着ているものにもにおいがしみついているだろう。できるだけ早く着替《きが》えたい。

マティは工場の窓の下に立っていた。シャーロックが姿を見せると、大きな安堵《あんど》のため息をついた。

「どうなったんだろうと思って、気が気じゃなかったぜ。ハークネスにやられちまったかと思ったよ」顔をしかめる。「で、ハークネスはどうなった？　殺したわけじゃないんだろ？」

シャーロックはうんざりして首を横に振《ふ》った。「話をしただけだよ。工場に残していって、警察に行ったんだ。工場にいるからつかまえてくれってね」

マティは肩《かた》をすくめた。「だけど、結局は同じことなんだよな。池でいちばんでかい魚をつかまえたら、二番目にでかい魚がいばりだす。世の中ってのはそういうもんだ」

「そうだね。けど、ぼくにはどうしようもないよ。少なくともいまはね。ハークネスが逮《たい》捕《ほ》されて、ゆすりのネタがなくなっただけでも、まずはよかった。たくさんの人が救われる」シャーロックは、脇道《わきみち》のまん中に立っているマティを見て、おやと思った。「あの男は——ニコルソンとか言ったな——どうしたんだい？」

「ビール腹の男か？　工場から出てきて、そのまま突《つ》っ立ってた。機嫌《きげん》は悪そうだったけどな。話しかけたら首をへしおられそうな感じでさ」

「きみはどこにいたの？」

マティは脇道《わきみち》の反対側にある木箱の山を指さした。「あの男が出てくるのがわかったから、あそこに隠《かく》れたんだ。ぶつぶつ文句ばっか言ってて、うるさいくらいだったな。おれが聞いたこともないような汚《きたな》い言葉も使ってたし」

「それで？」

「あいつがしばらくそこに立ってたら、仲間が出てきた」

「そうそう、そいつだ。そいつがビール腹男の腕《うで》をつかんで、なにかしゃべってた。それからふたり仲良く歩きはじめて、どっかに行っちまったよ」

「マーキーだ」

シャーロックはうなずいた。「ぼく、マーキーの説得に成功したんだ。ハークネスのゆすりのネタがなくなった以上、この街には住みにくくなるんじゃないかって。たぶん、ほかの街に行って運試しをするつもりなんだろうな」

「これからどうする?」

「家に帰ろうよ」

「おれには家なんかない。ボートがあるだけだ」

「ホームズ荘《そう》に行かないか」

マティはすごい勢いで首を振《ふ》った。「いやだね。あの家政婦が嫌《きら》いなんだ。あっちもおれのことが嫌《きら》いなんだろうし。悪いけど、おれは街にいるよ」

「これから、エグランタインさんの力はどんどん弱くなるはずだよ。いばってられるのも、あと一時間かそこらだ。それに、きみはこれからホームズ荘《そう》で歓迎《かんげい》されるはずだ」シャーロックはそう言ってから、マティの姿に厳しい視線を向けた。「ただ、埃《ほこり》を払《はら》って髪《かみ》をとかさなきゃだめかな」

フィラデルフィアの背中にマティとふたりでまたがって、シャーロックはなじみの道をホームズ荘《そう》に向かった。

「おれ、なにか食べさせてもらえるかな?」マティはうしろからシャーロックに問いかけた。

「うん、期待していいと思うよ!」

ふたりは三十分ほどでホームズ荘《そう》に到着《とうちゃく》した。正門をくぐって私道を進むうちに、マティの緊張《きんちょう》がシャーロックにも伝わってきた。玄関《げんかん》の前を通りすぎ、厩《うまや》に行って、馬丁《ばてい》に馬の世話を頼《たの》んだ。

「さあ、行こう。早く決着をつけたいんだ」

シャーロックは玄関《げんかん》に入り、マティをうしろに従えて、薄暗《うすぐら》い廊下《ろうか》を歩きはじめた。だれもいないように見えるが、そうではないことはわかっていた。

「エグランタインさん!」呼びかけた。

影《かげ》の一部が動き出したかのように、エグランタインさんがあらわれた。廊下《ろうか》の温度が十度は下がったように感じられた。「シャーロックぼっちゃま」つららでもできそうな、冷たい声だった。「この屋敷《やしき》をホテルだとでもお思いですか。好きなように出入りして好きなようにふるまうつもりなら、相応の料金を払《はら》ったらどうなんです?」

「ホテルの従業員はここよりずっとレベルが高いんだろうね」シャーロックは言いかえした。

エグランタインさんは表情を変えない。しかし、廊下《ろうか》の気温がさらに下がったように、シャーロックには感じられた。

「生意気な」エグランタインさんは、押《お》し殺した声に怒《いか》りをこめて言った。「そんなことを言っていられるのもいまのうちですからね。そのうちこの屋敷《やしき》から追いだされるんだから、そのつもりでいるがいいわ」

「お友だちのジョシュ・ハークネスがぼくをどうにかしてくれる、そう思ってるのかい?残念ながら、ハークネスは逮捕《たいほ》されたよ。そう簡単には出てこられないだろう」

「だまされるもんですか」エグランタインさんは食いしばった歯のあいだから言葉をもらした。言葉とは裏腹に、急に弱気になったように見えた。

「ぼくは嘘《うそ》なんかつかない。嘘《うそ》をつくのはあなたのような人だけでいい」シャーロックは一瞬《いっしゅん》おいてから、次の言葉を口にした。「おじとおばに伝えてくれないか。ダイニングで話がしたいと」

「自分で言いなさい」エグランタインさんは、ガラスも切れそうな声で言った。

「あなたはここの使用人だ。ぼくの指示に従ってもらう。いますぐ。それと、コックに頼《たの》んで、サンドイッチとレモネードを作ってもらってくれないか。ぼくの友人がおなかをすかせているんだ」

エグランタインさんはシャーロックをにらみつけた。こんな子どもの命令に従うべきなのか、と考えているようだ。そして、不本意ながら従うことにしたらしい。踵《きびす》を返し、暗がりの中に消えていった。

「こっちだ」シャーロックはマティに言った。「いよいよはじまるよ」

玄関《げんかん》ホールを突《つ》っきって、ダイニングルームに入った。対決の場所は応接室にすればよかっただろうか、と考えた。しかし、できるだけきちんとした場所、エグランタインさんにとって居心地の悪い場所で決行したかった。

ダイニングルームのまん中にあるテーブルには、キャンドルが二本と果物の皿が置いてあるだけだった。マティが勝手にナシを食べる。シャーロックは端《はし》の席についた。窓からの光を背負う場所だ。マティもついてきて、ナシを食べながらシャーロックのうしろに立った。

シャーロックは、呼吸が荒《あら》くなるのを懸命《けんめい》に抑《おさ》えていた。これからの話し合いをどういう方向に持っていくかは決めているものの、不安はあった。話し合いには相手がいる。相手はチェスの駒《こま》ではなくて人間だ。人間はときに、思いもかけない行動に出るものだ。エグランタインさんがこの家で偉《えら》そうにしているのが、おじとおばの弱みを握《にぎ》っているせいだけじゃなかったら、どうなる？　おじもおばも、エグランタインさんをかばうだろう。この家で起きているいろんなことに目をつぶり、三人で団結してぼくを責めてくるかもしれない。

ドアが開いて、おじのシェリンフォードとおばのアンナが入ってきた。ドアが閉まる。

「屋敷《やしき》の主人が、世話をしている子どもから呼び出しを受けるとはな」おじが柔《やわ》らかな口調で言う。

「すみません、エグランタインさんが、ぼくが呼びつけているかのように伝えたのかも」シャーロックは穏《おだ》やかに言った。「ただ、とてもだいじな話があって」

「それは、今日図書館であったことと関係があるのかね？　もしそうなら、わたしははっきり言ったはずだ。その話は今後いっさいしないと」

「ジョシュ・ハークネスという男の話です。そして、その男とホームズ家との関わりについて」シャーロックはおじとおばに着席してもらいたかったが、それを求めるのは失礼だと思った。ここはおじとおばの家、おじとおばのダイニングルームなのだ。出すぎた真似を、と思われたくない。

おじが答える前に、エグランタインさんが入ってきた。メイドがふたりついてくる。ひとりはサンドイッチのトレイを持っていた。もうひとりは水差しとグラスを四つ。メイドたちはそれぞれのトレイをテーブルに置いた。

「すみませんが、エグランタインさん」メイドたちが下がると、シャーロックは言った。「少しのあいだ、残ってもらえませんか。おじとおばだけでなく、あなたにも関係のある話だから」

エグランタインさんは口をあけて、なにか言おうとしたが、そのまま口を閉じた。不安そうな顔をしている。おびえているようにも見える。

「シャーロック、お友だちを紹介《しょうかい》してくれるかな」おじが言って、おばの椅子《いす》を引いた。おばが座り、おじも腰《こし》をおろす。

「マシュー・アーナットです。ファーナムの友人です」

「ふん、いやしいジプシーのくせに」エグランタインさんが言う。

「前にも言っただろ」マティがシャーロックのうしろから応じる。「おれはエジプト人なんかじゃない」

おじは軽くテーブルを叩《たた》いた。「たとえそうだとしても、かまわん。エジプト人は、聖書にもしばしば登場する高貴な人々《ひとびと》だし、マシューという名前もいい。イエス・キリストの弟子《でし》のひとりであり、福音書を書いたうちのひとりでもある。マシュー、ようこそわがホームズ荘《そう》へ」

「どうも」マシューは言った。

「マシュー、おなかがすいているんじゃないかしら?」おばが言う。「よかったら、サンドイッチとレモネードをどうぞ」

「じゃ、遠慮《えんりょ》なく」マティはシャーロックの肩《かた》ごしに手を伸《の》ばして、サンドイッチをふたついっぺんにとった。

「で」おじが切りだした。「家族会議を開くほど重要な議題とはなにかね。そして、さっきの男——名前が出てこないが——と、そのことはどう関わっているのか、話してもらおうか」

シャーロックは大きく息を吸った。「ジョシュ・ハークネスはゆすり屋です。人々《ひとびと》の秘密を——世間に知られたら困るようなことを——手に入れては、それをネタに脅《おど》しをかけていました。秘密をばらされたくなかったら毎週金を払《はら》え、と」

「もしかして、きみは」おじの穏《おだ》やかな口調の中に、余計なことは話すんじゃない、というメッセージがこめられている。「そのゆすり屋が、わがホームズ家の秘密をつかんでいたとでも言いたいのかね？　わたしは世間の評判も高い宗教学者だし、妻は地域のコミュニティの中心的人物だ。そのような悪人につかまれて困るような秘密など、あるはずがない」

シャーロックは首を横に振《ふ》った。「その男がなにを握《にぎ》っていたとか握《にぎ》っていなかったとか、そういう話をしているんじゃありません。重要なのは、その男が持っていた資料――書類や手紙などのコレクションすべて――が廃棄《はいき》されたということです」

エグランタインさんが息をのみ、片手で口を覆《おお》った。

「本当なのか？」おじは身をのりだした。『舌を制しうる人はいない。それは制しにくいものであり、死の毒に満ちている』ヤコブの手紙の第三章にある言葉だ」

「本当だよ」マティがサンドイッチで口をいっぱいにしたまま言った。「おれとシャーロックのふたりでやったんだ」

シェリンフォード・ホームズは椅子《いす》の背に体をあずけ、右手で額をなでた。左手を伸《の》ばし、妻の腕《うで》に触《ふ》れる。「では、悪夢はこれで……終わったのだな」安堵《あんど》のため息をついた。

部屋に静寂《せいじゃく》が訪れ、一分ほど続いた。物音もしなければ、なんの動きもない。しかし、それまでとはなにかが変わっていた。太陽にかかっていた雨雲が消えたような感じだ。部屋が明るく、暖かくなった。

「ホームズ家のためにも、ほかの多くの人々《ひとびと》のためにも、すばらしい働きをしてくれたね」おじが口を開いた。「シャーロック、きみはお兄さんのマイクロフトと同じ、立派な人格者だね。きみの父親——わたしの弟とも同じだ。恩に着るよ」そしてエグランタインさんのほうを見る。「おまえに支配される生活はもう終わりだ。おまえのような邪悪《じゃあく》な女に、もう用はない。この家でなにをさがしているのか知らないが、もう見つけることはできないぞ。さっさと荷物をまとめることだ。一時間以内にこの屋敷《やしき》から出ていかないなら、わたしがおまえの荷物をまとめて、焼きはらってやる。おまえにも馬の鞭《むち》をくれてやるぞ。二度とわたしたちに顔を見せるな。声を聞かせるな。わたしが生きているかぎり、この屋《や》敷《しき》に戻《もど》ってくるな」

「わたしはあんたたちの秘密を知ってるんだよ！」エグランタインさんは前に出てきた。「そう簡単に追いだせると思ったら大間違《おおまちが》いだ」

「あなたの言うことなんか、だれが信じるものですか」おばがそう言って立ちあがった。小柄《こがら》なおばが、エグランタインさんを圧倒《あっとう》しているように見えた。「この国に、前の雇《やと》い主《ぬし》に恨《うら》みを持っている家政婦がどれだけたくさんいると思っているの？ そんな人たちがなにを話したって、信じる人なんかいませんよ。『うわさと嘘《うそ》は手に手をとって』ということわざもあることだし」

おじはうなずいた。「『あなたの声は、戒律《かいりつ》に背く者への叱責《しっせき》となる。その叱責《しっせき》をもって、中傷する者のよこしまな行為《こうい》をやめさせなさい』」穏《おだ》やかな声で引用する。「出ていくがいい。自分の力で出ていけるうちに」

エグランタインさんは、四人――シャーロック、マティ、シェリンフォード・ホームズとアンナ・ホームズ――を怒《いか》りの目でにらみつけた。口をあけては閉じ、あけては閉じる。なにか言いたいのになにを言ったらいいのかわからないのだろう。そして踵《きびす》を返すと、ダイニングルームから出ていった。カーテンをあけた瞬間《しゅんかん》に消える影《かげ》のようだった。

「そう簡単にすむことなのだろうか」おじが言って、妻の手をとった。

「あの人には気をつけたほうがいいと思います」シャーロックが答えた。「なにか盗《ぬす》んでいくかもしれないし、人の目を盗《ぬす》んで、またこの屋敷《やしき》に忍《しの》びこむかも。ここには、あの人のさがしているものがあるんです。そう簡単にはあきらめるとは思えません。ただ、いまでとくらべると、それをさがすのは格段にむずかしくなりましたね。活動拠点《きょてん》を失ったわけですから」

「まだ信じられないわ」おばが言った。「あの女にはどんなに長いこと苦しめられたかわからないのよ。これからはあの女のいない暮らしができるのね！」

「あいつ、なにをさがしてたんだろう」マティが言う。

おじが首を振《ふ》った。「それが、本人はけっして言おうとしなかったのだ。三年前、われわれが家政婦を募集《ぼしゅう》していたところへ、あの女はやってきた。信用照会書の内容は申し分ないものだったので、わたしは喜んで雇《やと》った。だがあの女は無愛想で、ほかの使用人たちともなじまない。とうとう解雇《かいこ》を申しわたしたのだが、あの女は……わがホームズ家の秘密を知っている、ばらされたら困るだろう、と言いだしたのだ。そしてここにとどまると同時に、わたしたちに金を要求した。あの女はその金を、ジョシュ・ハークネスという悪党に渡《わた》していた」ため息をついて続ける。「ある日、あの女がわたしたちの寝室《しんしつ》をさぐっているところを目撃《もくげき》した。なにをしているのか説明しろと迫《せま》ったが、『おまえには関係ない』と言われてしまった。ここはわたしの屋敷《やしき》だ、関係ないはずがないと反論したのだが、あの女はわたしを馬鹿にしたように笑うばかりだった。しかも、『この屋敷《やしき》はわたしのものになったのよ』とまで言いだしたのだ」

「そのうち、屋敷《やしき》のすべての部屋を、ひとつずつ調べているのだとわかったわ」おばが説明を引きついだ。「でも、なにをさがしているのかはわからないままなの。この家に、それほど価値のあるものは、あまりないと思うのだけれど」

「そういえば、あの人はこの屋敷《やしき》の見取り図を持っていましたよ」シャーロックは思いだして言った。「部屋の窓から、外に吊《つ》るしてあったんです。早くとりかえしたほうがいいのでは？」

おじは首を振《ふ》って微笑《ほほえ》んだ。おじの笑顔を見るのははじめてだ、とシャーロックは思った。「とっておきのマディラワインがあったはずだ。特別な日に飲もうと思っていた。今日はまさに特別な日だと言えるだろう。一生のうちで、今日ほどうれしい日はそうそうないはずだ。シャーロック、マティ、きみたちは子どもではないが、おとなと呼ぶには早すぎる。それはわかっているが、グラスに一杯《いっぱい》くらい勧《すす》めても、神様も家族もお怒《いか》りにはならないだろう。もちろん、小さなグラスにしておくがね」

おじは横目で妻を見た。いいだろう？　というまなざしを受けて、おばがうなずく。するとおじはサイドボードをあけて、ワインのボトルとグラスをとりだした。

「きみたちにはまだ説明していないことがあるな」おじはテーブルに戻《もど》ってくると、そう言った。「エグランタインのせいで、シャーロック、きみはずいぶんいやな思いをしたことだろう。いや、そんな言葉では足りないくらいだったかもしれんな。今日のきみたちの働きを考えると、せめて、秘密がなんだったのかということくらいは話さないとならないな」

シャーロックは首を横に振《ふ》った。「そんな必要はありません。どんな家庭にも秘密はあるものだし、それでいいんです」

「しかし、きみにも関わりのあることなんだ。このことは、ずっと昔からきみの耳に入れないようにしてきた」おじはおばの腕《うで》をぽんぽんと叩《たた》いた。大丈夫《だいじょうぶ》だよ、という意味だろうか。

シャーロックは、足元の地面がゆっくりふたつに割れるような不安をおぼえていた。ぼくに関わりのある秘密？ どういうことだろう。

おじは口を開きかけて、ためらった。マティを見て眉《まゆ》をひそめる。「いや、やはり……あとにしようか。家族だけのときに話したほうがいい」

シャーロックはマティに目をやって、きっぱり言った。「それがどんなことだとしても、もう秘密にするのはやめませんか。マティはぼくの友だちです。マティに隠《かく》しごとはしたくありません」

おじはそれでも迷っている。「シャーロック、きみの気持ちはわかるが、これは家族の問題なんだ。家族以外の人に話していいものかどうか……。もし話すなら、その前にきみのお兄さんの許可をとるべきではないか？」

「けど、あいつらが――家族以外の人間が――もう知っていたんですよ」シャーロックはおじを見て、おばを見て、またおじを見た。「前に、兄が言っていました。日光は最良の洗浄剤《せんじょうざい》だと。カーテンを閉めたままの部屋には埃《ほこり》やクモの巣がたまってしまいますからね。最近になって、ぼくは、それが比喩《ひゆ》表現だったんだと気づきました。隠《かく》そうとすればするほど、状況《じょうきょう》は悪くなるということです。真実を知り、それをだれにでも話す。それがいちばんいいやりかたなんじゃありませんか?」

おじはまたため息をついた。「わかった」ゆっくり言いながら、マディラワインをグラスに注いでいく。「きみのお父さんのことなんだ。話はずいぶん昔にさかのぼる。わたしたち兄弟がまだ幼なかったころだ。きみのお父さん、サイガーは、変わった子どもだった。明るくて元気いっぱいなときは、どんな木にも登れるし、どんなフェンスも飛びこえようとする。全力で走りまわり、だれにも聞きとれないほど早口でしゃべったりもする。ところが、ベッドからなかなか出てこなかったり、家の中でぐずぐずしてばかりの日もあった。元気がなくて、どんなことにも関心を示さない。わたしたちの父親は、そんなのは子どものうちだけだろう、大きくなれば問題なくなる、と言っていた。しかし母親は、父親ほど楽観的に考えることができず、あちこちの医者を呼んでは相談していた。サイガーが走りまわっている日にやってきた医者は、この子はもともとこういう元気な子なんでしょう、と言った。サイガーが暗く自分の世界にこもっている日にやってきた医者は、この子はもともと感受性が強くて涙《なみだ》もろいんでしょう、鬱病《うつびょう》かもしれません、と言った。両親は、元気がありすぎたりなさすぎたりするサイガーの面倒《めんどう》を見きれなくなったとき、サイガーを精神科の病院に入院させた」

「お父さんは……精神病だったんですか?」シャーロックは声にならない声で言った。

「わたしはそういう言葉は使いたくなかった」おじは険しい表情で答えた。「サイガーはわたしの弟だ。それに、ふつうの人とまったく変わらない日だってあったからね。……ただ、元気すぎて危険なほどの日もあったし、死にたいと訴《うった》えるような日もあった。見舞《みま》いに行って思ったのだが、サイガーは病院で治療《ちりょう》を受けているというよりは、監視《かんし》されているという感じだった。ただ、環境《かんきょう》は劣悪《れつあく》だったのが忘れられない。あの経験は、サイガーの心に大きな傷を残したと思う」おじはテーブルの一点を見つめた。昔見た光景が目の前に浮《う》かんでいるんだろう、とシャーロックは思った。「サイガーが一時的に退院して家にいたとき、ある医者がやってきたのだが、その人がとても博識でね。あるフランス人の学者が、弟のような病気のことを〝フォリ・ア・ドゥーブル・フォルム〟すなわち〝複精神病〟と呼んでいると知っていた。そしてさまざま薬を試してくれた。クリスマスローズのチンキ剤《ざい》、ジギタリスの煎《せん》じ薬、毒ニンジンの絞《しぼ》り汁《じる》といった具合だ。多少の効果はあったが、じゅうぶんではなかった。じゅうぶんな効き目があった薬はひとつだけ——モルヒネだ」

モルヒネ! その言葉を聞いた瞬間《しゅんかん》、シャーロックは心臓に氷のナイフを突《つ》きたてられたようなショックをおぼえた。モルヒネは、自分も経験がある。モーペルチュイ男爵《だんしゃく》の手下にアヘンチンキを嗅《か》がされたのだ。アヘンチンキはモルヒネとアルコールで作られる。それに、パラドール評議会は、兄のマイクロフトにもアヘンチンキを嗅《か》がせたことがある。自分の家族はみんな、そんなおそろしい薬に縁《えん》があるということなんだろうか。

「モルヒネ？　なんだそれ？」マティが聞いた。

「アヘンから作られる物質だ。アヘンはケシの実の汁《しる》を乾燥《かんそう》させたものだ。おそろしい薬品だからこれ以上詳《くわ》しい説明はしないが、極端《きょくたん》に浮《う》き沈《しず》みする気分を安定させるには役立ったというわけだ」おじは苦々《にがにが》しい笑い声をあげた。「ギリシャの夢の神、モルペウスにちなんだ名前だ」

シャーロックは首を振《ふ》った。「父は病気だったけど、薬のせいで症状《しょうじょう》が落ち着いた。なにが問題なんですか？」

「問題は、われわれの社会が、心に問題をかかえる人々《ひとびと》を差別しがちだということだ。モルヒネの投与《とうよ》を受けて、サイガーはたくましく成長した。家族以外のだれも、問題などなにもないと思っていた。サイガーは良家のお嬢《じょう》さんと結婚《けっこん》し、軍に入った。そもそも病気だと知られていれば、入隊はできなかっただろう。友人や近所の人たちからも避《さ》けられただろう。それは一家の恥辱《ちじょく》になったはずだ。わたしはいいが、サイガーときみのお母さんは、すべてを失っただろう。それだけじゃない。不名誉《ふめいよ》なレッテルはきみやきみのお兄さんにも貼《は》られることになったにちがいない。きみたちは狂人《きょうじん》の息子たち、と呼ばれる。きみたちもいずれ父親のようになる、そう決めつけられるんだ」

「けど、エグランタインさんはどうやってそれを知ったんでしょうか」シャーロックは力のない声で言った。

「病院のメイドだったのよ」おばも小声で言った。「まだ若いころにね。そして、その後、偶然《ぐうぜん》サイガーを見かけたんでしょう。おとなになり、軍服を着た姿をね。そして、サイガーが昔精神病院にいたことや、モルヒネのおかげで問題なく暮らしていることが世間に知られればスキャンダルになると考え、わたしたちを脅迫《きょうはく》しはじめた」

シャーロックは眉間《みけん》にしわをよせた。「そこがわからないんです。どうしておじさんやおばさんを脅迫《きょうはく》したんでしょう。父本人、あるいは母や兄ではなく」

「きみのお母さんも脅迫《きょうはく》されていたのかもしれん」おじが答える。「聞いていないからわからないが」

そのとき、シャーロックの頭にある考えがうかんだ。しかし、それをすぐには口にせず、じっくり考えた。あらゆる角度から検討し、考えに穴がないかをたしかめる。見当はずれのことを言って恥《はじ》をかきたくない。

「いまの話からすると」とうとう口を開いた。慎重《しんちょう》に言葉を選びながら話す。「おじさんたちが守ってくださっていた秘密は、ぼくの父と、父方の親戚《しんせき》全体に関わるものだったわけですよね。だけど、秘密が公《おおやけ》になったとしても、おじさんとおばさんには影響《えいきょう》はなかったんじゃありませんか？　影響《えいきょう》を受けるのはぼくたちだけ。とくに父本人だったと思います」

おばのアンナが微笑《ほほえ》んで、テーブルごしにシャーロックの手に触《ふ》れた。「シャーロック、わたしたちはサイガーを苦しめたくなかったの。家族ですもの。サイガーと夫はいっしょに育った兄弟なのよ。なにもせず、サイガーが侮辱《ぶじょく》されるのを放っておくことなんて、できるわけないわ。入隊したときのサイガーがどんなに誇《ほこ》らしげな顔をしていたか、忘れられないの。あの人から誇《ほこ》りを奪《うば》うなんて、許されないことよ」

「だけど、エグランタインさんをここで働かせることで、ずいぶん苦しい思いをしたんじゃありませんか？」

「神様は、わたしたちみなに苦しみをお与《あた》えになるのだ。それが試練というものだ。甘《あま》んじて受けなければならない」

「ほかにどうしようもなかったのよ」おばは現実的な回答をしてくれた。「ハークネスとかいう悪党を、お金なんか払《はら》わないと言ってはねつけたら、身内が世間のさらしものにされる。それを黙《だま》って見ているとしたら、わたしたちだって悪人ということになるわ」

シャーロックはおばとおじの顔を交互《こうご》に見た。いままで思っていたのとはちがう人たちだったんだ、と思った。古くさくて堅苦《かたくる》しい人たちなんかじゃなかった。感情もやさしさも思いやりもある、人間らしい人たちだったんだ。おじと父親が幼いころ、いっしょに遊んでいた姿を想像してみた。おばの若いころの姿も。いちばんいいドレスを着て、サイガー・ホームズの結婚式《けっこんしき》に出ている姿だ。一瞬《いっしゅん》だけど、その姿が見えたような気がした。

「ありがとうございます。ぼくの両親に代わって、お礼を言います。ふたりとも、それぞれの理由で直接お礼が言えませんから」

「いや、たいしたことはしていない」

「そんなことはありません。これほど尊い自己犠牲《ぎせい》はありません」

「それじゃ」おばが言った。「次の家政婦さんをさがさなくちゃね。このままだと家の中が大変なことになるわ。メイドたちは気まぐれだし、だれかがきっちり目を光らせていないと、なにが起こるかわからないもの」

「書斎《しょさい》の整理もしなければ」おじも言う。「しばらく時間がかかりそうだ」

ふたりは立ちあがった。おばはシャーロックに笑いかけ、おじはシャーロックに手を振《ふ》って、ダイニングルームを出ていった。

「いい人たちだな」マティが言った。

「うん、そんな言葉じゃ足りないくらいだよ」シャーロックは答えた。

「で、これからどうする?」

シャーロックは少し考えた。「クロウ先生のところに行こうかな。今日のことを報告しないと。それに、市場にいたアメリカ人たちのことも話しておいたほうがいい。クロウ先生の名前を出してたから」

マティは肩《かた》をすくめた。「たしかに、あの先生からアドバイスをもらったほうがよさそうだ。ジョシュ・ハークネスが脱獄《だつごく》してきて、大金を失った腹いせに、おまえの生皮をはごうとするかもしれないからな。それに、バージニアに会えたらラッキーだし」

シャーロックはマティをにらんだが、マティは涼《すず》しい顔をしている。

「きみは来なくてもいいよ」シャーロックは感情を出さないようにして言った。「アルバートがおなかをすかせてるんじゃないか?」

「アルバートは馬だぜ? まわりに草はたっぷりあった。おれにしてみりゃ、パイの店で留守番してるようなもんだ。腹いっぱい草を食べたら、あとはすやすや寝《ね》てるさ」

「馬って退屈《たいくつ》しないのかな? だって、いつも原っぱで突《つ》っ立ったままだろう?」

マティは片方の眉《まゆ》だけをつりあげた。「考えたこともなかったな。平気なんじゃないか? 世の中の問題を深ーく考えてるのかもしれないし、自分の鼻先よりむこうのことは考えられないのかもしれないし。そういうこと、だれにも教わってないのか?」

外に出ると、夕方の日差しがまぶしかった。シャーロックは厩《うまや》の馬をもう一頭だしてもらって、マティとふたりでエイミアス・クロウと娘《むすめ》のところへ向かった。

シャーロックの頭の中は、あっちへ行ったりこっちへ行ったりと、一瞬《いっしゅん》たりともじっとしていなかった。またバージニアに会えると思うとどきどきするが、父親のことを考えると、ひたすら混乱してしまう。力強さの権化みたいな人だと思っていた。いつも大きな声で笑い、野外で活動するのが好きだった。しかし本当は、もっと複雑な問題をかかえた人だったのか。

複精神病《フォリ・ア・ドゥーブル・フォルム》は遺伝性の病気ではないんだろうかと、ついつい考えてしまう。生まれつきのあざのように、もともと持って生まれたものなのか。それともインフルエンザのように、たまたまかかってしまうものなのか。

小さな山小屋のような家に近づいたとき、シャーロックは気がついた。バージニアの馬がいない。「サンディアはいないね。バージニアは出かけてるんだ」

「さがしにいくか?」マティが言う。

シャーロックはマティをにらみつけた。「行かないよ」むすっとした声で答える。「さっきサンドイッチを食べてから三十分たってる。そろそろおなかがすいたんじゃないか?」

「たしかに、そんな気がするな」

ふたりは馬からおりて、家の外のフェンスに馬をつないだ。なんだかおかしいな。シャーロックはそう思っていた。玄関《げんかん》にむかって歩きはじめたとき、なにがおかしいのかわかった。家の外はいつも散らかっている。斧《おの》や泥《どろ》だらけのブーツなどが転がっているのだ。今日はそれがない。

ドアも、いつもとちがって閉まっている。ノックをするあいだ、胸騒《むなさわ》ぎがしてならなかった。市場にいた男たちの会話が思いだされる。クロウ先生をさがしてなにかを手伝ってもらうつもりなんだろうと思っていたが、そうではなかったんだろうか。

応答はない。

もう一度ノックした。やはりだれも出てこない。

横にいるマティの顔を見た。マティもこちらを見て、眉《まゆ》をひそめている。

シャーロックはドアを押《お》しあけた。

家の中は空っぽだった。いっさいの私物が消えている。エイミアス・クロウとバージニア・クロウもいない。ふたりがそこに住んでいたという形跡《けいせき》さえ消えてしまっている。

6

驚《おどろ》いたシャーロックは、ドアを大きくあけて中に入った。家具の大きさも配置も、いつものとおりだ。なのにすべてがいつもとちがう。ごちゃごちゃ散らかっていたものがすっかりなくなっているので、部屋がずいぶん広く見える。

壁《かべ》も同じだ。いつもスケッチや地図がところ狭《せま》しと貼《は》ってあったので、裸《はだか》の壁《かべ》を見ると落ち着かない気分になる。しっくいには画鋲《がびょう》の穴がたくさんあいていて、やはりここはクロウ先生の家だ、と確信させてくれた。道路沿いに同じ大きさと形の家がずらりと並んでいるので、まちがえてよその家に入ってきたのかと不安になるところだった。

「大急ぎで荷造りして出ていったんだな」シャーロックに続いて入ってきたマティが言った。

「どこかに置き手紙がないかな」シャーロックは一階を指して、「さがしてくれないか。ぼくは上を見てくる」と言った。

「見るからになにもなさそうだよ。置き手紙ってのは、目立つところに置いていくもんじゃないか?」

「ふらっと入ってきた無関係の人に見られたくなくて、どこかに隠《かく》したかもしれないよ」

それはないよ、という顔をして、マティは言った。「希望にすがりたい気持ちはわかるけどさ、現実を見ろよ。夜逃《よに》げ同然だ。夜逃《よに》げならおれも何度もやったことがある。家賃が払《はら》えなくてね。知った顔のない新しい土地に行って一から出直すってわけさ。だけど、クロウ先生が夜逃《よに》げってのはおかしいよな。よほどおっかない相手に追われてたってことか」

「市場の二人組のこと、忘れてるんじゃないか? クロウ先生をさがしてると言ってたんだ」

「先生はそいつらから逃《に》げてるってことか?」

「クロウ先生がそんなことするもんか。ぼくたちに黙《だま》っていなくなるなんて」

マティは肩《かた》をすくめた。「いい友だちだと思ってたのは、おまえのほうだけかもしれないぞ」冷たく言いはなつ。「おれの経験から言わせてもらうと、ヤバいときと金のないときは、友情なんて二の次三の次だからな」

シャーロックはマティをまっすぐみつめた。「本気で言ってるのか?」

マティは目を合わせようとしなかった。「シャーロック、世間ってのは厳しいものなんだ。苦労を知らないおまえにはわからないんだよ。寒さと飢《う》えと貧しさに苦しんでみろ。友情がどれほどのものか、わかるってもんだ」

「マティ、きみはぼくの友だちだ」自分が頼《たよ》りにしてきた世界がするすると遠ざかっていくように思えた。「ぼくは絶対にそれを忘れない。本当だよ。嘘《うそ》じゃない！」

「嘘《うそ》じゃないことくらいわかってるさ。けど、おまえの腹はふくれてるし、ポケットにも金があるだろ。それがなくなったとき、同じ言葉を聞かせてくれよ」寂《さび》しそうに首を横に振《ふ》る。「さあ、置き手紙をさがすぞ。見つかったら、ほかのだれよりもおれがうれしいよ」

マティが棚《たな》の引き出しやクッションの裏を調べはじめると、シャーロックは狭《せま》い木の階段をのぼって二階に行った。低い天井に頭をぶつけそうだ。気分が悪かった。クロウ親子がいなくなったせいだけではない。マティの言葉にショックを受けたのだ。友情とはそんなにいい加減なものなのか？　マティは、ぼくのことをそんなふうに——苦しい状況《じょうきょう》になったら友だちを見捨てると——本当に思っているんだろうか。

待て。見捨てたりしないと、本当に言いきれるのか？

全身に震《ふる》えが走る。その考えを頭の隅《すみ》に追いやった。いまはもっと重要なことを考えなければ。

二階も一階と同じくらいがらんとしていた。エイミアス・クロウのベッドはきちんと整えられ、クローゼットには服が一枚もかかっていない。バスルームも、歯ブラシやヘアブラシさえ見当たらない。

バージニアの部屋の入り口に立った。なんだか落ち着かない気分で、右足から左足、左足から右足へと体重を移動させた。バージニアの部屋を見るのははじめてだった。本人はもういないのに、入るのがためらわれた。禁じられた領域に足を踏《ふ》みいれるような気がした。

ばかばかしい。ただの部屋じゃないか。

中に入った。父親の部屋と同様、ベッドは整えられ、クローゼットは空っぽ。ドレッサーにも窓辺にも、私物はひとつも残っていない。

バージニアの香水がほのかに香る。不思議だな、とシャーロックは思った。バージニアが香水をつけていたなんて、知らなかった。香水をつけるようなタイプじゃないとも思っていた。しかし、目を閉じると、バージニアがすぐそばに立っているように思える。

部屋を出ようとしたとき、枕《まくら》のところになにかの鮮《あざ》やかな色が見えたような気がした。ベッドにかがみこんで、よく見た。

赤銅色の髪《かみ》が一本落ちていた。

胸をぎゅっと締《し》めつけられた。息が詰《つ》まって、苦しくなるほどだった。

「どうだ?」マティが一階から声をかけてきた。

「なにもない」答えると、胸の苦しさが消えた。ただ、声がやけに高くなってしまった。

「そっちはどうだい?」

「なにもない。戸棚《とだな》も食料庫も空っぽだ。シンクも空。食べものも持っていったのかな。経験から言わせてもらうと、二度と戻《もど》ってこないってことだ」

シャーロックは階段をおりた。体をかがめて、頭を打たないように気をつけた。一階におりたとき、反対側の壁《かべ》に残っている画鋲《がびょう》のあとが目にとまった。あの壁《かべ》に、そんなにたくさんのものが貼《は》ってあっただろうか。

「なーんにもないや。ずらかったんだよ。もう戻《もど》ってこないね」

シャーロックは首を激しく振《ふ》った。「クロウ先生は、挨拶《あいさつ》もなくいなくなるような人じゃない。なにか緊急《きんきゅう》の事態が起きて、あわててここを出ていったとしても、なんらかのメッセージを残してるはずだ。バージニアだって……」言いかけたが、言葉がとぎれた。バージニアが自分のことをどう思ってくれていたか、わからない。自分はどんどんバージニアに惹《ひ》かれていく一方だったけれど。「バージニアだって、黙《だま》っていなくなるはずがない。メッセージをさがそう」

すると、マティがシャーロックのいちばん聞きたくないことを口にした。「やっぱり、市場にいたっていう二人組が怪《あや》しいよな。そいつら、ここに来てクロウ先生とバージニアをさらってったんじゃないか？　それか、そいつらがここに来るってことをクロウ先生が知って、バージニアを連れて逃《に》げだした。だけど、クロウ先生を狙《ねら》ってなんの得があるんだろうな？」

シャーロックはそれを考えているうち、エイミアス・クロウがちらりと漏《も》らしたアメリカでの過去を思いだした。南北戦争のあと、逃亡《とうぼう》した犯罪者をさがしてつかまえる仕事をしていたという。「クロウ先生は、アメリカに敵がたくさんいたんだと思う。だからバージニアを連れてこっちに来たんじゃないかな。ここからいなくなったことは、先生の過去と関係があると思う」

「あの人が立ち向かうんじゃなく逃《に》げだすとしたら、よっぽどすごい相手なんだろうな。だって、あれだけデカくて強い人なんだぜ？　あの人がなにかをこわがるなんて、想像できないな。象が突進《とっしん》してきたら、さすがに逃《に》げるだろうけどさ」

「象？　象なんて、どこかで見たことがあるのかい？」

マティはしかめっつらで答えた。「写真を見たんだ」

「おかしい。なにかがおかしい」シャーロックはこぶしを腿《もも》に叩《たた》きつけた。「なにがおかしいのか、つきとめてやる！」

「外じゃないか？」

「うん、見てみよう。ただし、壁《かべ》から一メートル以内と決めておこう。でないと、このへん一帯を全部調べることになる」

外に出ると、シャーロックは右に進み、マティは左に行った。シャーロックは、レンガの壁《かべ》やわらぶきの屋根をながめながら歩いた。ひとつ、ふたつ、窓の前を通る。藤《ふじ》のつるが壁《かべ》を伝っている。おかしなものはなにもない。わらぶき屋根の中になにかが隠《かく》してあるんだろうか。外側からも内側からも隠《かく》せそうだ。いや、ちがう。エイミアス・クロウがメッセージを残すとしたら、もっとわかりやすい場所を選ぶはずだ。シャーロックの目がすぐに届くところ。

家のまわりを半周したとき、なにかにつまずいて転びそうになった。一瞬《いっしゅん》ヘビかと思い、あわててあとずさったが、それは動いていなかった。それに、土埃《つちぼこり》にまみれて茶色くなっている。ヘビじゃない。かがんでよく見ると、なにかの管だった。帆布《はんぷ》でできたものので、内側にいくつもの輪っかを入れることで、つぶれないようになっている。家の壁《かべ》に穴があって、管はそこから外に延び、草むらの中に消えている。エイミアス・クロウがなにか実験でもしていたんだろうか。それくらいしか説明を思いつかない。いずれにしても、ふたりが消えた理由はわからないままだ。

家の裏側で、マティと会った。

「なにか変わったものはなかったかい?」

「いいや、なにも」マティは顔をしかめた。「ウサギの死骸《しがい》があったけどな。というか、その残骸《ざんがい》だ。頭がなかった」

「どこに? 地面に落ちてただけか?」

マティは首を振《ふ》った。「丸太の山の下にあった。わざとそこに置いてあった感じだけど、なんでそんなことをするんだか、おれにはさっぱりだ」

同じ疑問が、シャーロックの頭の中をぐるぐる回っていた。「頭のないウサギの死《し》骸《がい》……? それがメッセージなら、あまりにも不可解だ。まあいい、このままそれぞれ一周して、家の前でまた会おう」

「けど、そっち半分はおまえがもう見たんだろ。こっち半分はおれが見た」

「ふたつの目で見るより四つの目で見たほうがいい。ぼくが見逃《みのが》したものにきみが気づくかもしれないし、その逆もありうる。さあ、すぐにすむから、頼《たの》むよ」

ふたりは分かれて、また歩きはじめた。シャーロックに収穫《しゅうかく》はなかった。ウサギの死《し》骸《がい》のところでは立ちどまり、よく観察した。丸太が積まれた場所のそば、雑草の上に置かれていた。丸太はエイミアス・クロウが薪《まき》にするつもりでここに積んでおいたのだろう。しかし、わかることはひとつもない。頭がなくなっていることをのぞけば、ただのウサギの死骸《しがい》だ。田舎にはそこらじゅうに転がっている。

玄関《げんかん》の前に戻《もど》ったときには、もうマティが待っていた。どうだったと言わんばかりに、片方の眉《まゆ》をつりあげている。シャーロックは首を横に振《ふ》った。マティは肩《かた》をすくめた。こっちも同じだよ、という意味だろう。「管みたいなのがあったな。けど、管はただの管だった」

シャーロックはがっくりして家の中に戻《もど》った。腰《こし》に両手をあてて、がらんとした部屋を見まわす。「なにかを見逃《みのが》してるような気がしてならないんだ」苛立《いらだ》ちが声に出る。

「おまえが気づかないことに、おれが気づくわけないよな」マティが言う。

「そんなことないよ。きみは細かいところによく気づくじゃないか」シャーロックはそう言って、もう一度壁《かべ》を見た。画鋲《がびょう》の穴がたくさんあいている。そのひとつひとつではなく、全体を見るようにした。「マティ、ここになにかがあるんじゃないかな」

マティはシャーロックを見て、次に壁《かべ》を見た。「幻《まぼろし》でも見えてんのか?」

「かもしれないな。ペンを持ってないかい?」

「おれがポケットにペンを入れて出かけるタイプだと思うか?」

シャーロックはため息をついた。「鉛筆《えんぴつ》でもいいよ」

「同じことだ」

「ナイフは？」

「それならある」マティはポケットからナイフをとりだした。さっき皮なめしのタンクに穴をあけるのに使ったナイフだ。「ほい。こわすなよ」

「ああ、大丈夫《だいじょうぶ》だよ」シャーロックは壁《かべ》に近づいた。じっと見て、そこに貼《は》ってあったものを頭の中によみがえらせる。「大きな地図が貼《は》ってあったよね」ナイフの先を壁《かべ》の一部分に向けた。

「ああ、そうだった気がする」

「よし」シャーロックはナイフをペンのように持ち、その先端《せんたん》で壁《かべ》の石膏《せっこう》をひっかきはじめた。まずは四つの穴をつないで長方形を描《えが》く。そう、地図はたしかにこの大きさで、この場所にあった。「地図だ。その右に小さめの紙が二枚あった」確信を得て、正しい穴を四つずつ選び、長方形を二つ描《えが》く。これで長方形が三つできた。たしか、その上にもなにかあったな。なにかの写真だったと思う」

「斜《なな》めになってたよな」マティが言う。シャーロックは記憶《きおく》をたどりながら、四つの穴を選んだ。しかしマティは首を振《ふ》る。「ちがう。シャーロックは三センチくらい左だった。いや、そこでもない。もう少し下……そう、そこだ」

シャーロックは画鋲《がびょう》の穴をひとつずつつないで、壁《かべ》にいろんなものが貼《は》られていたようすを再現していった。画鋲《がびょう》ひとつだけでとめてあったものもあったので、そういうところにはXマークをつけた。

一歩さがって、壁《かべ》全体を見た。壁《かべ》はいまや、さまざまな長方形やX印で埋《う》まっている。

「まだ全部じゃないよな」マティが言う。

「いや、これで全部だよ。残りの穴は新しくあけたものだ」

「本当か？」

「まちがいない。よく見てみろよ」

マティは壁《かべ》に近づき、目を細めて穴を見た。

「いや、そうじゃなくて、離《はな》れたところから見るんだ。壁《かべ》そのものや、長方形やXのマークを見ないようにするんだよ」

マティはまいったなというように首を振《ふ》ったが、言われたとおりにした。そして、目をぱっと見ひらいた。「矢印だ！」

「そのとおり」シャーロックはマティの視線を追った。貼《は》られていたものとは関係ないところにあいていた、新しい画鋲《がびょう》の穴をつないでみると、矢印になるのだ。矢印は窓のほうを指している。

ふたりは矢印の方向に目を向けた。窓の外には緑の景色が広がっている。「あっちに行ったってことか?」マティが半信半疑の顔をする。「だとしたら、あんまり役に立たないメッセージだよな」

「いや、もっと絞《しぼ》って考えよう。その窓の外には、サンディアの放牧地があるんだ。そこを調べろと言ってるんじゃないかな。きっとそこにメッセージがある」

「ずいぶんまわりくどいことをするもんだよな。壁《かべ》にメッセージをとめておけば簡単なのにさ」

「いや、そんなことをしたら、読まれたくない人にも読まれてしまう。だから、壁《かべ》にはヒントだけを残したんだ」シャーロックはマティにナイフを返した。「これ、ありがとう」

「いや、おまえが持ってたほうがいいんじゃないか? おれより使い道が多そうだ」

ふたりはまた外に出た。窓から見えた、フェンスで囲った区画に近づいていく。門扉《もんぴ》をよじのぼって、中に入る。

「どこから調べる?」マティが言った。あたりには草が繁《しげ》っている。これといって怪《あや》しそうなところはないけどな」

「見てわかるようなところにはないよ。クロウ先生のことだから、簡単に見つからないようにしてあると思う」シャーロックは少し考えてから続けた。「糸があるといいんだけどな。この中を小さな区画に分けて、ひとつずつつぶしていけば、もれなく調べられるからね。そうしないと、なにかを見逃《みのが》してしまうかもしれない」

「だったらさ、ふたりで反対側から調べていこうぜ。まん中で会ったら一歩横にずれて、またフェンスに向かっていく。そしてまた回れ右をして一歩横にずれて……それを繰《く》りかえせばいい。狭《せま》い範囲《はんい》を順にさがしていけば、見逃《みのが》しはないんじゃないか？」

「それ、よさそうだね」シャーロックはうなずいた。「やってみよう」

それから三十分かけて、ふたりは互《たが》いに近づいたり離《はな》れたりしながら地面を丹念《たんねん》に調べていった。草の密集したところ、ウサギの穴、バージニアの馬が残していった糞《ふん》。かがんで少しずつ進むので、すぐに背中が痛くなった。遠くから見たら、ふたりとも、地面のトウモロコシをついばんでいるニワトリみたいだろうな――シャーロックはそんなことを考えていた。

「発見！」マティが叫《さけ》んだ。

「なんだい？」

マティはなにかを拾いあげて、高くかかげた。灰色の金属に見える。

「フォークだね」シャーロックは言った。

「うん、フォークだ。なんか意味あると思うか?」

シャーロックは肩《かた》をすくめた。「あったところに置いといてくれないか。ほかになにも見つからなかったら、調べてみよう」

五分後、今度はシャーロックに発見があった。「マティ――来てくれ!」

マティはフォークを地面に突《つ》きさして、シャーロックのしゃがんでいる場所に駆《か》けつけた。「なんだ?」

シャーロックは草の根に半ば隠《かく》れたような穴を指さしていた。斜《なな》めに掘《ほ》ってある。ウサギ穴だよね」

「なあんだ。ウサギ穴なら、おれも五つ見つけたよ」

「だけど、中になにかあるんだ」シャーロックは穴に手を突《つ》っこんだ。暗い穴の中にうっすら見えていたものをつかもうとした。ふわふわでべとべとしたものに触《ふ》れる。しっかりつかんでひっぱりだした。

ウサギの頭だった。切断された首のところが血まみれになっている。

「ウサギ穴にウサギの頭があってもおかしくないだろ?」マティが冷たく言いはなつ。

「クロウ先生とバージニアもキツネにさらわれた、とでも言うのか?」

「そんなんじゃないよ。首のところを見てくれ」

マティはウサギの首を見て、なるほどと言うようにうなずいた。「刃物《はもの》ですっぱり切られてる。噛《か》みきったり引きちぎったりしたんじゃない。さっき、家のそばにあった死骸《しがい》の頭だろうな。だとしても、キッチンでウサギをさばいてたら、頭の部分だけキツネかオコジョが盗《ぬす》んでったのかもしれないぞ」

「それはないと思う。もし動物がこれを盗《ぬす》んだんだとしたら、少しはかじるだろう。歯形が残ってるはずだ。この頭はそうじゃない。だれかが胴体《どうたい》から切りとって、そのままここに捨てたように見える」

マティはシャーロックの顔からウサギの頭に視線を移した。「まだ新しいみたいだな。一日もたってない」

「なにかのメッセージだと思う。けど、なんのメッセージなのかがわからない」シャーロックはいったん言葉を切った。「メッセージはほかにもあるのかもしれないな」

マティはあたりを見まわして、ため息をついた。「おいおい、本気で全部調べる気か?」

「うん。なにかひとつ見つかったからって、それで終わりってことはないからね」

「そう言うんじゃないかと思った」

血のついたウサギの頭をそこに置いて、シャーロックとマティは作業の続きにかかった。置いてあるもの、落ちているもの、なんでもいいからさがしていく。さらに十五分ほどたった。ふたりは奥《おく》のフェンス際をさがしているところだった。

「どうだ？」マティは家のほうに歩きだした。

「なにもない」シャーロックは答えた。「ウサギの頭になにか意味があるのか、それともそもそもなにもないのか」

マティは、ウサギの頭があったところに目をやった。「あんなものに意味なんかあるかよ。クロウ先生の書いたメモが口につっこんであるんなら別だけどさ。それに、そんなの趣味《しゅみ》が悪すぎるよな」

「頭そのものに意味があるんじゃないのかもしれない。少なくともぼくはそう思う。場所というか、位置関係がポイントなんじゃないかな。あるいはその存在そのものだ。たぶん時間がなくて、手紙やなんかを書くことはできなかったんだと思う。壁《かべ》に画鋲《がびょう》の穴をあけて、ここになにかあると教えてくれた。そして、ウサギの頭をつっこんだ」

「ウサギをつかまえて殺す時間はあったってことじゃないか」

「ウサギはもう手もとにあったんじゃないかな。料理するつもりで、頭をとったりはらわたを抜《ぬ》いたりしていたんだと思う。けどそのときに、ここから出なきゃならないようなことが起こった。親子ふたりの荷物をまとめたら、手紙を書く時間なんかなくなってしまった」

マティはいらだたしそうにため息をついた。「だから、手紙じゃないメッセージって、なんなんだよ？　なんでもっとわかりやすいものを残さないんだ？」

「ウサギの穴にウサギの頭……」シャーロックはつぶやきながら、ひらめきを待った。わかっていることを何度もつぶやいていると、突然《とつぜん》なにかに気がつくことがある。

「ウサギ穴《バロウ》か」マティはそう言って、家に入ろうとした。

「いまなんて言った？」

「バロウ。ウサギ穴のこと、そうとも言うだろ？　キツネの穴はデンだし、アナグマの穴はバジャー。言葉にこだわるおまえなら、それくらい知ってるだろ？」

「ウサギの頭がバロウにあった」シャーロックの頭の中がとうとうフル回転をはじめた。「頭がバロウの中にあった《ヘッド・イン・ア・バロウ》。マティ、きみは天才だ！」

「おれが？」

「いや、ものを考える天才っていうより、ヒントをくれる天才だよ。そうか、簡単なことじゃないか！」

「なにがだ？」

「きみがさらわれてニューヨークに連れていかれたときのこと、思いだしてくれないか。ぼくたちはきみを追いかけていった」

マティはわけがわからないという顔でうなずいた。

「あの建物にいるところを、ぼくが見つけただろう？　これからペンシルベニアに連れていかれる、それをきみはぼくに伝えてくれた」

マティはにっこりした。「ああ、あれはうまくいったよな」

「おまえはペンを動かして、窓枠《ウィンドウシル》に触《さわ》って、近くの建物の風見鶏《ウェザーベーン》を指さした。ちょっと時間はかかったけど、ぼくにはそれがペンシルベニアだとわかった」

「ああ、そうだった。それがどうかしたか？」

シャーロックはあきれたように息をついた。「ここまで言えばわかるだろう？　エイミアス・クロウ先生も同じ手を使ったんだよ。頭がバロウの中《ヘッド・イン・ア・バロウ》。先生とバージニアは、ヘッドインバロウ……エッドインバロ……エディンバラに行くんだ！」

マティは眉《まゆ》をひそめた。「ちょっと強引じゃないか？　ウサギの頭を持っていて、ウサギの穴が近くにあって、行き先がエディンバラって、話ができすぎだよ」

「いや、考える順序が逆だよ」シャーロックはそう言いながら、全身の感覚がすっきりさえわたるのを感じていた。筋肉の疲《つか》れも痛みもどこかに飛んでいった。暗号を解いたぞ、思っていたとおりだ、という気持ちでいっぱいだった。「語呂合《ごろあ》わせとしてはいまひとつだけど、限られた条件の中で残してくれたメッセージだから、しかたがないよ。まず、壁《かべ》の画鋲《がびょう》の穴で方向を示せると考えたんだろう。手もとにはウサギがある。放牧場にはウサギの穴がたくさんあることがわかってる。それを材料にしてぼくたちへのメッセージを残し、バージニアを連れてエディンバラに行った。メッセージの材料から作れるヒントはエディンバラしかなかったから、エディンバラに行くことにしたんだ！」

「だけどさ、なんでおれたちにそれを伝えようとしたんだ？」

「あとを追ってきてほしいと思ったからだよ。ほかに理由なんてない。黙《だま》ってここを出ていきたいなら、ただ『さようなら』と書いた手紙を残していったはずだ。それならだれに見られても問題ないからね。けど、エディンバラに行くってことはだれにも知られたくなかったんだろう。つまり、危険が迫《せま》っているんだ。ぼくたちの助けが必要なんだよ」

「つまり、おれたちはふたりを追っかける。そういうことか？」マティは楽しそうな顔になっていた。

「ほかにも手がないわけじゃない」シャーロックは慎重《しんちょう》に答えた。「兄に知らせるとか」

「そんなの、どんだけ時間がかかると思う？　それに、兄さんになにができる？　おまえの兄さんのことだ、次の列車に飛びのってスコットランドに行く、なんてことはしないと思うぞ。ひたすら電報を打って、クロウ先生をさがしてくれと言うだけだ。あっちのやつらはクロウ先生やバージニアがどんな顔をしてるのかも知らないのにな」

シャーロックは首を振《ふ》った。「ぼくたちだって、エディンバラに行ったことはないし、どういうところなのか、なにも知らない。あっちで迷子になったらどうしたらいいかもわからない」

「おれ、行ったことあるぜ」マティが明るく言った。「父ちゃんが、母ちゃんとおれを荷船に乗せて連れてってくれた。何週間もかかったけどな。一ヶ月かそこらあっちにいたな。父ちゃんがあっちで仕事をさがしてたからさ」

「それでも、今回はぼくたちふたりだよ。子どもふたりだけでスコットランドに行って、大丈夫《だいじょうぶ》かなあ」

「おまえはアメリカにも行っただろ。ロシアにも」

「アメリカのときはクロウ先生がいた」

「バージニアとふたりきりで遠出しただろ?」

「あれはたまたまそうなっただけだよ。列車が出ちゃって、おりられなくなったんだ。ロシアのときは兄がいた」

「で、兄ちゃんは逮捕《たいほ》されちゃったんだよな」

「あれは想定外だったな。けど、ルーファス・ストーン先生が助けてくれた」頭の中に明るい光がともったような気がした。「ストーン先生に聞いてみよう。いっしょに行ってくれないかって」

「引き受けてくれるかなあ？　あの人、クロウ先生とは仲が悪いんだろ？」

「たしかにね。まさに犬猿《けんえん》の仲っていうか。けど……」シャーロックは少し考えてから続けた。「ストーン先生がファーナムにいるのは、兄が給料を払《はら》ってるからだと思うんだ。ぼくが無事に暮らせるようにね。兄はいまも、パラドール評議会がなにか企《たくら》んでると考えてる。きみとぼくがエディンバラに行くと言えば、ストーン先生はついてこないわけにはいかないと思う。ぼくのお目付役としては、当然だよね」

「おまえが列車に乗らないように画策してくるだけかもしれないぞ」

シャーロックは微笑《ほほえ》んだ。「きみはルーファス・ストーンを知らないからそんなことを言うんだ。あの人はそんなことをするタイプじゃない。ぼくを止めるか、いっしょにスコットランドに行って冒険《ぼうけん》をするか――どっちが楽しそうだと思う？」

「なるほどね。いまから話しに行くか？」

「その前に、もう少し情報がほしいな。ファーナムの駅に行ってみよう。クロウ先生とバージニアがスコットランドに行くなら、馬や馬車は選ばないだろう。あまりにも無防備だからね。列車だ」

マティは眉間《みけん》にしわをよせて、シャーロックの話を真剣《しんけん》に聞いている。その顔を見て、シャーロックは急にうれしくなった。本当の仲間になったんだな、と実感したのだ。マティが自分の人生にとってこれほど大切な存在になるなんて、はじめは思ってもみなかった。いろんな点で正反対のふたりだった。シャーロックはいつも冷静で論理的にものごとを考えるのに、マティは直感でものごとを考え、感情的になりがちで、その場の思いつきで行動する。しかし、頭の回転が早いし、すばらしく友だち思いだ。こういう友だちを親友と言うんだろうな、とシャーロックは思った。これからもずっと親友でいてくれるだろうか。

「ファーナム駅でエディンバラ行きの切符《きっぷ》を二枚買ったら、そこに足跡《あしあと》を残すことになるよな？　そのアメリカ人たちがクロウ先生たちを追っているなら、切符《きっぷ》売り場に行って、係員に聞くはずだ。それだけで行き先がわかっちまう。クロウ先生はそんなミスはしないよな」

「うん」シャーロックは答えた。「じゃあ、どうしたと思う？」

マティは肩《かた》をすくめた。「わかんねえよ」

「どこか途中《とちゅう》の駅までの切符《きっぷ》を買ったんじゃないかな。たとえばギルドフォードとか。だけどそこまでは行かず、その手前——たとえばアッシュウォーフとか——で降りて、そこからロンドンに行く。そしてロンドンからエディンバラまでの切符《きっぷ》を買う。そういうふうにすれば、あとを追うのは難しくなるよね」

「まちがいないと思うか？」

シャーロックはうなずいた。「クロウ先生自身が、人を追いかける仕事をしてたんだ。ハンターは、獲物《えもの》がどんな痕跡《こんせき》を残すか知っている。自分が追われる立場になったときは、そのぶん気をつけるに決まってる」

「じゃあ、おれたちはどうする？」

「まずはファーナムに行こう」

ふたりは馬にまたがってファーナムに向かった。シャーロックは後《うし》ろ髪《がみ》を引かれる思いだった。家をあのままにしてきたのが申し訳ない。エイミアス・クロウとバージニアが戻《もど》ってきたとき、家の中はどうなっているだろう。ふたりは必ず戻《もど》ってくる。ぼくの力でそうしてみせる。

ファーナム駅の切符《きっぷ》売り場には、背が高く、白いもみあげの豊かな、年輩《ねんぱい》の男がいた。ええ、大柄《おおがら》な男性が切符《きっぷ》を買いにきましたよ、と教えてくれた。白いスーツを着て白い帽《ぼう》子《し》をかぶり、男の子のような格好をした女の子を連れて、切符《きっぷ》を二枚買った、きのうのことだった、という。行き先はギルドフォード。いいぞ、とシャーロックは思った。いまのところ、推理は当たっている。

「見ろよ」マティが指さした。道路の向かいがわに、小さな三角形の原っぱと納屋がある。そこに一頭の馬がいて、草を食んでいる。フェンスに長い綱《つな》でつながれていた。

「あの馬、サンディアだぜ」

「本当かい？」

「まちがいない」

「じゃ、とりあえず無事だったんだね。バージニアが駅のだれかにお金を払《はら》って、サンディアの面倒《めんどう》を見てもらうことにしたんだろう。それだけのことができたんなら、だれかにむりやり連れていかれたってことはないはずだ。だれかに狙《ねら》われてるってことに気づいて、出ていったんじゃないかな。クロウ先生のことだから、追手に尻尾《しっぽ》をつかまれないように動いていると思う」シャーロックは急に元気が出てきた。

「じゃ、アッシュウォーフに行くか？」

ここでなにを調べても、すでにわかっていることの裏付けが得られるだけだろう。ただ、推理が当たっているとわかったのはよかった。「いや、ストーン先生に会いにいこう。これからの予定について話しておかないと。それに、おじやおばにも報告したほうがいい。今日のことがあったから、何日か出かけると言っても反対はされないだろう。ストーン先生が同行してくれることになればなおさらだ」

マティが早速歩きだそうとしたが、シャーロックがその肩《かた》に手を置いた。マティはなんだよという顔で振《ふ》りかえった。

「どうした？」

すぐには言葉が出てこなかった。どう聞いたらいいのかわからない。そもそも、これを聞くべきかどうかもわからない。「きみがさっき言ってたことだけど……。きつい状況《じょうきょう》でお金もなくなったら、友情なんて二の次三の次だって。あれ、本気で言ってたのかい？」

マティは目をそらした。唇《くちびる》を一度引きむすんでから、答えた。「おれ、前は友だちがたくさんいたんだ。けど、いまはそいつらとは切れてる。それぞれの事情で、ひとりずつ離《はな》れてった。それで学んだっていうかさ。友だちなんてそんなものだろうって」

「ぼくはちがう。エイミアス・クロウとバージニアもちがう」

マティはしぶしぶうなずいた。「シャーロックのおかげで、みんなが離《はな》れたくて離《はな》れたんじゃないと思えるようになったよ。それはよかった。じゃ、行くぞ。時間がないだろ？」

ルーファス・ストーンは、シャーロックが思ったとおりの場所にいた。いつもの屋根裏部屋でバイオリンの練習中だった。建物に近づいたときからかすかに聞こえていたのは、激しいダンスのような曲だった。階段をのぼるにつれて、音はどんどん大きくなる。屋根裏部屋に入ると、音は空間全体に渦《うず》を巻くように響《ひび》きわたっていた。そのまん中で、ひょろっとした体のルーファス・ストーンが懸命《けんめい》に弓を動かしている。ふたりが入ってきたことに気づいてもいないようすだった。目を閉じて、ひたすら激しい演奏を続ける。最後にひときわ盛りあがったところで、曲は終わった。はりつめた空気がゼリーのように震《ふる》えたかと思うと、それが解けくずれて、元通りになった。

「すごい曲だなあ」マティが感心して言った。

「それはどうも」ストーンは振《ふ》りかえり、笑顔でふたりを見た。「この曲は、夜中、森の中でたき火をするそばで演奏すると最高なんだ。問題は、年をとればとるほど、温かくて乾《かわ》いた場所を好むようになってきたことかな」シャーロックとマティに視線を行ったりきたりさせる。「なにかあったな？ 話してみなさい」

シャーロックがこれまでの経緯《けいい》のあらましを説明し、マティがいきいきとした表現で細部を補足するという形で、ふたりは今日の出来事を報告した。話が進むにつれて、ストーンの顔がけわしくなっていく。最後にシャーロックが、これからマティといっしょにスコットランドに行くつもりだと言うと、ストーンは黙《だま》って考えこんだ。

「ふたりとも、本気なんだな？」しばらくして、そう言った。

「はい」シャーロックが答える。

「わたしがなにを言っても気が変わることはない、そういうことだな?」

「うん」マティも答える。

ストーンはため息をついた。「それなら、わたしもすぐに旅の支度をしよう。急な旅立ちには慣れているんだ」

「だけど、いままでの旅立ちとはちがうことがひとつあります」シャーロックは落ち着いた口調で言った。「みんな、ここに帰ってくるということです。ふたりを連れてね」

7

旅についてきてくれるよう説得しなくてはと思っていたシャーロックが拍子抜《ひょうしぬ》けするほど、ストーンは簡単に同行に応じてくれた。その話し合いのあと、マティはアルバートのあずけ先を決め、シャーロックはホームズ荘《そう》に戻《もど》って、おじとおばに事情を話した。思ったとおり、おじもおばも、エグランタインさんを屋敷《やしき》から追いだして苦境から解放されたことがよほどうれしく、信じられない思いだったのか、まだ呆然《ぼうぜん》としていた。エディンバラ行きの件をもう決まったこととしてふたりに伝えると、やはりシャーロックの思ったとおり、ふたりはすんなり許可してくれた。そもそもアメリカやロシアへの旅を認めてくれた人たちなのだ。アメリカやロシアにくらべれば、エディンバラなんてほんのご近所みたいなものだと思ったのかもしれない。

ただし、おじがルーファス・ストーンに会いたいと言いだしたのが問題で、あやうく計画そのものが流れてしまいそうになった。「大切な甥《おい》がスコットランドに行くのだから、同行する人間に一度は会っておかなくては。わたしはそのストーンとかいう人物について、なにも知らんのだ」

ルーファス・ストーンの服装はいつも個性的だし、耳にはピアスをして、歯には金のかぶせものをしてる。シャーロックは思わず顔をしかめた。大丈夫《だいじょうぶ》だろうか。一度でもおじをストーンに会わせてしまったら、いっしょにスコットランドに行くどころか、今後ファーナムで会うことも許してもらえなくなるかもしれない。シャーロックはおじとおばを尊敬しているし、身内としての愛着も持っている。しかしふたりとも、他人をあまり理解しようとしないタイプだ。わらをもつかむ思いで、シャーロックは言った。「けど、兄はストーン氏の友人で、数年来のつきあいがあります。いまも、ぼくのバイオリンの先生として、兄がストーン氏を雇《やと》っているんです」

「なるほど、そうだったか」おじはうなずいた。「それならば、無理にとは言うまい。きみのお兄さんは洞察力《どうさつりょく》があるし、人を見る目もある」横にいるおばを見る。「そういえば、マイクロフトがエグランタインとはじめて会ったとき、あの人にはなにか裏がありそうだと言っていた。あのとき、すべて話してしまえばよかった。そうしたら力になってくれていただろう」

「もうすんだことですよ」おばはおじの手に自分の手を重ねた。「神様はわたしたちの肩《かた》に重い荷物をお乗せになりますけれど、運べないほど重いものであることはありません。荷物を背負って生きていくことで、わたしたちは強くなるのです」

その夜、シャーロックはおじとおばといっしょに夕食をとった。いつもにくらべると粗《そ》末《まつ》な食事だった。エグランタインさんが突然《とつぜん》いなくなったことで、キッチンにも動揺《どうよう》が走っているらしい。食卓《しょくたく》では、会話はほとんどなかった。おじとおばも、ショックからまだ立ちなおっていない。いつもなら、自分の考えや噂話《うわさばなし》や一日の出来事についての感想をぶつぶつつぶやいているおばも、今日ばかりは黙《だま》りこんでいる。食事が終わると、シャーロックはふたりに挨拶《あいさつ》してベッドに入った。慌《あわ》ただしい一日だったし、明日のためにも体力を蓄《たくわ》えておかなければならない。

翌日の早朝。シャーロックとマティとストーンは、ファーナム駅で集合した。それぞれ、着替《きが》えや洗面道具などが入った旅行用カバンを持っている。

「考えたんだが」ストーンが暗い顔で言った。「こうして追いかけて、本当にうまくいくんだろうか。わたしもはじめはやる気に燃えていたが、水たまりが地面に消えていくみたいに、だんだん自信がなくなってきた。エディンバラは大都市で、人もたくさん住んでる。大きなアリの巣から、特定のアリを一匹《ぴき》見つけるのと同じじゃないか？　そう簡単なことじゃないぞ」

「簡単なことなんて、やってもしかたがありません」シャーロックは反論した。

「一本とられたな」ストーンは微笑《ほほえ》んだ。

切符《きっぷ》はストーンが買ってくれた。ロンドン行きだ。その先、エディンバラまでの切符《きっぷ》は、ロンドンに着いてから買う。エイミアス・クロウは追手に尻尾《しっぽ》をつかまれないように工夫したんだから、自分たちも気をつけなければならない。ヘマをしたら恥《は》ずかしいし、自分たちの身を危険にさらすことにもなる。シャーロックはマイクロフトからの仕送りの金をさしだしたが、ストーンはかぶりを振《ふ》った。「きみのお兄さんから、バイオリンの月謝をきちんと払《はら》ってもらっているんだ。いずれにしても、お兄さんのお金で切符《きっぷ》を買うわけだ。きみとぼくのどっちが出しても同じことだろう」

次の列車が出るまで一時間ある。ベーコンのサンドイッチとお茶で腹ごしらえしないか、とストーンは言った。シャーロックとマティは力強くうなずいた。道路をわたったところにティーショップがあった。そこでサンドイッチを食べながら、シャーロックは駅の前に目をやった。男がふたり、あたりをきょろきょろ見まわしている。ひとりは黒い髪《かみ》をうしろでひとつに結わえている。もうひとりは、ほおや額があばただらけだ。

「エイミアス・クロウをさがしているのは、あのふたりか?」シャーロックの視線に気づいたストーンが言った。

マティがうなずいた。

男たちは切符《きっぷ》売り場に近づいて、係員に話しかけた。係員は首を横に振《ふ》る。男のひとりがさらになにか聞いて、カウンターごしにお金をさしだした。係員は切符《きっぷ》を二枚ちぎって、ふたりに渡《わた》した。

「切符《きっぷ》を買ったぞ」ストーンが言った。「たぶん同じ列車に乗るってことだ。行き先がエディンバラだと知っているのか、あるいはギルドフォードに行くつもりなのか、どっちだろう。いずれにしても、やつらを避《さ》けたほうがよさそうだ」

サンドイッチを食べおえると、三人はまた道をわたって駅に戻《もど》った。しばらくすると、列車がプラットフォームにそって入ってきた。黒い鉄でできた巨大《きょだい》な怪物《かいぶつ》が、白い蒸気に包まれて、甲高《かんだか》い音をたてている。聖書に出てくる悪魔《あくま》みたいだ。三人は列車に乗りこみ、ひとつのコンパートメントに腰《こし》を落ちつけた。シャーロックはアメリカ人のふたり組を警戒《けいかい》していたが、ふたりがどこに乗ったかもわからなかった。もしかしたら乗っていないのかもしれない。

列車の旅にはすっかり慣れっこになっていた。しばらくのあいだは、車窓を流れていく景色にみとれていたが、すぐにそれにも飽《あ》きて、大きな駅に着くのを心待ちにするようになった。次の大きな駅といえば、ギルドフォードだ。ギルドフォードではいったん列車をおりて、プラットフォームにいる売り子から新聞を買った。〈タイムズ〉のロンドン版だった。朝いちばんの列車で運ばれてきたものだろう。

列車が白い雲のような蒸気を吐《は》きだしている。シャーロックが新聞の売り子から離《はな》れて、客車の木製の壁《かべ》に近づいたとき、さっと風が吹《ふ》いた。蒸気が流れ、その隙間《すきま》からアメリカ人のひとりが見えた。プラットフォームを横切っていく。背の高いほうの男だ。黒に灰色の混じった髪《かみ》をした、右耳のない男。切符《きっぷ》売り場から戻《もど》ってきたようだ。あばただらけの男は客車の入り口に立って、相棒が戻《もど》ってくるまで列車が出ないように、ドアをあけたまま押《お》さえている。黒髪《くろかみ》の男が近づいてきて、首を横に振《ふ》った。求めていた情報——おそくエイミアス・クロウの足どりだ——が得られなかったのだろう。

ふたりが列車に乗りこむ。シャーロックも自分の客車に戻《もど》ったが、ふと疑問がわいてきた。あのふたりは、こちらのことを知っているんだろうか。ぼくの顔は？　マティやルーファス・ストーンの顔は？　ストーンはクロウ先生と行動を共にすることがほとんどないが、シャーロックとマティはちがう。ファーナムの多くの人々《ひとびと》は、シャーロックとエイミアス・クロウがいっしょにいるところを何度も見ているはずだ。それに、小さな街の人々《ひとびと》は噂《うわさ》好きだ。ジョシュ・ハークネスはそれを利用して金儲《かねもう》けをしていた。ほんの何ペンスかを渡《わた》したり、ビールを一杯《いっぱい》買ったりするだけで、エイミアス・クロウが娘《むすめ》以外のどんな人間といっしょに行動しているかを知ることができる。あのふたりがそんなふうにしてシャーロックやマティの人相風体を耳に入れていたら、列車で見かけただけでも、そうと気づくだろう。気をつけて行動しなければならない。

シャーロックが客車に戻《もど》ると同時に、プラットフォームの係員がホイッスルを吹《ふ》いた。まもなく発車しますよという合図だ。シャーロックは座席に体をあずけた。マティは眠《ねむ》っているようだ。ルーファス・ストーンは暗譜《あんぷ》に夢中。左手の指を空中で動かしながら、譜《ふ》面《めん》に目を走らせている。邪魔《じゃま》をするのは悪いと思ったシャーロックは、座席に深く座って新聞を広げた。

政治や国際情勢のニュースが並んでいる。いつだったたか、兄のマイクロフトが新聞記者の仕事ぶりをけなしているのを聞いたことがある。ものごとがどうして起こるのか、その根本的な理由を知らないんだ、と言っていた。だから、手もとの記事もしっかり読む気になれなかった。斜《なな》め読みでじゅうぶんだ。兄が言うには、政治関係の記事なんて、本を読んでいない人が、そのへんの人たちから本の内容を聞いて適当に書いた書評みたいなものだ、とのこと。

シャーロックは、『インドにおけるイギリス軍の存在感』という記事をざっと読んでみたが、中身のない記事だった。そういえば、父親からの手紙はしばらく届いていない。戦地は忙《いそが》しいのだろう。しかし心配な気持ちは抑《おさ》えることができない。

一面には個人広告がずらりと並んでいる。無視してページをめくろうと思ったとき、変わった広告が目にとまった。個人広告は十語から二十語くらいの短いものがほとんどだ。読者がお金を払《はら》って投稿《とうこう》し、新聞にのせてもらう仕組みで、自分の知らない世界をのぞみることのできる、社会の窓のようなものだとシャーロックは思っている。「迷子犬をさがしています。チェルシー近辺。名前はアベデネゴ。生死にかかわらず、見つけてくださった方にはお礼をはずみます」とある。大切なペットがいなくなったら、お金を払《はら》ってでも見つけだしたいと考えるものだろう。それはわかる。しかし、アベデネゴは聖書に出てくる人物の名前で、しかも、いわば端役《はやく》だ。そんな名前を犬につけるものだろうか。それに、「生死にかかわらず」とあるが、死んでいても取り戻《もど》したいという気持ちがわからない。不思議な広告はほかにもある。「急募《きゅうぼ》、下働き。信用照会書の内容を重視します。オカリナ演奏必須《ひっす》」これはどういうことだろう。いい人材を求めるのはわかるが、下働きに音楽の技能が必要だなんて、聞いたことがない。それも、オカリナなんてマイナーすぎる。どの個人広告も、広告主の生活の一部を切りとったものだ。見ていると、その背景に興味がわいてくる。明らかに暗号で書かれたものもある。文字と数字を適当に並べただけとしか思えないものだ。シャーロックは、兄やエイミアス・クロウから教わったテクニックを使って、暗号を解いてみた。いくつかはうまくいった。ほとんどは秘密のやりとりで、人目のあるところで会えない事情のある恋人《こいびと》たちの連絡《れんらく》手段になっているらしい。しかし、もっと奇妙《きみょう》なものもある。中にはぞっとするメッセージもあった。解読してみたら、こんな内容だったのだ。「ジョーゼフ・ラムナー、おまえは明日死ぬ。人間関係を清算して、神に召《め》される覚悟《かくご》をしておけ」

このへんでやめておこう、とシャーロックは思った。ついつい夢中になってしまうが、こんなものを見ていたらきりがない。ページをめくり、ほかの記事に目を走らせた。二ページにわたって、地方の小さなニュースが並んでいる。そのうちのひとつに目がとまった。これから向かう街の名前が書いてあったからだ。

エディンバラ。著名な実業家であるベネディクト・ベンサム氏が、昨夜、市郊外《こうがい》の自宅にて死体で発見された。警察の発表によると、苦悶《くもん》の表情と舌の変色から見て、ベンサム氏は毒殺された可能性が高い。犯人の逮捕《たいほ》は間近とのこと。ベネディクト氏は、長年、攻撃《こうげき》的な手法で仕事を続けてきたため、商売敵《がたき》が多かった。最近は命の危険を感じて、信頼《しんらい》できる専属コックが料理したものしか口にしなかったという。コックはベネディクト氏のもとで二十年ちかく働いていた。

こんなにざっくりした記事では、なにもわからない。エディンバラに行ったら、もっと詳《くわ》しいことがわかるだろうか。クロウ先生の失踪《しっそう》とは関係のない話だとは思う。関係があるとしたら、あまりにもできすぎた偶然《ぐうぜん》だ。これは、旅の途中《とちゅう》の駅で買った新聞を開いて、たまたま読んだ記事にすぎない。エディンバラがどういうところか、なにが起こっているのか、知りたかっただけだ。ファーナムの森や林の中を歩きながら、クロウ先生がいつも言っていたことがある。自分をとりまく環境《かんきょう》について知っていることが多ければ多いほど、状況《じょうきょう》をコントロールしやすくなる。多くの人は、森で迷ってしまったら、一時間か二時間もすると、空腹や渇《かわ》きを感じるばかりで、森から出ることもできず、途方《とほう》にくれるだろう。しかしいまのシャーロックは、クロウ先生のおかげで、どの植物は食べられて、どの植物は避《さ》けるべきかを知っている。動物の足跡《あしあと》をつけていけば水辺に出られることも知っている。どっちが北か、見きわめることもできる。

はじめて訪れる場所での冒険《ぼうけん》といえば、ニューヨークのことが思いだされる。あれはほんの一年ばかり前のことだった。街角で売られている新聞の種類が多いことに驚《おどろ》いたものだ。ということは、ロンドンではどれだけ多くの新聞が売られているんだろう。どの新聞にも同じ記事が出ているんだろうか。いや、それはないだろう。どういうスタイルで新聞を作るか、なにに重点を置くかは、新聞社ごとにちがうのではないか。エディンバラで起きた殺人事件についてもっと詳《くわ》しく知りたければ、できるだけたくさんの種類の新聞を買って、その記事を切り抜《ぬ》き、くらべてみるのがいい。こっちの新聞にはこういうことが書いてあるのにあっちの新聞には書いていない、というちがいがわかるだろう。

列車はギルドフォードを出てだいぶ進んだ。列車をおりて新聞を買ってくるチャンスはしばらくない。ウォータールー駅に着いたら絶対に買ってこよう、とシャーロックは決めた。

新聞を読みおわると、エディンバラの殺人事件の記事を丁寧《ていねい》に切りぬいて小さく折りたたみ、ポケットに入れた。列車の中ではすることがないので、記事の読みくらべはいい頭の体操になるだろう。

マティは座席で体を丸め、窓に頭をもたせかけて眠《ねむ》っている。ルーファス・ストーンも目を閉じているが、指先が小さく動いているようすからして、バイオリンの暗譜《あんぷ》の続きをしているようだ。

窓の外に目をやる。しかし、田舎の景色を見ていても退屈《たいくつ》になるばかりだ。持ってきたカバンを開いて、本を一冊とりだした。舞台《ぶたい》用の特殊《とくしゅ》メイクに関する本だった。基本的なやりかたや、さまざまな効果を出すためのテクニックが書いてある。

読みはじめると夢中になった。細部を頭に刻みこみながら読んでいく。パテの作りかた、塗《ぬ》りかた、自然な仕上げかた。すぐそばで見ないと、メイクをしていることがわからないようにすることもできるようだ。立ったときの姿勢についても説明があった。立ちかたによって、実際より背を高く見せたり、低く見せたりすることもできる。いつのまにか、列車や旅そのもののことを忘れていた。線路の接続部でひときわ大きな音が響《ひび》いたとき、シャーロックははっとして顔を上げた。ストーンがこちらをじっと見ている。

「将来は演劇の仕事がしたいのか？」ストーンが本を指さす。「やめておいたほうがいい。犬の口に手をつっこんで舌をひっぱるのはやめておけ、と言うのと同じだ。給料は低いし、拘束《こうそく》時間はやたらと長い。世間の人たちは演劇を見て楽しむくせに、役者を見下げている。わたし自身、暗い劇場にどれだけ長いこと缶詰《かんづめ》にされていたことか。それでも客は正当な評価をしてくれない」

「将来のことはまだ考えていません」シャーロックは正直に言った。「けど、見た目を変えることができたら便利だなと思って。ぼくだってことがだれにもわからなくなる」

「正直、わたしもこれまでその手を使ってきた。大家やガールフレンドが怒《おこ》っているとき、見つからないようにそっと逃《に》げだしたものだ」

「ストーン先生も特殊《とくしゅ》メイクができるんですか？」

「まあ、いろいろできるよ。劇場に——というか、劇場の楽屋に——長いこといたからね。まわりには若くて美しい女優がたくさんいた。きみのお兄さんのためにも働いてきたが、俳優とスパイには驚《おどろ》くほどの共通点があるんだ」ストーンは微笑《ほほえ》んだが、おもしろがっている顔ではなかった。「もちろん、つまらなさそうに見ている観客を前に、ステージで死人の役をやるのと、外国の裏通りで腹を刺《さ》されて死ぬのは、まったく別物だが」

「教えてください」シャーロックは言った。

ストーンは肩《かた》をすくめた。「やってみるか。ただ、芸術的センスが必要だぞ。練習もかなりやらなきゃならない。バイオリンを弾《ひ》くのとちょっと似てるな。いまのところ、わかったことを言ってごらん。わたしがそれにコメントする形で進めていこう」

それからの時間は、ストーンによる特殊《とくしゅ》メイク講座になった。本に書いてあるのは理屈《りくつ》や説明ばかりだが、ストーンがおもしろいエピソードをつけくわえていく。俳優の顔につけた口ひげがずれてしまったときのこと。汗《あせ》でメイクが落ちて、顔が縦縞《たてじま》模様になってしまったときのこと。シャーロックは笑い声をあげながら、新しい知識を吸収していった。時間があっというまに過ぎていく。

列車がウォータールー駅に着いた。さっきまではすごく待ち遠しかったのに、いまはそうでもなくなっていた。高くそびえる鉄のアーチとガラス窓の並ぶ駅舎も、これまでに何度も見たことがある。黒い燕尾服《えんびふく》や赤と黄色のチェックのジャケットといった、さまざまな服装をした人々《ひとびと》でごったがえしているのも、おなじみの光景だ。

ルーファス・ストーンが先に立って、列車を降《お》りた。「キングズ・クロス駅に行く」顔だけをうしろに向けて、ストーンが言った。「ロンドンの端《はし》から端《はし》に行くようなものだ。北に行く列車はキングズ・クロス駅から出ているんだよ」

シャーロックはうしろを振《ふ》りかえり、あのアメリカ人たちの姿をさがした。しかし、ふたりはまだ列車内に残っているのか、姿が見えない。もしかしたらギルドフォードで降りて、大柄《おおがら》なアメリカ人と娘《むすめ》の二人連れが一日か二日前にここに来なかったかと、聞いてまわっているのかもしれない。

駅を出てすぐのところに馬車がとまっている。ほかの馬車が邪魔《じゃま》そうに横を通っていくのもおかまいなしだ。やってきた人が次々《つぎつぎ》に声をかけて乗ろうとするが、御者《ぎょしゃ》はそのたびに首を横に振《ふ》る。だれか偉《えら》い人でも待っているんだろうか。自分も横を素通りすることになるんだろうな、とシャーロックは思っていたが、ルーファス・ストーンはまっすぐそこに向かっていく。御者《ぎょしゃ》は首を横に振《ふ》ることも、ストーンをどなりつけることもなく、御者《ぎょしゃ》台からとびおりてストーンのカバンを持った。シャーロックとマティを見ていぶかることもない。ふたりがカバンを出せば、それもよろこんで持ってくれそうだ。

目についた最初の馬車に乗ってはいけない――兄のマイクロフトからはそう教えられている。なにかの罠《わな》かもしれない。だから、ストーンがとった行動は意外だった。しかしストーンは自信たっぷりにふるまっている。シャーロックはカバンを下に置き、ストーンに続いて馬車に乗りこんだ。マティも同じようにする。

座席に座って正面を見たとき、なぞが解けた。マイクロフト・ホームズの大きな体がそこにあった。

「やあ、シャーロック」兄が言う。「ようこそ、ロンドンへ。楽にしてくれ。それと、ミスター・アーナット――狭《せま》くて申し訳ないが、ぼくのとなりに座ってくれ。端《はし》まで詰《つ》めればなんとか乗れるはずだ。ああ、帽子《ぼうし》をつぶさないように気をつけてくれたまえ」

「ストーン先生、兄に電報を?」シャーロックがなじるように聞いているとき、御者《ぎょしゃ》が馬車のうしろにカバンを積みこむ音がした。

ストーンは平然としていた。「まあ、当然だな。わたしはきみのお兄さんに雇《やと》われている立場だ。きみをお兄さんに黙《だま》ってエディンバラに行かせたりしたら、あとでどんなお叱《しか》りがあることやら」

「そのとおりだ」マイクロフトが応じる。「状況《じょうきょう》はすべて把握《はあく》しておく、それがわたしの信条だ。弟が黙《だま》ってロンドンを通過していったなんてことがわかったら、面目もなにもあったものじゃない」

「エディンバラには行くよ」シャーロックは淡々《たんたん》と言った。

マイクロフトはうなずいた。「もちろん、かまわない」ステッキで馬車の天井を叩《たた》く。

「キングズ・クロス駅へ！」

「え？」

馬車がひと揺《ゆ》れして、動きだした。

「エイミアス・クロウがいなくなったと聞いて、ぼくが知らん顔をしていると思ったのか？　彼《かれ》はぼくの友だちのようなものだが、それだけじゃない。あれほど優秀《ゆうしゅう》な人物はそうそういないからね、仕事上の立場からしても一目《いちもく》置いているんだ。あの人が突然《とつぜん》いなくなったのなら、よほどの理由があるはずだ。その理由を知りたい。アメリカ人の二人連れの存在も気になるな。ただ、いまはまだ敵か味方かもわからない。シャーロック、ぼくもおまえと同じように驚《おどろ》いているし、心配でたまらないんだよ」

「兄さんもエディンバラに行くの？」

「いや、ぼくの旅は、あのロシア行きでおしまいにする。あのときよくわかったんだ。ぼくはロンドンにいたほうがいい。自分自身も落ち着いていられるし、情報を集めたりなぞを解いたりすることで、仲間の手助けができる。だから今回はロンドンで、ぼくなりの役目を果たさせてもらうよ。シャーロック、おまえがクロウ先生とバージニアをさがしているあいだ、ぼくはそのアメリカ人たちの素性を調べるとしよう」

シャーロックはがっかりしていた。ロンドンで役目を果たすというのは兄らしい考えかただが、そばにいてくれたらもっと心強いのに、と思った。

「そうだ」マイクロフトが続ける。「忘れるところだった。クロウ氏の行き先の推理はみごとだった。文句のつけようがない。ただ、クロウ氏がウサギの頭を使ったのは残念だったな。あまりにもグロテスクだし、ほかの動物に持っていかれるおそれもあったわけだから」馬車の中をぐるりと見まわして、話題をがらりと変えた。「ここに壁板《かべいた》を貼《は》って、床《ゆか》にカーペットを敷《し》いて、オフィスみたいにしたらどうだろう。ディオゲネス・クラブみたいな感じにしてもいいな。そうすれば、落ち着いた気分で旅ができる」

「朝の紅茶と夕方のシェリー酒を持ってきてくれる人がいないと困るんじゃないか？」ルーファス・ストーンが笑顔で言った。

「そんなものはなんとかなる」マイクロフトが応じる。「あらかじめ決めておいた時間に、決めておいた場所に行って待っていればいい。ウェイターが窓からトレイを差しいれてくれる。食事も移動しながらできるじゃないか。時間の節約になるぞ！」

「馬車の中で飲み食いなんかしたら、太って降りられなくなっちゃうよ。そうなったら、馬車で移動する意味がなくなるよね。カタツムリとおんなじだ」

マイクロフトはうなずいた。「たしかに」

「ホームズさん、おれたちがエディンバラに行くのは止めないのに、どうして自分だけロンドンに残るんだい？」マティが言った。

「いい質問だね。単刀直入ですばらしい。ぼくがここに来たのは、弟に会うためだったんだ。ここしばらく会っていなかったからね。それともうひとつ、身辺に気をつけろと警告するためだった。エイミアス・クロウほどの男が戦うのでなく逃《に》げると決めたんだ。よほどおそろしい相手にちがいない、ということは見当がついているだろうね？　ぼくはいままでずっと、クロウ氏はおそれを知らない男だと思っていた。そうではなかったと知ったいまは、心底驚《おどろ》いている。月は球体ではない、裏側は空っぽでお皿みたいな形なんだ、と言われたくらいの驚《おどろ》きだ」マイクロフトはため息をついた。「エディンバラは悪と危険に満ちた街らしい。スコットランド人はケルトの民族で、気まぐれなんだ。ふだんは陰気《いんき》で涙《なみだ》もろいのに、突然《とつぜん》ひどく怒《おこ》りだす。ファーナムやロンドンのようなところだろうと思っていたら大まちがいなんだ。海は越《こ》えず、タイン川を渡《わた》るだけだし、言葉は英語だが——いや、英語のようなもの、と言うべきか——あそこは外国だと思ったほうがいい」封筒《ふうとう》を出して、シャーロックに渡《わた》した。「旅の手配をさせてもらった。この中に、切符《きっぷ》と、予約したホテルの住所が入っている。なにかわかったらすぐ連絡《れんらく》してくれ。残念ながら、エディンバラにはうちの支局がない。それさえあれば、エイミアス・クロウとバージニアをさがさせたり、きみたちを警護させたりできるんだが」

「ありがとう」シャーロックは封筒《ふうとう》を受けとった。「兄さん……」

「なんだい？」

シャーロックは少しためらってから言った。「報告しておくよ。エグランタインさんはおじさんとおばさんから解雇《かいこ》された」

マイクロフトはシャーロックの顔をまじまじと見つめた。「本当か？　あの不愉快《ふゆかい》な女をとうとう追いだしたのか。シャーロック、おまえが一役買ったという訳だね？」

「もちろんさ」マティが胸を張った。「おれもだけどね！」

「エディンバラから戻《もど》ったら、詳《くわ》しく聞かせてくれないか」マイクロフトはシャーロックを見つめたまま言った。おかしいな、とシャーロックは思った。兄さんの目がまったくの別人のように見える。「おまえにはぼくと同じ才能があるようだ。種を見て、どんな花が咲《さ》くかを予想できる。だがそれだけじゃない。ぼくにはない能力も持っている。花を愛し、雑草を憎《にく》む心だ。シャーロック、おまえのような弟を持って誇《ほこ》らしいよ」

シャーロックは目をそらした。のどが締《し》めつけられるような、せつない気持ちがわいてきた。窓の外をうしろに流れていく建物を見ながら、感情が落ちつくのを待った。

「母さんにも手紙を書いておくよ」マイクロフトは唐突《とうとつ》に言った。「おじさんとおばさんを家に招いたらどうかと言ってみる。両家の確執《かくしつ》は解けて、過去のものになったんだ。父さんがインドから戻《もど》るころには、過去のことなど、みんなの記憶《きおく》から消えていてほしい」

「母さんは……元気？」シャーロックはおそるおそる聞いた。

マイクロフトの唇《くちびる》がほんのわずかに震《ふる》えた。「日によってよくなったり悪くなったりだそうだが、いいほうに向かっていると思う」

「エマ姉さんは？」

「エマは……まあ、相変わらずだよ」マイクロフトはあいまいな言葉で応じた。「話はこのくらいにしよう」

馬車が突然《とつぜん》横に揺《ゆ》れて止まった。御者《ぎょしゃ》が御者台《ぎょしゃだい》から降りる音がする。続いてドアが開いた。

「キングズ・クロスだ」マイクロフトが言った。「ブラッドショーの時刻表を見てきた。ぼくの記憶《きおく》が正しければ、エディンバラ行きの列車は一時間以内に出るはずだ」

「来てくれてありがとう、マイクロフト」ストーンが言った。「切符《きっぷ》とホテルの手配、助かったよ」

「弟を頼《たの》む」マイクロフトはそう言ってから、マティを見て眉《まゆ》を片方つりあげた。

「手間でなければ、この少年のほうも頼《たの》むよ。ちょっと変わっているが、おもしろそうな少年だし、弟とも仲がいいようだ」

「お兄さんも変わった人だね」マティが元気よく言った。「馬車、ありがとう」

マイクロフトはシャーロックに視線を戻《もど》し、手をさしだした。「折りをみて電報を打ってくれ。宛《あ》て先はディオゲネス・クラブにしてくれればいい。とにかく状況《じょうきょう》を知らせるように。そして気をつけろよ。骨の髄《ずい》がむずむずするような、いやな感じがするんだ。痛風のせいじゃなく、虫の知らせのように思えてならない」

シャーロックとマティとルーファス・ストーンの三人は、馬車を降りた。御者《ぎょしゃ》がドアを閉め、すばやく御者台《ぎょしゃだい》に戻《もど》る。マイクロフトのステッキが天井を打つ音に続いて、くぐもった声が聞こえた。「アドミラルティ・アーチにやってくれ!」そして馬車は駅から離《はな》れていった。

「行っちゃったな」マティが言った。

✤ 8 ✤

キングズ・クロス駅はウォータールー駅に似ている。広いコンコースに人がたくさんいて、ガラスの天井を支える鋳鉄《ちゅうてつ》の桁《けた》にハトがたくさんとまっている。ただ、キングズ・クロス駅のほうが規模は小さい。空中を煙《けむり》が流れ、石炭を燃やす硫黄《いおう》のようなにおいがあたり一面に漂《ただよ》っている。壁《かべ》や桁《けた》は黒い煤《すす》でうっすら覆《おお》われている。

シャーロックはあたりを見まわした。だれかに聞いてもむだだろうか。きのうかおととい、白いスーツを着て白い帽子《ぼうし》をかぶった大柄《おおがら》な男と女の子のふたり連れを見ませんでしたか、と。列車に乗ろうとしている人に聞いてもだめだ。あのふたりと同じ時間にここにいた可能性は低い。切符《きっぷ》売り場の係員や、駅の監視員《かんしいん》なら、見込《みこ》みはある。あるいは――壁《かべ》に掲示《けいじ》されている列車の発着時刻を見ながら考えた――物乞《ものご》いやスリに聞いてみるという手もある。まるで幽霊《ゆうれい》みたいに人々《ひとびと》のあいだをうろついていて、ふだんはだれの目にもとまらない存在だ。たまに「だから、六ペンスしか持ってないって言ってるだろう！

もっと持ってても、おまえにはやらないよ！」とか「財布がない！　財布！　どこに行った？」といった言葉が聞こえたとき、その存在を意識させられるだけの人々《ひとびと》。それでも彼《かれ》らは必ずいる。たぶん、昼も夜も。ここは彼《かれ》らの仕事場であると同時に、住まいでもあるのだから。

そばにいる物乞《ものご》いに近づいていって、六ペンスを渡《わた》して質問をすればいい。シャーロックはそうする直前に思いとどまった。エイミアス・クロウからの教えを思いだしたのだ。すでにわかっていることを確認することに、意味はない。クロウとバージニアがエディンバラに向かっていること、そのためにはキングズ・クロス駅を使ったことは、ほぼまちがいない。それを物乞《ものご》いに確かめて、ああそうだよ、白いスーツを着たでかい男が女の子を連れてたよ、という答えが返ってきたとしても、情報が裏打ちされるだけで、なにも進歩がない。逆に物乞《ものご》いがそれを否定したら――そういう男と女の子は見てないよ、と――どうなるか。それでも、ふたりはここに来なかったということにはならない。物乞《ものご》いは、駅のコンコースを通る人すべてを見ているわけではないのだ。「頭を使え」とクロウ先生は言った。「知っていることを確かめようとするな。知っていることをいかに否定するかを考えろ。正しいと思っていることが本当に正しいと確かめたって、意味がない。正しいと思っていることがまちがっていると知ることほど大きな収穫《しゅうかく》はない。自分の考えをいかに否定するか、いつもそれを考えるべきだ」

ただ、大きな問題がある。エイミアス・クロウとバージニアがキングズ・クロス駅を通ったはずというシャーロックの考えがまちがっていると証明するには、ロンドンにあるほかのターミナル駅を利用したということを明らかにしなければならない。そのためにはパディントンとユーストンとリバプール・ストリート、そのほかいくつもの大きな駅に行ってみなければならないから、一日つぶれてしまうだろう。そんな時間の余裕《よゆう》はない。

「やけに深刻な顔をしているな」ルーファス・ストーンが言って、シャーロックの肩《かた》を叩《たた》いた。

「ちょっと気になることがあって。クロウ先生を見かけなかったか、聞いてまわったらどうだろうと思ったんですけど、そんなことをしてもかえってわけがわからなくなるだけですよね」

ストーンはうなずいた。「クロウがここで切符《きっぷ》を買ったとしても、それがエディンバラ行きの切符《きっぷ》だったとは限らない。追手をまくためには、ファーナムでやったのと同じことをやった可能性がある」あたりを見まわす。「列車が出るまでにまだ少し時間がある。胃《い》袋《ぶくろ》が、喉《のど》がサボってるんじゃないのかって騒《さわ》ぎはじめてる。列車に乗る前に、なにか食べるとしよう。ごちそうするよ」

人ごみからはずれたところに焼き栗《ぐり》の売り子を見つけると、ストーンは約束どおり三人分買ってくれた。焼きたてなので、ストーンとシャーロックは息をふうふう吹《ふ》きかけなければ食べられなかったが、マティの喉《のど》はよほど丈夫《じょうぶ》にできているのか、始終うれしそうな顔で、あつあつの栗《くり》を次々《つぎつぎ》に口に放りこんでいった。

栗《くり》を食べおえると、ストーンはシャーロックとマティを連れてプラットフォームに向かった。切符《きっぷ》を係員に見せ、列車に乗りこむ。シャーロックの見たところ、なにからなにまで、ファーナムからウォータールーまで乗ってきたのと同じ列車だった。

「長い旅になるぞ」小さなコンパートメントに腰《こし》を落ちつけて、ストーンが言った。「楽にするといい。眠《ねむ》れるようなら眠《ねむ》りなさい。できるときにやっておくべきことがふたつある。眠《ねむ》ることと食べることだ。次にいつできるかわからないからな」シャーロックを見て続ける。「バイオリンを持ってくればよかったな。レッスンの続きができた」

「バイオリンのレッスン？」マティが聞こえよがしにつぶやいた。「そんなのやるんだったら、おれはちがう列車に乗ってたな」

ストーンはマティをにらみつけた。「きみは音楽に理解がないんだな。ブリキの笛と太《たい》鼓《こ》が精一杯《せいいっぱい》か？」

「笛を叩《たた》いたりしないからご心配なく」マティは首を振《ふ》った。「ブリキの笛だっていい音は出せる。笛と太鼓《たいこ》があれば踊《おど》れるじゃないか。音楽なんて、踊《おど》るためにあるようなもんだろ」挑《いど》むようにストーンを見る。「ちがうか?」

ストーンはおおげさにうなだれて、口をつぐんだ。

「ストーン先生」シャーロックが言った。「さっきの続きを聞きたいんですけど。特殊《とくしゅ》メイクや変装のこと」

ストーンはうなずいた。「よろこんで。あのころのことを思いだすのは楽しいよ。物語の山場で、主役のうしろに立って槍《やり》をかまえていたり、オーケストラ・ピットに入って、ステージ上の役者たちを見あげたりしていたのがなつかしい。シャーロック、きみは芸術や演劇に興味があるようだね。なにか理由があるのかい?」

シャーロックは肩《かた》をすくめた。自分の好みや希望を他人に話すのは、なんだか照れくさい。「ただ、おもしろそうだなと思って」ストーンは、まだ続きがあるんだろうという顔をして待っている。沈黙《ちんもく》を破るために、シャーロックはしかたなく続けた。「正直に言うと、モスクワに行ったときからなんです。カフェでの出来事が印象的でした。ぼくがそこにいたとき、まわりに七人か八人の人がいました。じつはみんな、それまで三日間くらいいっしょに過ごした人たちだったのに、ぼくはそうだと気づかなかったんです。ただのひとりも見破れませんでした」ほおが赤くなるのがわかった。恥《は》ずかしさと悔《くや》しさのいりまじった感情がこみあげてくる。口にしてはじめて、自分はあのときのことにこんなにこだわっていたんだ、と気づいたのだ。「まわりのことはよく観察しているつもりだったのに。クロウ先生がいつも言ってくれるんです。ぼくは細かいことによく気がつくって。なのに、すっかりだまされてしまった」

「敵のほうが一枚上手《うわて》だったんだな」ストーンは穏《おだ》やかに言った。「恥《は》じることはない。わたしだって、世界一のバイオリニストというわけじゃないし、今後も世界一になることはないだろう。だがそこそこうまくて、これからもっとうまくなる。それでいい」

「ぼくは一番になりたい」シャーロックは小さな声で言った。「バイオリンも、動物の追跡《ついせき》も、変装も。一番になれないなら、なんのために努力するのかわかりません」

「そんなふうに思っていると、人生を楽しめないぞ。失望ばかりの人生になってしまう」

気まずい沈黙《ちんもく》が流れた。まずい言いかたをしたと思ったのか、ルーファス・ストーンが口を開き、劇場の話をはじめた。すぐれた俳優はステージ上では役になりきっている、という話だった。「要するに、演じるのが老人であろうと、女性であろうと、浮浪者《ふろうしゃ》であろうと、自分はその人間なんだと思いこむことが大切だ。そうでないと、他人にそう思わせることはできないだろう？　その人間のふりをするんじゃなく、その人間になりきることだよ」

「けど、どうしたらそれができるんですか?」

「悲しんでいる人間を演じるには、それまでの人生でとても悲しかった出来事を思いだす。しあわせな人間を演じるには、楽しかったことを思いだす。物乞《ものご》いの役をやるなら、おなかがすいて、顔も洗えなくて、へとへとに疲《つか》れたときのことを思いだせばいい。まあ、そういう経験があるならの話だが。恋《こい》している人間を演じるなら、好きな人の顔を思いうかべる。そうすれば、自然にそういう顔になるし、体もそういうふうに動く。大げさな演技なんかしなくていいんだ。ああ、それと、人のいい加減な判断力を利用することも大切だ」

シャーロックは眉《まゆ》をひそめた。「どういうことですか?」

「人間はふつう、自分の見たいものだけを見る。街を歩いている人のひとりひとり、細部まで観察したりはしないものだ」ストーンは一瞬《いっしゅん》目を閉じて、髪《かみ》に手ぐしを通した。「どう説明すればいいかな。ステージの背景幕を想像してくれ。物語は中国を舞台《ぶたい》にしていると観客に思わせたいなら、どうする? 何週間もかけて、中国の宮殿《きゅうでん》や村の景色をリアルに再現するか? 大きな窓から本物の景色を見ているような、そんな背景幕を作るかい? そんな必要はない。いくつかの特徴《とくちょう》があらわれていればいいんだ。独特な屋根の形とか、竹林とか、そんなものがあるだけで、残りの部分は観客の想像力が埋《う》めてくれる。

人の心はそういうことが得意なんだ。ちらっとなにかを見ただけで、それがなんなのか、勝手に決めてしまう。注意を引くものがいくつかあれば、それを頼《たよ》りにすべてを判断してしまうんだよ。記憶《きおく》の中から写真や絵をひっぱりだしてきて、空間を埋《う》めてしまう。物乞《ものご》いを演じたいとき、物乞《ものご》いの服や髪《かみ》や顔、すべてを細部まで再現するのは大変だろう? そんなことをしたら、かえってステージで浮《う》いてしまう。ポイントを絞《しぼ》ることだ。そして背景に溶《と》けこむこと。わかってもらえたかな?」

「たぶん」

ストーンは、ほかにもいくつかの例をあげて説明した。ふたりはしばらく話し合っていたが、やがて会話がとぎれ、沈黙《ちんもく》が訪れた。シャーロックはいつのまにか、車窓をながめていた。町が近づき、離《はな》れていく。畑があらわれては消えていく。次第に、景色の印象が変わってきた。きちんと整った感じの景色——それが南イングランドの特徴《とくちょう》だとシャーロックは思った——から、もっと荒《あ》れた感じの景色に変わったのだ。牛たちでさえようすがちがう。毛深くて茶色くて、角も曲がっている。南イングランドの牛は白と黒で、体毛も短かいのに。列車は一度か二度橋を渡《わた》り、大きな川を越《こ》えた。バルササーから逃《のが》れようとして、バージニアとマティとの三人で木の橋を歩いて渡《わた》ったことが思いだされる。

バージニア。その名前を思いだすだけでも、胸がどきっとする。ほかの人には感じない特別な思いをバージニアに感じていることは、否定できない。ただ、それがなんなのかがよくわからない。どうしてこんな思いをするのか、それがどういうことなのかもわからないし、思いの強さに気づいて、自分でも怖《こわ》くなるくらいだ。自分の人生の一部を自分以外のだれかが占《し》めている。そんなことはいままでになかった。学校でも家庭でも、ひとりでいることが好きだったし、だれかに依存《いぞん》するのが嫌《きら》いだった。なのに、いまはまるで、バージニアに依存《いぞん》しているようなものだ。バージニアのいない人生なんて考えられなくなってしまった。

列車はニューカッスルで止まり、石炭と水が補充《ほじゅう》された。三人はそのあいだにプラットフォームに出て脚《あし》を伸《の》ばし、紙袋《かみぶくろ》から直接食べられる食べものを買った。リンゴをパイ生地で包んで焼いたもので、まだ湯気の立つ焼きたてだった。まるで列車のエンジンから出る蒸気のミニチュア版だ。

しばらくして、シャーロックはコンパートメントに戻《もど》った。列車が出るまでにはあと何分かあるが、外に出ていても、プラットフォームを行ったり来たりするくらいしかやることがない。運動のための運動なんて、おもしろくもなんともないというのがシャーロックの考えだった。やわらかいシートに腰《こし》をおろして、向かいがわの壁《かべ》を見る。列車の旅というのは、どうしてこんなに退屈《たいくつ》なんだろう。船の旅は、時間はもっと長くかかるのに、見るものもやることもたくさんあって、楽しかった。船には図書室やゲーム室やレストランがあったし、娯楽《ごらく》がたっぷり用意されていたのだ。列車にはそういうものがなにもない。

壁《かべ》を見つめて、列車がニューカッスルを出るのを待っているあいだに、なんとなく気がついた。見られている。背中の毛が逆立ったとか、背すじに寒けが走ったとか、そういう超《ちょう》自然的な現象が起きたわけではない。もっと単純で原始的なことが、気づいた理由だった。視界の隅《すみ》にピンクと赤のなにかがあらわれて、消えていかなかったからだ。顔だった。青い目がふたつ、まばたきもせずにこちらを見ている。

こちらが気づいていることを相手に知らせたくないので、頭を急に動かさないように気をつけながら、相手のようすをうかがった。しかし、見えるのは顔だけで、体は高く積まれた木箱に隠《かく》れている。

気づいたことを気づかれないようにしていると、満足な情報は得られない。まっすぐ目を向けて見てやることにした。いきなり右に目を向ける。そこにいたのは男だった。どこかで見たことがある。

胸がどきっとして、脈がひとつ飛んだような気がした。

カイトに似ている。ホワイトチャペルの劇団の俳優兼《けん》マネージャーと紹介《しょうかい》され、のちにパラドール評議会の諜報員《ちょうほういん》だと判明した人物だ。兄の友人でもあるロシアの皇太子の暗殺計画にもかかわっていた。熊みたいに大きな体をした人で、胴体《どうたい》はまるで樽《たる》のようだ。赤い髪《かみ》の毛は服の襟《えり》を隠《かく》す長さ。もじゃもじゃのあごひげは胸まで伸《の》びていて、赤錆《あかさび》色の滝《たき》のようだ。シャーロックが最後にカイトを見たのは、モスクワの通りだった。馬車の御《ぎょ》者台《しゃだい》に乗って、ルーファス・ストーンを殺そうとしていた。結局、ストーンにはけがを負わせただけで、怒声《どせい》を浴びせて逃《に》げていった。

カイトの顔は、目のまわりもほおも、小さなひっかき傷だらけだったのをおぼえている。カミソリの傷のようだったが、ひげの生えない場所にも傷がついているのはなぜだろうと不思議に思ったものだ。汚《よご》れた窓ガラスごしに見ているのに、その小さな傷までがはっきり見える。それだけ距離《きょり》が近いのだ。まちがいない。あれはカイトだ。

カイトもシャーロックをじっと見つめていた。微笑《ほほえ》みもしないし、うなずきもしない。目が合ったというのに、なんの反応も見せない。しばらくして、ゆっくりそこを離《はな》れると、プラットフォームの中心にある物置小屋のようなものの陰《かげ》に消えていった。シャーロックは胸がどきどきしていた。胸になにかがつっかえて、うまく呼吸ができなかった。

ルーファス・ストーンに知らせなければ！　兄さんにも知らせよう。カイトがここにいるということは、エイミアス・クロウの失踪《しっそう》にパラドール評議会がからんでいるということなのか？　やつらの計画をぶちこわした張本人ということで、ぼくが狙《ねら》われているんだろうか。それともすべて偶然《ぐうぜん》なのか。いや、カイトがここにいてぼくを――ぼくたちを――見ていたのは事実だ。つまり、状況《じょうきょう》は変わった。十分前とはがらりと変わってしまったのだ。

ピーッと汽笛が鳴って、シャーロックははっとした。列車が出る。立ちあがろうとしたが、ふと見るとストーンとマティがいない。そのときコンパートメントのドアが開いて、マティが入ってきた。手にポークパイを持っている。

「シャーロック、どうした？　幽霊《ゆうれい》でも見たような顔をしてるぞ」

「それに近いよ。ストーン先生は？」

マティはおやという顔をした。「先に戻《もど》ってると思ってた。一分くらい前にこっちに向かってたから」ポークパイをぽんと上に放って、自分で受けとめる。「駅前の市場にこれが並んでてさ。通りかかった女の人に店番が気をとられてるあいだに、ひとつ失敬してきた」

「それじゃ――」シャーロックは言いかけてやめた。しゃべっている暇《ひま》はない。マティを押《お》しのけて通路に出ると、左右を見た。長い通路の両端《りょうたん》に車両の出口があり、そこからプラットフォームに出られるようになっている。近いほうの出口に駆《か》けよって、ドアの窓から外を見た。プラットフォームにいた乗客はみな、列車に戻《もど》りつつある。ルーファス・

ストーンの姿はない。

汽笛がもう一度鳴った。まもなくプラットフォームからは人がいなくなり、駅員が周囲を確認して、いまにも旗を振《ふ》ろうとしている。

シャーロックは左右に目をこらした。ストーンはいない。すぐにでも列車からとびおりて駅をさがしたかったが、列車はいまにも出てしまう。ストーンは、ほかの車両から乗りこんで、こっちに向かっているところかもしれない。だとしたら、降りたぼくだけがはぐれてしまう。こんな駅で立ち往生するわけにはいかない。パラドール評議会に見張られているというのに。

しかし、ストーンがパラドール評議会に拉致《らち》されていたらどうする？　カイトはいまもストーンを恨《うら》んでいるはずだ。

列車ががたんと揺《ゆ》れて、動きだした。エンジンの力で、重い機関車がプラットフォームを離《はな》れ、つながれた客車の隊列をひっぱっていく。あっというまに駅は遠ざかり、列車は田園地帯に入っていった。

シャーロックは自分のコンパートメントまで戻《もど》り、ドアの外に立ちどまって通路の左右を見た。ストーンがあらわれてくれないだろうか。いつもの呑気《のんき》な歩きかたで、近づいてきてほしい。五分後、シャーロックはそんな希望を捨てた。ストーンはニューカッスル駅に残り、おそらくパラドール評議会にとらわれている。

「どうしたんだよ」シャーロックがコンパートメントに入ると、マティが言った。ひざの上はパイのくずだらけだ。「ストーン先生は?」

「列車に乗らなかったみたいだ」シャーロックは苦々《にがにが》しい口調で言った。

「なんだって? 美人を見かけて追っかけてったのか? そういうタイプだよな。いつもきょろきょろしてるし」

シャーロックはかぶりを振《ふ》った。「いや、たぶんパラドール評議会のせいだ」

マティは信じられないというように顔をゆがめた。「パラドール評議会? 例のフランス人がからんでるやつか?」

「兄さんに人殺しの罪《つみ》を着せようとしたり、兄さんの友だちをモスクワで殺そうとしたりしたやつらだ」

「ニューカッスルなんかでなにをやってたんだろう」

「ぼくたちをつけてきたんだと思う」シャーロックは答えた。無力感に包まれて、どうしたらいいかわからなかった。「ここにいるだけじゃなにもわからない。ああだろう、こうだろう、と考えることしかできないし、それがいちばんいけない。かえって間違《まちが》った方向に進んでしまう」

「じゃ、どうする?」

シャーロックは一瞬《いっしゅん》で頭を整理した。「このままエディンバラに行こう。途中《とちゅう》で検札係がやってきたら、友だちがニューカッスルに置き去りになった、事故にでもあったんじゃないかと心配だ、と話してみる。そうしたら、途中《とちゅう》の駅から連絡《れんらく》をとってくれるかもしれない。エディンバラに着いたら、兄さんがとってくれたホテルに行こう。ストーン先生がパラドール評議会につかまってるにせよ、ほかのだれにつかまってるにせよ、うまく逃《に》げられるかもしれない。あるいはほかの理由で列車に乗りおくれただけかもしれない。そしたら後《おく》れてホテルに来てくれるだろう」

シャーロックは座席に深く座って腕組《うでぐ》みをし、うつむいた。マティは黙《だま》ってシャーロックを見ていたが、やがて窓の外に目をやった。目の前にマティがいるのに、シャーロックは心細くてたまらなかった。

「すぐ引き返したらどうだ?」しばらくして、マティが言った。小さな声だった。

シャーロックも一度はそれを考えたが、却下《きゃっか》済みだった。「そうするとクロウ先生とバージニアを助けられない。ストーン先生もだ。それに、パラドール評議会はぼくたちの家を知ってる。エディンバラに身をひそめて、問題を解決するのがいちばんだよ。つまり、ぼくたちも姿を消すってことだ」

「クロウ先生とバージニアみたいに、か。あのふたりも、家を出て遠くで身をひそめてるんだもんな」

「うん、そういうことだ」シャーロックはマティのほうを見ようともせずに言った。「けど、その理由がわからない。クロウ先生が逃《に》げるって、よほどのことだと思うんだ。いつだって敵に立ちむかう人なのに」

いつのまにか、列車はイングランドからスコットランドに入っていた。境界のところに標識が出ていたんだろうに、見逃《みのが》してしまったらしい。

さまざまな駅を通りすぎる。プラットフォームに出ている駅名が、イングランドのものとはだいぶちがう。風景はますます荒《あ》れた感じになってきた。穏《おだ》やかな丘陵《きゅうりょう》地帯ではなく、黒っぽい山々《やまやま》と鬱蒼《うっそう》とした森が見えるばかりだ。空もどんよりしてきた。

検札係がようやくやってきた。シャーロックは、連れのひとりが途中《とちゅう》の駅で降りて戻《もど》ってこなかったと話した。検札係は何度か舌打ちをしながら話を聞き、次の駅に着いたら駅長に報告して、伝言が届いていないかどうかたしかめる、と言ってくれた。もし伝言が届いていたら、返事も預かってくれるとのこと。しかし、そんなことをしてももう遅《おそ》いだろう。いい結果が出るとは思えない。

時間がやけにゆっくり過ぎていく。しばらくして、検札係が戻《もど》ってきた。ルーファス・

ストーンについての連絡《れんらく》は来ていないという。シャーロックの気持ちはますます沈《しず》んだ。

窓の外を見ると、家の数がずいぶん増えてきたことに気がついた。いままではぽつぽつと建っているだけだったのに、密度が濃《こ》くなったし、レンガを積んだだけの家ではなく、石造りの大きな灰色の建物が増えてきた。しっかりとした歴史を感じる。いまにも地平線に沈《しず》みそうな太陽が、オレンジ色の光を投げかけている。列車の速度が落ちてきた。苦しげな息をひとつ吐《は》いたと思ったら、どこまで続いているのかと思うほど長いプラットフォームの横で止まった。エディンバラと書いてある。

「着いた」マティがシンプルに言った。

ふたりはカバンを持ち、列車を降りた。ストーンの荷物もいっしょに持った。シャーロックは、歩きだそうとするマティの腕《うで》を引いた。ほかの乗客が降りるのを見届けたかった。カイトがいるかもしれないし、もしかしたらストーンが降りてくるかもしれない。

駅はたくさんの人でごったがえしていた。人々《ひとびと》はさまざまな服装をしている。シルクハットに燕尾服《えんびふく》という人もいれば、ツイードのジャケットにつぎあてのついたズボンという人もいる。驚《おどろ》いたことに、スカートをはいた男の人までいる！

マティがシャーロックの反応に気づいたらしい。「ああ、気づいたか。話しておけばよかったな。おれも、はじめて来たときはびっくりしたよ」

「なんで男がスカートをはいてるんだ？　気づかないわけないだろう？」

「あれはスカートじゃない。キルトってんだ」

「キルト？」シャーロックにとってははじめての言葉だった。

「氏族《クラン》の伝統的な民族衣装さ」マティはふんと鼻を鳴らした。「クランってのは、要するに家族みたいなもんだ。昔はクラン同士で戦争ばかりやってたが、いまはみんなで結託《けったく》してイングランドと敵対することに決めたらしい。戦争のとき、キルトをはいてると動きやすいんだってさ。ま、ほかのこともやりやすいよな。とにかく、キルトの色や模様は、クランごとにちがうんだそうだ」

「なるほどね。戦ってる相手が別のクランの人間で、自分の遠い親戚《しんせき》なんかじゃないってことが、キルトの色や柄《がら》でわかるってことか」

「たぶんね」

　シャーロックは、いま聞いた話を頭の隅《すみ》にしまいこんだ。ひとつの家族にひとつの柄《がら》。詳《くわ》しく調べてみたらおもしろそうだ。ロンドンでは、街を歩いている人を見ても、こちらから尋《たず》ねないかぎり、名前はわからない。しかしエディンバラでは、歩いている人を見ただけで、ああ、あれはマクドナルドさんだ、とわかるのだ。いつか役に立ちそうな知識だ。

「ほかに知っておいたほうがいいことはあるかな？」

「キルトの前に下げてる財布みたいなのはスポーラン。金やなんかを入れておくためのものだ。それと、キルトをはいてるスコットランド人は、高い確率で、靴下《くつした》にナイフを隠《かく》してる。〝ダーク〟と呼ばれる短剣《たんけん》だ」

「了解《りょうかい》。ありがとう」シャーロックは応じながらも、周囲に目をこらしつづけていた。耳もすませているので、いろんな会話が聞こえてきた。しかし、どの言葉も訛《なま》りが強くて、なにを話しているのかわからない。シャーロックにももちろん訛《なま》りはある。ファーナムの人々《ひとびと》はロンドンの人とはちがう話しかたをするのだ。これまでに会ったアメリカ人もみな、イギリス人とはちがう、くせのあるしゃべりかたをする。しかし、ロンドンから列車で来られる場所で、ほとんど聞きとれないくらいの方言が使われているとは思わなかった。一分かそこらそこに立ったまま、周囲の会話に耳を傾《かたむ》けた。マティは横で辛抱《しんぼう》強く待ってくれている。やがて、発音のくせがわかってきた。耳がなれてくると、くせが気にならなくなって、言葉が言葉として聞こえてくる。

「よし」最後の乗客が柵《さく》の外に出ていった。プラットフォームにはだれもいない。「ここの空気になれてきた。ホテルをさがしにいこう」

駅を出て、目についた二台目の馬車を拾った。御者《ぎょしゃ》は、子どもだけのふたり連れを乗せるべきかどうか迷っているようだったが、シャーロックがポケットに何枚か入れておいたシリング札を見せると、うなずいた。お金さえ払《はら》ってくれれば、客の年齢《ねんれい》など気にしないということか。

兄が渡《わた》してくれた封筒《ふうとう》の中身はたしかめてあった。ホテルの名前を御者《ぎょしゃ》に告げる。

ホテルまでは二十分ほどかかった。通りには石造りの高い建物や大きなホールが並んでいる。立派な屋敷《やしき》もたくさんあって、その手前には、鉄のフェンスに囲まれた庭が広がっている。よく見ると、灰色の石にはさまざまな色が混じっているのがわかった。オレンジ、黄、青、緑。灰色だけの石もあるが、それには濃淡《のうたん》の模様がついている。

馬車は公園のわきを通った。右に左にと曲がって、店やホテルの並ぶ大通りに出る。ロンドンやニューヨークやモスクワの町並みに似ている。エディンバラは伝統のある立派な都市だということがよくわかった。

馬車が突然右に曲がって、止まった。シャーロックとマティが馬車を降りると、御者《ぎょしゃ》がうしろの荷台から荷物を出して、地面に放りなげた。客が子どもだから、そういう行動をとるんだろう。シャーロックは金を御者《ぎょしゃ》の足元に放ってやりたかったが、我慢した。そのかわり、金を少し手前にさしだした。御者《ぎょしゃ》が手を出しても届かない。御者台《ぎょしゃだい》から落ちる寸前まで身をのりだして、やっと届くようにしてやった。

テラスのついた背の高い建物に、〈フレイザー・ホテル〉と書いてある。馬車はUターーンして大通りに戻っていった。シャーロックは、目の前の道路が坂になっていることに気がついたが、同時に、すぐそこにそびえる大きなお城に目を奪《うば》われていた。黒々とした巨大な建物は小高いところに建っていて、霧《きり》に半ば覆《おお》われている。それ自体が大きな雨雲みたいだ。いまにも嵐が街に襲《おそ》いかかってくるのではないか、そんなふうに思えてくる。

「どうする?」マティが言った。

ルーファス・ストーンがいない。その事実が、シャーロックの心に重くのしかかっていた。自分たちだけでは危険だし、心細い。子どもふたりだけでエディンバラにいるのだ。どうしたらいいんだろう。

「わからないよ」シャーロックは答えた。

9

荷物を部屋に置いたあと、シャーロックとマティはホテルの階段をおりて、街に出た。太陽は地平線に沈《しず》んでしまった。暗くなった街を、ガス燈《とう》や、建物にとりつけられたたいまつが照らしている。仕事を終えた人々《ひとびと》が街にくりだして、酒場から酒場へと歩いている。すでにじゅうぶん楽しんでいるように見えるのに、まだまだ飽《あ》きたらないのだろうか。そういう人々《ひとびと》をできるだけ避《さ》けながら、ふたりは比較的《ひかくてき》上品な酒場に入った。ハムのパイをそれぞれ注文すると、水のように薄《うす》いビールでおなかに流しこんだ。バーテンダーは、子どもにビールを出すことをなんとも思っていないらしい。シャーロックに水を求められて、あからさまにいやな顔をした。

客が次々《つぎつぎ》に入ってきては、ふたりの隣《となり》に座って話しかけてくる。やたら化粧《けしょう》が濃《こ》くて、長いこと洗っていなさそうな服を着た女性もいたが、ほとんどは無精ひげの目立つ男だった。汚《よご》れたスーツを着ていたり、灰色の襟《えり》なしシャツとサスペンダー姿だったりする。マティは毎回同じ科白《せりふ》で応じていた。「父さんがもうすぐ来ることになっててさ、知らない人と話してると、すごく怒《おこ》ると思うんだ」すると、話しかけてきたおとなたちはそそくさと退散する。小声で謝って行く人もいるし、捨て科白《ぜりふ》を吐《は》いていく人もいる。シャーロックはそれを見て肩《かた》をすくめるだけだったが、三回目には、どうしてそんな態度をとるんだよ、という視線をマティに送った。マティはシャーロックと目を合わせようとせずに、こう言った。「街には変なやつらがいるんだ。どの街でも同じさ。子どもがひとりでいるのを見つけると、なれなれしく声をかけてくる。おれは小さいころに学んだよ、そういうやからとかかわっちゃだめだって」

シャーロックはそれ以上聞かなかった。詳《くわ》しい話なんかしたくない、とマティの顔に書いてあるからだ。そんなマティがいっしょに来てくれてよかった、とあらためて感じていた。

ルーファス・ストーンのことをどうするか、しばらく話し合った。ふたりとも、ホテルに着いたらすでにストーンが来ているのではないか、せめてメッセージが届いているのではないか、と考えていた。そのどちらもだめだったので、内心ひどく動揺《どうよう》していた。

「警察に行くか」マティが言った。「行方《ゆくえ》のわからなくなった人がいるって」

「だけど、ストーン先生になにがあったのか、わからないんだ。警察だって調べようがないんじゃないかな。誘拐《ゆうかい》されるところをみたわけでもない。ただ列車に乗りおくれただけだ、そのうち来るだろう、と言われて終わりだよ。それですめばいいけど、ぼくたちが子どもだけでエディンバラにいることを問題視されると困る。危ないからってだれかにくっついてこられても困るし、ストーン先生が来るまではここにいろって、保護施設《しせつ》みたいなところに連れていかれても困る。それだけは避《さ》けたい」

マティはうなずいた。「たしかにな。じゃ、兄さんはどうだ？ 電報を打って、状況《じょうきょう》を知らせるんだ」

「そんなことをしたら、一時間以内に返事が来るだろうな。すぐロンドンに戻《もど》れ、ストーン先生が見つかるまでは動きまわるな、と言われるのが目に見えてる。兄の命令には背けない。前にそうしようとしたことがあるけど、だめだった。やっぱりぼくたち、ここにいるしかないよ。そして、だれにもなにも言わずにいるべきだ」

「ストーン先生、どうしちゃったんだろうな」マティはうつむき、小さな声で言った。

シャーロックはため息をついた。悪いほうにばかり考えちゃだめだ、と思っていた。

「わからないな。あのアメリカ人たちにさらわれたのかもしれない。そして尋問《じんもん》されている。だとすると、ストーン先生はやつらの知ってる以上のことは知らないから、それがわかれば解放してもらえる」あるいは、殺される――シャーロックはそう思ったが、それを言葉にはしなかった。マティはある意味シャーロックより世慣れているが、年はシャーロックより下だ。守ってやるべきところは守ってやらなければならない。

「だけどさ、行き先がエディンバラだってことは知ってるんだぜ」マティが言う。「敵がぼくたちと同じ列車に乗ってたとしたら、その時点で行き先はわかっていたってことになる。もうバレてるんだ。だけど、敵がパラドール評議会だとすると、どうしてストーン先生を誘拐《ゆうかい》する必要があったんだろう」

そんな話をしていると、さっきまでぺこぺこだったはずのおなかが、なんだか重くなってきた。ストーン先生がどんな目にあっているのかわからないというときに、暖かいバーで食事なんかしていていいんだろうか、と思ってしまう。

「なあ、不安をあおるようで悪いんだけど」マティがひそひそ声で言った。「あそこの男、気にならないか?」奥《おく》の壁《かべ》のほうをあごでしゃくる。「ほら、奥《おく》のテーブルにひとりで座ってるやつだ」

シャーロックはなるべく目立たないように振《ふ》りかえった。もしかしたらカイトだろうか。そう思っていたが、マティの言う場所に座っているやせた男に見おぼえはなかった。安堵《あんど》の息がもれる。しかし、すぐに不安になってきた。その男は、こちらに関心のあるようなそぶりは一切見せていないが、どこか不自然なところがある。なにがおかしいんだろう?

まず、見ていて痛々《いたいた》しく感じるほどやせている。何週間も満足に食べていないみたいだ。肌《はだ》は真っ白で、透《す》きとおっているんじゃないかと思うほど。落ちくぼんだ目のところは暗い陰《かげ》ができていて、どんな目をしているのかわからない。ほおとあごの骨が出っぱっていて、そこにぴんとはりついた皮膚《ひふ》をいまにも突《つ》きやぶってしまいそうだ。服装もなんとなくおかしい。日曜日のよそ行きのような格好なのに、うっすら埃《ほこり》をかぶっているし、肩《かた》と袖口《そでぐち》には緑色っぽい汚《よご》れがついている。顔はまっすぐ前を向いているが、とくになにかを見ているというわけではなさそうだし、なにもせずにじっと座っているだけだ。まわりにはだれも座っていない。目の前のテーブルには飲み物がなにも置かれていないのに、店員は注文を取ろうともしないし、客じゃないなら出ていけと言ったりもしない。

客が増えてきて、そのうち、青白い顔をした男が見えなくなった。シャーロックとマティはパイを食べおえて、店を出ようとした。立ちあがると、人々《ひとびと》が避《よ》けて道を作ってくれた。シャーロックはその隙間《すきま》から振《ふ》りかえってみたが、男はすでにいなくなっていた。

「なあ、生き返らせ屋って聞いたことあるか?」店を出てから、マティが言った。なんだかぴりぴりしているようだ。

「生き返らせ屋? なんの話だい?」

「バークとヘアの話だよ。ふたりとも、ファーストネームはウィリアム。何年か前、このへんで大騒《おおさわ》ぎを起こしたやつらなんだ。おれは、そのころ父ちゃんがこっちで働いてたんで、聞いたことがある。さっきの男を見てて、なんか、そいつらの話を思いだしちゃってさ。エディンバラってのは医大があるから、医学生がたくさんいるんだけど、そこにはひとつ問題がある。人間の体についていろいろ知りたきゃ、実際に調べてみなきゃだめだろ？　死体を切りきざんで、中を見てみなきゃならない。でなきゃ、どんな臓器がどこにあるか、血液はどんなふうに流れてるか、みたいなことはわからないよな？」

「そういうのって、死刑囚《しけいしゅう》の死体が使われるんじゃなかったっけ？」シャーロックは眉《まゆ》をひそめた。

「一応そういうことにはなってる。だが、それだと死体の数が足りないんだよ。医者の卵がたくさんいて、そいつらがみんな、死体をほしがってるわけだからな。しかも、死刑《しけい》囚《しゅう》の数がずいぶん減ってるだろ？　それでますます死体不足になってるんだ。六十年前は、死刑《しけい》になる犯罪の種類が二百種類以上あったんだぜ。いまはたった五種類だ。だから、大学に送られる死刑囚《しけいしゅう》の死体は、一年に二体くらいなんだってさ。そこにバークとヘアが目をつけた」

「話の先が読めてきたぞ」シャーロックは小声で言った。背すじに寒けが走る。「お墓から死体を掘《ほ》りだして、売ったんじゃないか？」

マティはシャーロックをまっすぐ見つめた。「惜《お》しいな。たしかにそういうことがよく起こったらしい。〝死体泥棒《どろぼう》〟なんて呼ばれてた。死んだ人の友だちや家族が墓を見張って、死体が盗《ぬす》まれないようにするようになったそうだ。金持ちなんかは、墓のまわりを檻《おり》で囲って守ったんだって。死体を掘《ほ》りだすやつらがいるなんてことが知られてなかったころは、家族や友だちの墓参りに行った人はびっくりしたそうだよ。墓石《はかいし》が動いてるんだ。死んだ人が生き返って墓から出てったんじゃないかと思ってさ」ふたりは人ごみをかきわけるようにして、ホテルへの道を歩いていた。「もちろん、死体が盗《ぬす》まれてるってことがわかってからは、盗《ぬす》まれないように、いろいろ工夫するようになったそうだよ。敵は——死体泥棒《どろぼう》たちは——すごくずるがしこくてさ、たとえば、鉄のシャベルじゃなくて木のシャベルを使って、でかい音を立てないようにしたんだ。それに、穴を斜《なな》めに掘《ほ》った。真上から掘《ほ》るんじゃなく、少し離《はな》れたとこから掘《ほ》る。柩《ひつぎ》の横に穴をあけて、ロープを使って死体をひっぱりだすのさ」

「なるほどね。だけど、バークとヘアは、死体泥棒《どろぼう》じゃなくて、〝生き返らせ屋〟なんだろう？　どういうこと？」

「そもそも、ふたりはアイルランド人だった。そしてユニオン運河の労働者としてエディンバラにやってきた。そのときバークが住むことになったのが、ヘアの奥《おく》さんがやってる下宿屋だったんだ。バークとヘアは飲み友だちになって、ある夜、どうにかして金儲《かねもう》けができないかって相談してた。そして、ひとりがこんなことを言いだしたんだ。近所でひとり暮らしをしてる人が死んだら、その死体を盗《ぬす》みだして、大学に売ったらどうだろう、大学は解剖《かいぼう》に使う死体をほしがってるはずだ、とね。それからすぐ、ヘアが四ポンド貸してる年金暮らしの年寄りが死んだ。バークとヘアは柩《ひつぎ》に丸太を入れて、死体を盗《ぬす》みだした。それを、ノックスって名前の教授に七ポンドで売ったんだ」

「たいした悪知恵《わるぢえ》だなあ」

「問題は、人はそうそう死んでくれないってことだ。指をくわえて待っててもだめだってことで、ふたりは死人を作ることにした。まず、近所の粉屋を殺した。ウィスキーで酔《よ》っぱらわせて、首を絞《し》めたんだ。次はまた年金暮らしの年寄り。今度は女で、アビゲイル・シンプソンって名前だった。そのあとは……」マティは肩《かた》をすくめた。「もう歯止めがきかなくなった。なにしろ、死体を持っていけばノックス教授がお金をたっぷりくれるんだからな。その死体をどうやって手に入れたかも聞かない。死体の状態がよければ十ポンド、ちょっと悪ければ八ポンド。ふたりは女や子どもを狙《ねら》うことが多かったそうだ。押《お》さえつけたり首を絞《し》めたりしやすいからな」

シャーロックは気分が悪くなってきた。バークとヘアがそれだけの理由で人を次々《つぎつぎ》に殺していったなんて、許せない。だれかを憎《にく》んでいたとか、かっとしてやってしまったとか、そういうわけでもなく、あくまでも金を稼《かせ》ぐための行為《こうい》であって、そのために人が何人も死んだのだ。

「全部で何人殺したんだい？」シャーロックは声を落として聞いた。角を曲がって、ホテルの入り口に近づいたところだった。

「十七人って言われてる」マティが答えた。「期間はたった一年だ」

「そのあいだ、だれもおかしいと思わなかったのかな？　死体を買いとっていた教授だって、死体が死刑囚《しけいしゅう》のものじゃないってことはわかってただろう？　絞首刑《こうしゅけい》は、首にあとが残るんだ。ふたりが持ってきた死体には、それがなかったはずだから」

「ノックス教授か。ああ、わかってたさ。バークは教授は知らなかったって主張したらしいけどな。教授は、わかってて黙《だま》ってたんだ。へたに騒《さわ》いだら死体が手に入らなくなるからな。街でいちばんの解剖学《かいぼうがく》教授って名声を手に入れて、講義は学生に大人気。バークとヘアに金を払《はら》ってでも、その名声を失いたくなかったんだろう」ふんと鼻を鳴らす。「ところが、バークとヘアはまずい男を殺しちまった。間抜《まぬ》けなジェイミーって名前で知られてた、街の有名人だ。ノックス教授が講義室に死体を運びこんで、さあ解剖《かいぼう》をはじめようってときに、学生の何人かが、あれは間抜《まぬ》けなジェイミーだって言いだした。ノックス教授は他人の空似だとかなんとか言って、いきなり死体の顔にメスを入れたそうだ。だれだかわからなくしちまうためだよな」

「で、結局どうなったんだい？」シャーロックはホテルの入り口のドアをあけた。「バークとヘアの犯罪は明るみに出たんだろう？　でなきゃ、きみが知ってるはずがないからな」

「バークとヘアは、下宿屋にいたマージョリー・ドチャーティって名前の女を殺した。で、ノックス教授のところへ持ってくまでのあいだ、死体をベッドの下に隠《かく》しておいたんだ。けど、その部屋には別の下宿人もいて、なにか変だと思ったようだ。バークがいなくなるのを待って、部屋を調べて死体を見つけた。で、警察を呼んだ。警察が来るまでのあいだに、バークとヘアは死体をノックス教授のところに持っていったが、そこに警察がやってきた。するとヘアがバークを売った。バークのやったことを警察に話すかわりに、自分の罪を軽くしてもらおうとしたんだよ。で、バークは絞首刑《こうしゅけい》になって、エディンバラ医大で公開解剖《かいぼう》された。もちろん、法的に許された解剖《かいぼう》だ」

「ヘアは？」

「消えた。だれも行方《ゆくえ》を知らないんだ」

「じゃ、いまもこの街にいるかもしれないんだね」

マティはうなずいて、部屋のドアをあけた。「可能性はあるよな。けど、アイルランドに帰った可能性のほうが高いんじゃないか？」

次の朝になっても、ルーファス・ストーンからの連絡《れんらく》はなかった。シャーロックとマティは暗い気持ちで朝食のテーブルについた。メイドが無言でポリッジを運んでくる。ナイフで薄《うす》切《ぎ》りにできそうなくらい、濃《こ》いポリッジだった。見た目はまさに豚《ぶた》の餌《えさ》。ところが、味は驚《おどろ》くほどよかったし、おなかもいっぱいになった。

「今日はどうする？」マティが言う。

「本屋か図書館をさがそうと思う」シャーロックは答えた。「街の地図が必要だ。それに、この街のことをもっとよく知りたい。いまは右も左もわからない状態だからね。マティ、きみは前に住んでたところに行ってみてくれないか。助けてくれそうな知り合いが見つかるとありがたい。いまはどんな助けでもほしいんだ」いったん口を閉じて、考えた。「あの公園がいいな。ホテルの並びにある公園。あそこの門を入ったところで、正午に待ち合わせよう」

「おれ、時計を持ってないんだ」

「だれかに聞けばいいよ」

ポリッジを食べおえると、ふたりはそれぞれの方向に出発した。

図書館は、表通りをちょっと歩いたところにあった。中に入ると、本の乾《かわ》いたにおいが漂《ただよ》っていた。気持ちがほっと落ちつく。おじの書斎《しょさい》を思いだすにおいだ。本のあるところではリラックスできる。スコットランドに関する本を集めた書棚《しょだな》に近づくと、役立ちそうな本を何冊もとりだして、近くのテーブルに運んだ。

一時間もすると、エディンバラの地理や歴史がだいぶ理解できた。スコットランドの長い歴史の中で、エディンバラがどういう役割を果たしてきたのかもわかった。この街は七つの丘《おか》にまたがっているそうだ。だから、どっちに行っても坂道ばかりなのだ。

しばらくすると、黒くて細かい字がぼやけて見えるようになってきた。シャーロックは本を閉じて、目も閉じた。困ったことに、本当に知りたいのは、こういう本に書いてあることじゃない。エディンバラで悪者に追われている人がどこに逃《に》げたらいいか、どこに身をひそめていたら見つからずにすむか、ということが知りたいのだ。この街を牛耳ってい る悪の元締《もとじ》めはだれなのか。そいつらは、追われている側の味方になってくれるだろうか、それとも追っている側に手を貸すだろうか。こういう情報はマティがつかんできてくれるかもしれないが、いずれにしても、本にはっきり書いてあるようなことじゃないし、状《じょう》況《きょう》も刻々《こっこく》と変わるだろうから、把握《はあく》するのは難しそうだ。これから、マティか自分が気づいたことや探しあてたことは、小さなことでも全部書きとめておくことにしよう。カードに書いて綴《と》じておけば、なにかあったときにすぐ調べることができる。

そのときふと、あることに気づいてぞっとした。自分がいまやろうとしていることは、ジョシュ・ハークネスがやっていたのと同じではないか。怪《あや》しいこと、不自然なことを見つけたら、それを記録しておこうというのだから。違《ちが》いがひとつだけあるとしたら、自分はそれを金儲《かねもう》けの道具にしようとは思っていないということだ。

いつもベストに鎖《くさり》でつないでいる懐中時計《かいちゅうどけい》をとりだした。十一時半だ。マティとの待ち合わせの時間が迫《せま》っている。

本を書棚《しょだな》に戻《もど》したとき、フロントデスクでエディンバラの地図を売っていることに気がついた。六ペンスだ。一枚買って、さっきのテーブルに戻《もど》った。すばやく、しかし細部に目を凝《こ》らしながら、街全体をながめていった。主要な道路がどこをどう走っているか、頭に入れる。ロンドンから来る列車の線路の位置もわかった。馬車で通ったルートも確かめることができた。プリンシズ・ストリートという道路を通ってきたらしい。街の中心の道路だ。ホテルの場所も、いまいる図書館の場所もわかった。

地図を折りたたんでポケットに入れると、公園に向かって歩きだした。いままでより自信を持って歩けるようになった。

雲のすきまから太陽が顔を出すようになった。青と灰色のまだら模様の空から、斜《なな》めの光の筋が射している。光の筋交いが空を下から支えているかのようだ。プリンシズ・ストリートをゆっくり歩きながら横に目をやると、お城が見えた。ゆうべと違《ちが》って、雲のかたまりのようには見えない。ただ、あの建物を見ていると、距離《きょり》や遠近の感覚がおかしくなってくる。お城と街の位置関係が地図とは違《ちが》うのではないか、そんな錯覚《さっかく》をおぼえてしまう。

ある横道を通りすぎようとしたとき、物陰《ものかげ》からあわてたような足音が聞こえた。シャーロックは気になって足を止め、横目でそちらを見た。ただし、横道には近づかない。それは危険だとわかっているからだ。とはいえ、だれかにあとをつけられているとしたら、それが何者なのかは把握《はあく》しておきたい。

はじめは暗い陰《かげ》が見えるだけだった。黒い液体のような陰《かげ》。太陽の光がけっして届かないところ。しかし、すぐに目が慣れてきた。なにかが空中に漂《ただよ》っているように見える。薄《うす》い色の風船みたいだ。さらに神経を集中させて、それがなんなのかわかった。顔だ。全身黒ずくめの人間が脇道《わきみち》に立って、こちらを見ている。

思わず一歩あとずさった。その顔は真っ白で、目がひどく落ちくぼんでいる。顔に穴がふたつあいているんじゃないかと思うほどだ。ほお骨がとても高い。そして唇《くちびる》がほとんど見えない。唇《くちびる》を歯のあいだに挟《はさ》んで、にやりと笑っているみたいだ。そこにいるのは腐《くさ》って骨だけになりかけた死体じゃないか、とも思えた。墓穴から掘《ほ》りだされてそこに立てかけられているのではないか。だとすると、一種の警告なのかもしれない。だけど、だれがそんな趣味《しゅみ》の悪いことをするんだろう。

死骸《しがい》のような人間は片手を顔の横まであげて、おいでおいでと振《ふ》った。そして闇《やみ》の中に消えて、見えなくなった。見えなくなってはじめて、シャーロックは寒けをおぼえた。体が震《ふる》える。あれはゆうべの酒場にいた男だろうか？　ひとりで座っていたあの男も、骸骨《がいこつ》みたいにやせていたし、生気がなかった。しかしあれは、暗いところだったからそう見えただけなのでは？

いったいなにが起こっているんだろう。おじとおばが話してくれたことが思いだされる。ぼくは父さんみたいに心の病気になってしまうのか。

あの横道に入っていこうか。あの人物をさがしてみようか。自分がなにを見たのかたしかめたい。そう思ったが、踏《ふ》みとどまった。どう考えても、これは罠《わな》としか思えない。あんな男に誘《さそ》いだされてはいけない。それにしても、どうしてあんな罠《わな》を？　ダメもとの罠《わな》なんだろうか。それとも、ぼくがときどき好奇心《こうきしん》にあらがいきれなくなるのを知っていて、仕掛《しか》けてきたんだろうか。シャーロックは動揺《どうよう》を抑《おさ》えながら、その場を離《はな》れた。うしろは振《ふ》りかえらなかった。

公園までは何分もかからなかった。マティはもうそこに立っていた。

「どうした？」マティは声をかけてきた。「幽霊《ゆうれい》でも見たような顔をしてるぜ」

「やめてくれよ」シャーロックは強い口調で言いかえした。「幽霊《ゆうれい》なんかいるもんか」

「いいけどさ、まあ落ちつけよ」

「で、なにかわかったかい？」

マティは首を横に振《ふ》った。「知り合いはほとんどいなくなってた。よそに行ったか、死んじまったかだ。おれのことをおぼえてる人もいるにはいたけど、体のでかいアメリカ人なんか見かけなかったってさ。そっちは？」

「街の地理がだいぶつかめた」

「そりゃあたいした進歩だ」マティは皮肉めかして言った。「こっちに越《こ》してくるつもりだとは知らなかったよ」

「土地勘《とちかん》ってのは大切なものなんだぞ」

マティは真顔でシャーロックを見た。「で、次はどうする？」

シャーロックはすぐには答えられなかった。自分でもそれをさっきから考えていたのだ。

「駅に戻《もど》って、駅員や改札係に話を聞いてみようか。だけど、列車の乗客なんて、一日に何百人もいるんだろうし、クロウ先生を見たとしてもおぼえているとは限らないよな。それに、ファーナムにいたときみたいに用心深く行動してるとしたら、もっと手前の駅でおりて、馬車でここまで来たかもしれないし」

「そもそも本当にエディンバラに来たのかどうかもわからないもんな」マティが言った。

「ヒントはウサギの頭だけだったんだぜ？　エディンバラって決めつけたのがまちがいだったんじゃないのか？」

「けど、ストーン先生がいなくなった。エディンバラって読みが正しかったからじゃないか？」

マティは肩《かた》をすくめた。「たしかにな。ウサギの頭の言うとおりだったのかも。とにかく、ここでこの先どうするかだ。次のヒントがあらわれるのを待つしかないのか？」

「マティ」シャーロックは静かに言った。「前に言ったのと同じことを言わせてもらうよ。きみは天才ってわけじゃないけど、まわりの人間にひらめきを与《あた》える才能がある」

「どういう意味だよ」

「エイミアス・クロウ先生の残したヒントを見て、ぼくたちはエディンバラにやってきた。もちろん、あれが先生の残したヒントだったらの話だけどね。で、先生はどうしてそんなことをしたと思う？　ぼくたちは、そのことをまだ考えてなかった」

「どうしてって、追っかけてきてほしかったからだろ？」

「そうだ。ぼくたちに追いかけてきてほしいと思ったからだ。ただ『さよなら、わたしたちはエディンバラに行くよ』と言いたかっただけじゃない。ぼくたちに行き先を知らせて、ぼくたちにあとを追わせたかった。ぼくたちの助けがほしかったんだ。ってことは、エディンバラに来たぼくたちをそのまま放っておくはずがない。どこかに次のヒントを残してるはずだ。先生の居場所を知らせるヒントが、どこかにあるはずだ！」

「だったら、最初からそうしてくれりゃよかったのにな」

「いや、あのときはエディンバラに向かうってことしか、先生自身わかってなかったんだよ。そして実際にエディンバラに来て、どこかに腰《こし》を落ちつけたはずだ。悪党に見つからないような、安全な場所にね。ってことは、ホテルじゃない。街の郊外《こうがい》に小さな家でも借りたんじゃないかな。その住所を、なんとかしてぼくたちに知らせようとしているはずだ」

「知らせるったって、おれたちがどこにいるかもわからないんだぞ？」

「街のどこにいても受け取れるようなメッセージを送ってくれると思う」シャーロックは、列車で読んだ新聞のことを考えていた。中でも、個人広告のページが強烈《きょうれつ》に思いだされる。個人から個人にあてたメッセージもあれば、個人からグループにあてたものもあった。

ふつうに書かれた文章もあったし、暗号化されたものもあった。「新聞の個人広告だ」シャーロックは確信していた。「そこならぼくの目に触《ふ》れると、先生も気づくはずだ」

「見逃《みのが》してたらどうする？　広告が出たのはきのうかもしれないぞ」

シャーロックはかぶりを振《ふ》った。「ぼくたちが何日にエディンバラに着くかなんて、わからないんだ。ってことは、クロウ先生なら、一週間毎日広告を出しつづけると思う」

マティはうなずいた。シャーロックの言うとおりだと思ったのかもしれないが、そう思いたかっただけかもしれない。「じゃ、新聞を手に入れようぜ。いろんな種類があるから、全部買わないとな」

「何種類あるんだい？」シャーロックは聞いた。十種類、またはそれ以上の新聞を全部さがさなければならないんだろうか。いや、クロウ先生は全部の新聞に広告を出してくれたかもしれない。

「三つある」マティは歩きだそうとして、振《ふ》りかえった。「シャーロック、読むのはおまえの役目だぞ。おれは字が読めないからな。それに、金もない」

公園を出てすぐのところに新聞の売り場があった。エディンバラの新聞を三種類とも買うと、公園に戻《もど》ってベンチに座った。三紙とも、一面には殺人事件の記事が出ていた。列車の中で読んだ〈タイムズ〉に出ていたやつだ。最初に手にした〈エディンバラ・ヘラルド〉を読むことにした。
エディンバラ警察は今朝、著名な実業家ベネディクト・ベンサム卿《きょう》を毒殺した容疑者を逮捕《たいほ》した。警察に近い情報筋によると、容疑者の氏名はアギー・マクファーレン。ベネディクト卿《きょう》専属のコックで、当社の調べにより明らかになったところによると、悪名高きギャング〈ブラック・リーバーズ〉のリーダー、ゲーン・マクファーレンの妹である。アギー・マクファーレンがベネディクト卿《きょう》の食事に毒を盛った理由については、いまのところ本人が知るのみである。

〈ブラック・リーバーズ〉？　どこかで聞いたことがあるぞ、とシャーロックは思った。危険なにおいがする。それどころか、不吉《ふきつ》なにおいまで漂《ただよ》ってくる。新聞のページをめくろうとしたとき、その名前が別の文にも出てくることに気がついた。ベネディクト・ベンサム卿《きょう》の記事のすぐ下だ。

八百屋で火事

昨夜、プリンシズ・ストリートにある八百屋〈メサーズ・マクファーソン・アンド・カーギル〉から火が出て、一帯を焼きつくす大火事となった。居合わせた人々《ひとびと》が力を合わせ、近くの川からバケツでくんだ水を三時間近くにわたってかけつづけたが、火の勢いはまったく衰《おとろ》えなかったという。犠牲者《ぎせいしゃ》は報告されていない。深夜、人のいない時間帯だったのが幸いしたと思われる。〈メサーズ・マクファーソン・アンド・カーギル〉は五十年以上続く老舗《しにせ》だが、当社の記者が地元で取材したところ、匿名《とくめい》希望の住民から、気になる情報が得られた。最近、この八百屋は、〈ブラック・リーバーズ〉というギャングに狙《ねら》われていたとのこと。〈ブラック・リーバーズ〉は、街の商店を脅《おど》して金を奪《うば》う汚《きたな》い手口で知られている。

個人広告のページを開いた。広告の量は〈タイムズ〉ほど多くない。ページの半分もないくらいだ。ほとんどは、メイドやコックを募集《ぼしゅう》するものだ。執事《しつじ》の求人には「信用照会書必須《ひっす》」と書いてある。そのほか、拾得物を知らせる記事もいくつかある。「キングズ・ストリートで女性もののブローチを拾得。金の土台にエメラルドをあしらったもの。落とし主は、当該物《とうがいぶつ》の特徴《とくちょう》を詳《くわ》しく記載《きさい》した書類を用意して連絡《れんらく》されたし」というようなものだ。エイミアス・クロウが書いたと思われるような記事はひとつもない。

念のため、投書欄《とうしょらん》にも目をやった。投書のほとんどは、前日までの新聞に書かれていたことがまちがっているという抗議文《こうぎぶん》や、下層階級の人々《ひとびと》のマナーがなっていないという問題提起文だ。しかし、気になるものがひとつだけあった。声に出して読む。

拝啓《はいけい》

このごろ、巷《ちまた》には、生きているのか死んでいるのかわからないような男や女があふれている。これは神を辱《はずかし》める所業であり、この街の人々《ひとびと》の道徳観をおとしめるものでもある。読者諸兄には、聖書からの次の引用に注目していただきたい。

イザヤ書26章19「あなたの死者は生き、彼《かれ》らのなきがらは起きる。ちりに伏《ふ》す者よ、さめて喜びうたえ。あなたの露《つゆ》は光の露《つゆ》であって、それを亡霊《ぼうれい》の国の上に降らされるからである」

ヨハネの黙示録《もくしろく》20章13「海はその中にいる死人を出し、死も黄泉もその中にいる死人を出し、そして、おのおのそのしわざに応じて、さばきを受けた」

考えていただきたい。これはハルマゲドンの予兆ではないのか。まもなく神の審判《しんぱん》が下るのではないか。手遅《ておく》れにならないうちに、罪を悔《く》いあらためよ！

ゲオ・スリブより

これを読んだシャーロックは、骸骨《がいこつ》みたいな男たちのことを思いだした。ひとりは、ゆうべ酒場で見た男。もうひとりは一時間前に脇道《わきみち》にいた男。この手紙は、ああいう人たちのことを言っているんだろうか。死者みたいな人たちがたくさん、街を歩きまわっているということなのか。だとしたら、それはどういう意味なんだろう。

その疑問は、とりあえず脇《わき》に置いておくことにした。興味深いことではあるが、いまやるべきこととは関係ない。いまはとにかく、エイミアス・クロウとバージニアとルーファス・ストーンを見つけなければ。

〈エディンバラ・スター〉の個人広告ページは、近々開催《ちかぢかかいさい》されるというダンスパーティー（〝ケイリディエン〟と呼ばれるらしい）に関するお知らせや、迷子になったペットのこと、馬の買い手募集《ぼしゅう》などがほとんどだった。気になる広告がひとつあった。

「迷子のインコをさがしています。『ハムレット』全編と、テニソンの詩をいくつか暗唱できます。お礼をはずみます」

ハムレット全編を暗唱できるインコ？　信じられない。

求めていたものは、〈エディンバラ・トリビューン〉にあった。ありふれた広告の中にひとつだけ、こんなものがまぎれていた。

サイガーソン・ホテル

ゆったりおくつろぎになりたいなら、ぜひとも当ホテルへ！　あなたの夢をかなえるホテルです。魔法《まほう》のような二日間を過ごしてみませんか。支配人のクレイモンド夫妻が、あなたのどんな希望もかなえます。

ファイフ、カーカルディ・タウンそば

「これだ！」シャーロックは広告を指さした。

「おれは読めないって」マティが言う。

シャーロックが広告を声に出して読むと、マティは眉《まゆ》をひそめた。「長ったらしい宣伝文句だなあ。それに、ちょっと気味が悪い。ふつうの人間が泊《と》まるホテルじゃなさそうだよな」

「ああ、本物のホテルじゃないよ」

「どういうことだ？」

シャーロックは一行目を指さした。「サイガーソン・ホテルって書いてあるだろ。ぼくの父の名前はサイガーなんだ。サイガー・ホームズ。ぼくはサイガーの息子だから、サイガーソンだよね。ぼくあての広告なんだ」

マティはまだ信じられないという顔をしている。「偶然《ぐうぜん》かもしれないぞ。本当にそういう名前のホテルがあるとか」

「可能性はあるよ。だけど、こういう広告は、単語の数で値段が決まるんだ。この広告は長すぎる。いいホテルですよって読者に伝えるだけなら、こんなに長くしなくてもいいはずだ。ぼくへのメッセージをひそかに伝えるために、この長さになったんだよ」

「じゃ、クロウ先生とバージニアは、カーカルディ・タウンにいるってことか」マティは顔をしかめた。「ここからけっこう遠いぞ。エディンバラ市内にいるんじゃなかったのか」

「カーカルディってのは罠《わな》みたいなもんだよ。そこにいるわけじゃない」

「じゃ、どこにいるんだ?」

シャーロックは肩《かた》をすくめた。「わからない。暗号を解かないと」

また広告を見た。文字や数字がランダムに並んでいるだけなら、エイミアス・クロウに教わった換字《かえじ》暗号と判断しただろう。換字《かえじ》暗号の基本的な作りかたは、ある文字をほかの文字に置きかえることだ。たとえば、aは必ず数字の1に、bは2に、といった具合だ。そのルールを知らずに暗号を読むには、文字が使われる相対的頻度《ひんど》が鍵《かぎ》になる。アルファベットの中でいちばんよく使われるのはeだ。次はt。さらにa、i、o、nと続く。つまり、暗号の中にいちばんよく出てくる文字や数字をさがして、それをeに置きかえればいい。同じように、t、a、iをあてはめていくわけだ。ただし、かなり長い暗号でないと、このやりかたで解くのは難しい。しかしシャーロックはこの広告をざっと見て、これは換字《かえじ》暗号じゃないな、と思った。そもそも、そんなことはありえない。ちゃんと広告の体裁になっているのだ。ある文章を換字《かえじ》暗号にしたら、まったく無意味な文字の羅列《られつ》になるのがふつうだ。ということは、別の種類の暗号ということになる。シャーロックはポケットからペンをとりだして、単語の最初の文字を新聞の余白に書きつけていった。しかし、少しやってみただけで、ちがうとわかった。ｆｔｉｐｔｒａｒ……なんのことだかわからない。

単語の最後の文字をつないだらどうだろう。ｄｅｌｅｏｔｄｘ……。これもだめだ。さかさまにしてみようか。広告のおしまいからはじめて、最初の単語をつなぐと、ｆｉｔｋｎｕｌ……。最後の単語をつなぐと、ｅｎｎｙｒｓｅ……。エイミアス・クロウが外国語を使ってわざと複雑にしているのでないかぎり、このやりかたもちがう。

文字ではなく単語をひとつの単位にしてみようか。各文の最初の単語をつないでみる。find tell two mr locate. これでは文にならない。二番目の単語はどうだろう。the us days and us. これもだめ。二番目のやつは出来の悪い詩のように読めなくもないが、意味がわからない。

ため息をついて、唇《くちびる》の内側を噛《か》んだ。マティのまっすぐな視線を感じる。もうアイディアが尽《つ》きてきた。解読なんてできないかもしれない。

頭のどこかになにかが引っかかっている。肩《かた》の力を抜《ぬ》いて、なにも考えないようにしてみた。引っかかっているアイディアが自然に表に出てくるかもしれない。各文の最初の単語はつないでみた。二番目の単語でもやってみた。じゃあ……一番目の文の一番目の単語、二番目の文の二番目の単語、というふうに拾ってみたらどうだろう?

広告の文句はもうすっかりおぼえてしまった。いま考えたルールのとおりに、単語を拾って書いていく。

Find us in Cramond Town.（クレイモンド・タウンでわたしたちをさがせ）

「これだ！」シャーロックは小声で言った。

「なんだい？」

「ふたりはクレイモンドっていうところにいる」

マティはまだ疑わしそうだ。「クレイモンドって、ホテルの支配人の名前じゃなかったのか？」

「だから、ホテルなんてないんだよ」シャーロックは説明しなおした。「あの広告は暗号なんだ。クロウ先生は地名をぼくたちに伝えたかった。けど、それを人の名前に見えるようにした。そして実際にあるカーカルディって地名を入れることで、読み手を混乱させようとしたんだ」

「なるほどね。で、クレイモンドってどこにあるんだ？」

シャーロックはさっき買ったばかりの地図をとりだした。エディンバラ市内の地図の裏に、近郊《きんこう》の地図が載《の》っている。その右上に地名のリストがあって、地図のどのブロックにそれがあるかという文字と数字が書いてある。シャーロックはクレイモンドという地名をさがしながら、ちょっぴり胸を張っていた。暗号を解けたのがうれしい。書かれているブロックを見る。「海の近くだ。ここから五、六キロじゃないかな。馬車で行こう」地図と新聞を折りたたみ、ポケットに入れた。安堵《あんど》と疲労《ひろう》に全身が包まれる。やったぞ！　クロウ先生とバージニアの居場所がわかった！

しかし、大変なのはここからだ。ふたりがどうしてファーナムを去ったのかを知って、戻《もど》るように説得しなければならない。

マティのうしろでなにかが動いた。ちらりと目をやると、男がふたり、近づいていた。ひとりは両手でなにかを持っている。大きな袋《ふくろ》だ。次の瞬間《しゅんかん》、気がついた。ファーナムで見かけた、あばただらけのアメリカ人だ。ニューカッスルの駅でも見かけた。背すじを冷たいものが走りぬけた。心臓がどきどきしはじめる。マティに目をやり、逃《に》げろ、と言おうとしたとき、マティもこちらを見ているのがわかった。目を大きく見ひらいて、おびえた顔をしている。

シャーロックの背後にはもっとたくさんの男たちがいた。片耳のない、髪《かみ》をひとつに結わえた男もいるだろう。シャーロックがマティを左に押《お》し、自分は右に駆《か》けだそうとしたとき、マティのうしろにいる男が、気づかれたぞ、というように駆《か》けだして、袋《ふくろ》を投げてきた。シャーロックは手を伸《の》ばして、マティの頭に落ちてきた袋《ふくろ》を振《ふ》りはらった。ところがそのとき、目の前が真っ暗になった。なにか重いものが落ちてきて、頭をすっぽり覆《おお》われてしまったのだ。いくつもの手につかまれ、シャーロックは地面に押《お》したおされた。

⚜
10
⚜

袋《ふくろ》はパイプタバコの強烈《きょうれつ》なにおいがした。熱がこもるうえに空気も足りない。シャーロックはすぐに息苦しくなってきた。袋《ふくろ》の小さな穴から光がうっすら入ってくるものの、外は見えない。麻《あさ》の繊維《せんい》が額や耳や首のうしろに当たってちくちくする。そのうち肌《はだ》がすりむけてひりひりしてきた。この袋《ふくろ》をはずしたときには傷だらけになっているだろう。いや、袋《ふくろ》をはずせるときがくるかどうかもわからない。

手首と足首はあっというまにロープで縛《しば》られ、血のめぐりも悪くなっている。胸と脚《あし》を抱《かか》えられて、大麦の袋《ふくろ》みたいに公園から運びだされた。あっというまのことだったので、見ていた人はだれもいないだろう。

マティも同じ目にあっていた。ためしに左足を蹴《け》りだしてみたが、脚《あし》をいっそう強くつかまれて、まったく動けなくなってしまった。全身に革のベルトを巻きつけられたみたいだ。南米の大蛇《だいじゃ》——アナコンダでもパイソンでも、ほかのどんなヘビでも——に巻きつかれて死ぬのはこんな感じなんだろうな、と思った。

助けを呼ぼうとして口をあけたが、耳の下を思いきり殴《なぐ》られた。赤い火花みたいな衝撃《しょうげき》が走った。あまりにも痛くて吐《は》き気がしてきたが、頭に袋《ふくろ》をかぶせられた状態で吐《は》いたら、余計に苦しむことになる。何度もつばをのみこんで、胃袋《いぶくろ》のむかつきを懸命《けんめい》にこらえた。

口をあけていると、タバコの葉の小さなかけらが入ってきて、唇《くちびる》や歯や舌にくっついた。その苦みのせいで、また吐《は》き気がこみあげてくる。ひたすらつばを飲むしかなかった。タバコを吸うだけじゃなく嚙《か》む人がいるのが信じられない。こんなもの、どうして平気で嚙《か》めるんだろう。

指先が針で刺《さ》されているみたいにちくちくする。手首をきつく縛《しば》られて、血行が悪くなっているせいだ。指がソーセージみたいに太く硬《かた》くなって、フライパンで焼かれているんじゃないか、とさえ思えてくる。

男たちの手の位置がずれた。なにをする気だろう、とシャーロックは思った。今度は手の力がゆるんだようだ。体がうしろに引かれたかと思うと、前に押《お》しだされ、手が離《はな》れた。シャーロックはなすすべもなく空中を飛んだ。どっちが上でどっちが下かもわからない。永遠のような一瞬《いっしゅん》、どこに落ちるんだろうと考えた。草地？　固い舗道《ほどう》？　川？　運河？冷たい水に落ちてぶくぶく沈《しず》むんじゃないかと思ったが、落ちたところは柔《やわ》らかかった。

ごろごろと転がって、直角に立つ木の板に当たった。干し草を運ぶ荷車だろうか。たぶんそうだろう。すぐ横になにかが落ちる音がして、ずっしり重いものがどんとぶつかってきた。肺の空気がいっぺんに抜《ぬ》けた。

マティだ。

「大丈夫《だいじょうぶ》か?」麻袋《あさぶくろ》ごしに声をかけたとき、あばらに衝撃《しょうげき》が走った。うめき声がもれる。マティは答えない。答えないほうがいいとわかっているのだろう。いや、答えることができないんだろうか。気を失っているのかもしれない。

男たちはだれも、ひとことも発しない。しかし、言いたいことは伝わってきた。じっとしていろ、黙《だま》っていろ。逆らったら痛い目にあうぞ。

それでも、マティと離《はな》ればなれにされなかったのはよかった。生きて頭が働いているうちは、どんな状況《じょうきょう》であっても、どこかに逃《に》げ道を見つけることができるはずだ。

推察は当たりだった。荷車が動きだす。シャーロックの顔は進行方向を向いていた。これまでの一分かそこらに起こったことを、すばやく振《ふ》りかえってみる。公園でマティとむかいあっていた。左側に、プリンシズ・ストリートに面した公園の門があった。頭に袋《ふくろ》をかぶせられて体を抱《かか》えられ、右に運ばれたのをおぼえている。つまり、プリンシズ・ストリートとは逆の方向だ。そしてそのまま荷車に投げこまれた。ということは、荷車はプリンシズ・ストリートから遠ざかる方向に進んでいるはずだ。エディンバラの中心地から離《はな》れていこうとしている。

どちらに何回曲がったか、曲がってからどれくらい進んだか、しっかり頭に刻みこんでいった。数えよう、おぼえよう、という意識のおかげで、パニックを起こさずにすんだ。進んだルートを再現するには、この記憶《きおく》だけが頼《たよ》りだ。

とうとう荷車が止まった。いくつもの手につかまれて、乱暴に体を起こされる。だれかの肩《かた》にかつがれた。足音が聞こえる。草地ではなく石の道路を歩いているのか。いや、しっかり踏《ふ》みかためられた地面かもしれない。シャーロックをかついでいる男は何度かつまずいた。丸石の舗装《ほそう》が荒《あ》れているんだろう。この情報はあとあと役立ちそうだ。

血の通わない指先が、燃えるように熱くて痛い。壊死《えし》した指先が黒くなってもげてしまう、そんな光景が目に浮《う》かぶ。ほかのことを考えなきゃだめだ。足音が変わった。木の板を踏《ふ》んでいる。麻袋《あさぶくろ》ごしに漏《も》れてくる光が弱くなった。温度も下がった。建物の中に入ったらしい。

床板《ゆかいた》を踏《ふ》む足音の響《ひび》きが変わった。広い空間なのだろうか。そして、態勢が少し変わって、頭の位置がさっきより高くなった。階段を上っているようだ。

階段を上りきって、また平らなところを進みはじめた。足音からして、床《ゆか》は板張りだ。

ただ、階段を上る前とは音が少しちがう。板のきしむ音が混じっている。あまりしっかりした床《ゆか》ではないのかもしれない。

突然《とつぜん》、どすんと落とされた。落とされると思ってから一秒もたたないうちに、左の肩《かた》が床《ゆか》を打った。思わず悲鳴が出る。舌を噛《か》んでしまった。血の味がする。

すぐ横で、どすんと音がした。マティも同じように落とされたのだ。マティは悲鳴をあげなかったが、低いうなり声を漏《も》らした。

薄《うす》い金属が、てのひらのあいだを滑《すべ》った。はっとした瞬間《しゅんかん》、それは上向きに動いて、手首のロープを切った。続いて足首のロープも切りおとされた。

手を上げて、頭から麻布《あさぬの》をはずした。

鋼鉄を思わせる灰色の光がまぶしくて、何度もまばたきした。部屋の大きさは、おじとおばのダイニングルームくらいだろうか。けど、共通点はそれだけだ。床《ゆか》はカーペット、で、壁《かべ》はカーテンで覆《おお》われたおじとおばのダイニングとちがって、この部屋は床板《ゆかいた》がむき出しで、壁のしっくいはひび割れている。あちこちがはがれた壁紙はかびて緑色になっているし、その下の板材も穴だらけだ。床板《ゆかいた》はところどころが抜《ぬ》けていて、あちこちに黒い小石みたいなネズミのふんが落ちている。天井のしっくいはほとんど剥《は》げて、垂木があばら骨みたいに透《す》けて見えてしまっている。雨漏《あまも》りがするらしく、床《ゆか》のあちこちに水たまりがある。放置されて荒《あ》れる一方の建物というふうにしか見えない。

シャーロックが体をよじってひざ立ちになったとき、ポケットに入れていた新聞が、腐《くさ》りかけた床《ゆか》に落ちた。余白に書いた「クレイモンド」という字が見える。シャーロックははっとして顔を上げた。三人の男が割れた窓の前にいた。そのうちふたりは立って、ひとりはまん中で椅子《いす》に座っている。手にはステッキ。ただ、うしろの窓から入ってくる光のせいで、三人の姿は木炭画のようにしか見えない。どんなに目を凝《こ》らしても、光が強すぎてどうにもならない。

少し離《はな》れたところで、マティが体を丸くして横たわっている。シャーロックがかぶせられていたのと同じ麻袋《あさぶくろ》を肩《かた》までかぶったままだ。まったく動いていないように見える。もしかして、死んでしまったのか？　シャーロックは胸が締《し》めつけられるような気がしたが、そのとき、マティが浅く呼吸しているのがわかった。生きている。気を失っているのだろう。

これからこの部屋で起こるであろうことを考えると、気を失っているのはいいことなのかもしれない。

マティの体のむこうに目をやった。三人の男の横に椅子《いす》がひとつあって、ルーファス・ストーンが縛《しば》りつけられている。ストーンはシャーロックを見て微笑《ほほえ》んだ。もしその顔がいつものストーンの顔だったら、シャーロックを大いに力づけてくれたにちがいない。しかしいまのストーンは、額やほおにたんこぶができて、指先は血まみれだった。ペンチで爪《つめ》をどうにかされたのかもしれない。

「説明させてもらおうか」落ちついた、穏《おだ》やかと言っていい声が聞こえた。しゃべったのはまん中に座っている男だろう。エイミアス・クロウと同じ訛《なま》りがあるから、アメリカ人にちがいない。「わたしは子どもに危害を加えることに良心の呵責《かしゃく》など感じない。前にもやったことがあるし、これからもやる。それを楽しいとは思わないが、必要ならやる。おまえたちをとことん苦しめて、求めるものを手に入れる」

「求めるものって?」シャーロックは聞いた。「お金ならないよ」

男は笑わなかったが、返してきた言葉にはかすかなユーモアが感じられた。「おまえの小遣《こづか》い銭になど用はない。金ならうなるほどあるのだ。おまえの仲間のエイミアス・クロウとその娘《むすめ》について知りたい。おまえはなにか知っているはずだ」

「だけど、なにも知らないんだ」シャーロックは精一杯《せいいっぱい》の演技をした。目をこらして男を観察したが、逆光のせいで、顔も服装もよくわからない。ただひとつ、ステッキの持ち手の部分がやけに大きくふくらんでいるのがわかった。

「ならば、苦しんで死ぬだけだな。単純なことだ。おまえはとてつもない痛みと苦しみを味わうことになる。真実を話せば話すほど、おまえは長く生きられるし、味わう痛みも少なくなる。これからいくつか質問をする。簡単な質問だから、簡単に答えろ。嘘《うそ》をついたりごまかしたりしないほうがいいぞ」

シャーロックは新聞に視線を落とした。男に気づかれてはならない。「答えを知らなかったら?」頭をフル回転させて、どうしたらいいかを考えた。新聞から目をそらす。見ているだけでも、相手の気を引いてしまう。

「いい質問だ」男は言った。「わたしはこれまでに何度も、そういう場面を経験してきた。おまえもおそらくわかっているだろうが、わたしはこのような尋問《じんもん》を数えきれないほどおこなってきたのだ。だからやりかたはわかっている。おまえも気づいていたと思うが、わたしたちはしばらくのあいだ、おまえを観察していた。これからする質問のうちいくつかは、おまえが答えを知っているとわかっている。またいくつかは、わたしもすでに答えを知っている。だがおまえは、わたしがなにを知っていてなにを知らないか、知らないわけだ。だから嘘《うそ》はつくな。痛みを味わいたいなら別だがな。自分のためを思うなら、真実をありのままに話すことだ。わたしの目をごまかせると思ったら大間違《おおまちが》いだぞ。おまえが『知らない』と答えても、それが嘘《うそ》だと確実にわかる質問が混じっているのだからな。さあ、ルールはわかったな?」

シャーロックは少し考えた。男は大声をあげるでもなく、落ちついて、シンプルに、状《じょう》況《きょう》を説明していた。経験上、そんな男を相手に嘘《うそ》をついたり、知っていることを知らないと言いはったりしたら、まずまちがいなく見抜《みぬ》かれる。男が質問をいくつするつもりで、そのうちのいくつの答えをすでに知っているのか、こちらにはわからない。質問が十あって、男がそのうちのひとつの答えしか知らないなら、エイミアス・クロウの潜伏《せんぷく》場所を隠《かく》しとおすことができるかもしれない。しかし、質問が十あって、そのうち五つの答えがすでにわかっているのなら、隠《かく》しとおすのは難しくなる。

うまい抜《ぬ》け道はないだろうか。必死に考えてみたが、見つかりそうもない。これ以上考えようがない。

「ルールはわかったか?」男の声はそれまで以上に落ちついている。「同じ質問は二度としない」

「わかりました」シャーロックは片足を横に出して、リラックスしているような姿勢をとりながら、雨漏《あまも》りの水がたまっているところに新聞を押《お》しやった。

男はルーファス・ストーンのほうに顔を向けた。うしろから射す光のせいで、横顔のシルエットが見えた。見たことのない顔だ、とシャーロックは思った。「言うまでもないが、話を脇道《わきみち》にそらすことは許さない。わかったな?」

ストーンは青あざだらけで血まみれの頭を縦に振《ふ》った。しかしシャーロックは新聞のことで頭がいっぱいで、ストーンのことを気にする余裕《よゆう》もなかった。新聞紙に水がしみていく。だれかが急いで拾いあげなければ、すぐにびしょ濡《ぬ》れになるだろう。

リスクは承知で、視線を落としてみた。インクがにじみはじめている。余白に書いた文字が消えていく。何分もしないうちに、印刷された文字もにじんで読めなくなるだろう。ほっと息を漏《も》らして、目の前の男に視線を戻《もど》した。気づかれてはいないだろうか。そのとき、シャーロックはあることに気がついた。男の皮膚《ひふ》がなんだかおかしい。あれはなんだろう。絵かなにかが描《か》かれているみたいだ。しかし、なんなのかわからない。

「では、はじめよう」

男はステッキから手を上げた。シャーロックははっとした。ステッキのてっぺんの、大きくふくらんだように見えていたのは、黄金のどくろだった。外の光を受けて輝《かがや》いている。しかし、それが見えたのもほんの一瞬《いっしゅん》だった。両脇《わき》の男たちが出てきて、ぐったりしたマティの体をまたぐと、シャーロックの腕《うで》をつかんで乱暴に立たせた。床板《ゆかいた》がきしむ。少したわんでいるようだ。

男たちはそれぞれロープを持っている。端《はし》に作った輪っかは、ロープを引けば締《し》まるようになっているようだ。ひとりが——片耳のない、髪《かみ》をひとつに結んだ男が——それをシャーロックの首にかけてぎりぎりまで引きしぼると、反対の端《はし》を屋根の垂木にかけて、ロープがぴんと張りつめるまで引っぱった。ルーファス・ストーンがもがいて抗議《こうぎ》したが、そばにいた男に手の甲《こう》で殴《なぐ》られた。ストーンは体をうしろにそらし、低くうめいた。

首にかけられたロープが首に食いこんで、息苦しい。シャーロックは反射的に爪先立《つまさきだ》ちになり、ロープをゆるめようとした。すると、あばた顔の男がロープの輪をシャーロックの両足首にかけて引きしぼった。

「命が惜《お》しかったら」物静かな男が、落ち着きはらった声で言う。牧師がお茶を一杯《いっぱい》いれてくれないかと頼《たの》むときのような声だ。「頭の上のロープに両手でしっかりつかまるといい。もちろん、正直に答えることも重要だぞ」

首にかかったロープをつかんでいた男が、突然《とつぜん》、端《はし》をぎゅっと引いた。輪が締《し》まり、シャーロックの両足が床《ゆか》から浮《う》いた。シャーロックは頭の上のロープを両手でつかんだ。このロープ一本に命がかかっているのだ。ロープの繊維《せんい》は粗《あら》くてざらざらしている。てのひらがじっとり汗《あせ》ばんできた。手が滑《すべ》ったら、まさに首吊《くびつ》り状態だ。息ができなくなる。爪先《つまさき》から床《ゆか》までは十センチもない。しかしロープがさらに引かれて、シャーロックの体は空中高く引きあげられた。両手でロープにつかまっていても、目の前の世界が赤く染まってきた。それでも、ロープを握《にぎ》る男の姿は見える。男は部屋をつっきって、壁《かべ》の中の板材にロープの端《はし》をくくりつけた。

「では、はじめよう」正面の男が咳払《せきばら》いをした。「おまえとエイミアス・クロウは、どういう関係だ?」

「そんな……名前の……人は……知りません……」シャーロックは苦しい息の中で切れ切れに答えた。

「真っ赤な嘘《うそ》とはこのことだ」男は片手をステッキから離《はな》し、わずかに上げた。シャーロックが足元に目をやると、さっき足首にロープをかけた男が床《ゆか》にしゃがみこんでいた。物陰《ものかげ》から、シャーロックの頭くらいある大きな石を持ちだしたところだ。石にはあらかじめひもがかけてあり、ひもの先端《せんたん》には釣《つ》り針がつけてある。男は片手で石を持ち、釣《つ》り針を、シャーロックの足首のロープに引っかけると、石から手を離《はな》した。

がくん。石の重みがロープに伝わり、さらにシャーロックの足に伝わった。すごい力で下向きに引っぱられる。全身の筋肉や腱《けん》が一気に伸《の》びた。首のロープがさらに引きしまる。シャーロックはロープにしがみついた。これ以上首が絞《し》まらないようにと必死だった。

「おまえは生まれつきの愚《おろ》か者《もの》なのか?　どうやらルールを理解していないようだな」物静かな男が言った。「もう一度聞くぞ。嘘《うそ》をついたらどうなるか、もうわかっただろう。おまえとエイミアス・クロウはそう、わたしはこの質問の答えをすでに知っているのだ。おまえとエイミアス・クロウはどういう関係だ?」

「先生」シャーロックはやっとのことで答えた。

「よろしい」いったん間を置いて、男は続けた。「では、次の質問だ。エイミアス・クロウはいまどこにいる？」

視界が狭《せば》まってきた。まるで、ぼやけたトンネルを見ているようだ。耳の奥《おく》で、脈の音がどっくんどっくん鳴っている。それでも、いまの質問はシャーロックの頭の中に響《ひび》きわたった。答えるわけにはいかない。絶対にだめだ。しかし、答えなければ命が……いや、選択肢《せんたくし》はただひとつ。クロウ先生とバージニアを売ることはできない。

「し……らない……」

男はため息をついた。「愚《おろ》か者《もの》め。相手の居場所も知らないのに、こんなところまで追いかけてきたと言うのか？　おまえは頑固《がんこ》なのか。それともばかなのか。どちらだ？」男はまた手を少しだけ上げた。

シャーロックは必死で足をばたつかせた。足元の男の頭を蹴《け》ってやりたい。しかし、石の重力にはどうにもかなわなかった。足元の男はまた物陰《ものかげ》から石を持ってきた。さっきのと同じくらい大きな石だ。同じようにひもをかけてあるし、釣《つ》り針もついている。

ロープのせいで、シャーロックはあごがすっかり上がっていた。指の筋肉が痙攣《けいれん》を起こしはじめている。あとどれくらい、この態勢でがんばっていられるだろう。力が尽《つ》きたら、肺に入ってくる空気も尽《つ》きてしまう。

足元の男が、ふたつめの石の釣《つ》り針をシャーロックの足首にかけて、手を離《はな》した。石と石がごつんとぶつかりあう。体重が二倍になったみたいだ。首のロープがきつく締《し》まる。肩《かた》と腕《うで》の筋肉が、重みに耐《た》えきれず、ぷるぷると震《ふる》えだした。心臓が胸の中で暴れている。視界はコインひとつぶんくらいまで狭《せば》まった。そのまわりは赤黒い闇《やみ》。足首のロープが皮膚《ひ ふ》に食いこんでいる。石の重みで、脚《あし》が胴体《どうたい》から抜《ぬ》けてしまいそうだ。足元の男が姿勢を変えた。そのとき、床板《ゆかいた》がきしむ音が聞こえた。さっきシャーロックを立たせた男が一歩横に動いたときも、体の重みで床《ゆか》がきしんだ。板が古くて腐《くさ》っているのだ。これだけの音がする状態なら、強い衝撃《しょうげき》を与《あた》えれば、床《ゆか》をぶち抜《ぬ》くことができるかもしれない。シャーロックはあることを思いついた。

ただし、タイミングが肝心《かんじん》だ。あわててやると失敗する。

「わかっていないようだな」男の声は、とても遠くから聞こえてくるように思われた。「もう相当苦しいはずだ。あとひとつかふたつの質問に答えるのが精一杯《せいいっぱい》だろうに、たいしたものだ。だが、あの親子にそれだけの価値があるのか？　あいつらのために苦しみをこらえているのだろうが、あいつらが同じことをしてくれると思うのか？　あいつらが、おまえのために命を差しだすとでも思うのか？」

シャーロックは、声を絞《しぼ》りだすようにして言った。「そんな……ことは……どうでも……いい」息をつごうとしたが、空気はほとんど入ってこない。「ぼくの……気持ちの……問題だ！」

「ほほう、それはそれはご立派な。だが、そんな友情など無駄《むだ》だと思い知るがよい」男はため息をついた。「もう一度質問する。今度こそ役立つ答えを聞かせてもらおうか。エイミアス・クロウはどこにいる？」

「し……ら……な……い！」

男が手を上げる。シャーロックの顔はほとんど真上を向いていた。足の重みで首がどんどん締《し》まる。下を見ることはできなかったが、大きな石が床《ゆか》をこする音は聞こえた。三つめの石を運んできたのだろう。いったいいくつ用意しているのか。

一瞬《いっしゅん》音がやんだ。石をロープにひっかけたのだろう。手が離《はな》れる。がくん！　ものすごい痛みが襲《おそ》ってきた。まるでエイミアス・クロウが足にぶらさがってきたみたいだ。肩《かた》がいまにも脱臼《だっきゅう》しそうだったが、必死でロープにつかまった。すべての重みが喉《のど》にかかったら死んでしまう。どんなにがんばっても、ロープは喉《のど》の皮膚《ひふ》にぎりぎりと食いこんでくる。思いついた作戦を実行するためには、これ以上の苦痛をこらえなければならない。

最後の力を右手一本に集中させて、ロープを強く握《にぎ》った。これ以上は無理というほど筋肉が張りつめている。そして左手を離《はな》した。

体重と大きな石三つぶんの重みが、右手と首にかかった。右手が滑《すべ》ったらおしまいだ。そうなる前に、すばやく左手を動かした。ズボンのポケットに手を入れて、マティのナイフをつかむ。皮なめし工場のタンクに穴をあけたり、エイミアス・クロウの家の壁《かべ》に線を引いたりした、あのナイフだ。折りたたまれていた刃《は》を出した。左右の男たちが近づいてくるのを感じながら、ナイフをさっと上に振《ふ》りあげた。

ぴんと張ったロープが切れると同時に、首にかかった輪がゆるんだ。泉の水みたいに冷たくてさわやかな空気が、肺に流れこんでくる。三つの石が床《ゆか》に落ち、何分の一秒か遅《おく》れて、シャーロックの足が石に触《ふ》れた。三つの石とシャーロックの体重、そして左右に立っている男たちの体重を、腐《くさ》った床板《ゆかいた》は支えきれなかった。床板《ゆかいた》はばりばりと割れて、三人は下の階に落ちた。

シャーロックは体をひねり、膝《ひざ》を抱《かか》えた。男たちの体を下敷《したじ》きにして着地するつもりだった。割れた板に体をこすられるのを感じたとき、落下の爆音《ばくおん》が響《ひび》いた。じめじめした闇《やみ》に光が入ったとたん、大量のネズミとゴキブリが四方八方に逃《に》げだした。

その場から這《は》いだして、首のロープに手をやった。すっかりゆるんでいたので、頭からはずして脇《わき》に放りなげた。

いっしょに落ちたふたりの男はどうしているか。上の穴はどうなっているのか。すばやく視線を走らせた。男たちは、うなったり身をよじったりするばかりで、なにもしていない。上の穴からのぞきこんでくる顔もない。

足首のロープをゆるめた。食いこんでいたところの皮膚《ひふ》がひどく腫《は》れている。きっと首もそうなっているんだろう。だがそんなことはどうでもいい。とにかく逃《のが》れられた、それだけでいい。

立ちあがろうとしたが、すぐにへなへなと座りこんでしまった。脚《あし》に力が入らない。しかし、早くここから出なければ。またがんばったが、だめだった。こうなったら、あとは気力の問題だ。体が動こうとしないときは、動けと命令してやるしかない。

四回目でようやく立ちあがることができた。ただ、なんとかふんばっているというだけで、筋肉はがくがく震《ふる》えている。深く息を吸って、よろよろしながら階段に向かった。この建物から逃《に》げだすつもりは毛頭ない。マティとルーファス・ストーンがまだ上にいる。まったく無防備な状態で、とらわれている。助けださなければ。自分の命をどんな危険にさらしてもかまわない。

階段をのぼるのにこんなに苦労したのは生まれてはじめてだ。一段ごとに、筋肉が悲鳴をあげる。二度、気を失いそうになった。階段をのぼりきって、さっきまで拷問《ごうもん》を受けていた部屋に入った。ナイフをかまえて、敵の攻撃《こうげき》にそなえる。ところが、あのステッキの男は消えていた。どうやって出ていったんだろう。窓は閉まっているし、階段は、いまシャーロックが通ってきた。しかしとにかく姿がない。いるのはルーファス・ストーンとマティだけだ。

マティは袋《ふくろ》をかぶったまま、床《ゆか》に転がっている。シャーロックはルーファス・ストーンを見た。ストーンは血まみれの顔に笑みを浮《う》かべ、マティのほうをあごでしゃくった。

「そっちを先に頼《たの》むよ」ひどい声だ。口の中にクルミをつめこんだまましゃべっているように聞こえる。それだけひどく殴《なぐ》られたということだろう。「素手のボクサーと殴《なぐ》りあいをやったようなもんだ。だがこんなことには慣れっこだし、平気だ。それよりマティが心配だな。そこに投げおとされたときからずっと、ぴくりとも動かない。なんとかしてやってくれ」そう言ってから、感心したような表情でシャーロックを見た。「しかし、あんな方法をよく思いついたな。わたしが百歳《さい》まで生きても——もちろんわたしはそうするつもりだよ——あれだけみごとな脱出劇《だっしゅつげき》は、二度と見られないだろうな」

シャーロックはマティのかたわらに膝《ひざ》をついた。おそるおそる手を伸《の》ばして、そっと袋《ふくろ》をとる。マティのブルーグレイの瞳《ひとみ》がまん丸になって、こちらを見ている。

「無事だったのか」シャーロックはつめていた息を吐《は》きだした。

「無事に決まってんだろ」

「だって……ちっとも動かないから……」

マティはにやりと笑った。「こういうときはハリネズミを決めこむんだ。体を丸くして、騒《さわ》ぎが落ちつくのを待つのさ。それがだめならアナグマ作戦。まわりのものを手当たり次第に攻撃《こうげき》する。噛《か》みついたりひっかいたり、とにかく暴れまわる」

シャーロックはマティを立たせ、ふたりでルーファス・ストーンのロープを解いた。手も顔もシャツも血まみれなので、シャーロックは心配でならなかったが、本人は平気な顔で肩《かた》をすくめた。「屋根から落ちてもっとひどいけがをしたこともある。ただ、しばらくはピチカート奏法ができないな。ところで、あの二人組はどうなった？　ここに戻《もど》ってきそうか？」

シャーロックは床《ゆか》の穴にそっと近づいた。穴のまわりの床《ゆか》がいつ落ちるかわからない。穴の下をのぞきこむと、男たちはまだ床《ゆか》に転がってうんうんうなっていた。しばらくはあのまま、動くこともできないだろう。「見えました。戻《もど》ってくる心配はなさそうです。少なくともしばらくは」

「よかった。シャーロック、きみは本当にすごいよ」

「ストーン先生、なにがあったんです？　ニューカッスルの駅ではぐれてしまったけど」

ストーンは顔をしかめた。「わたしたちは、ファーナムからずっと、あとをつけられていたんだ。やつらの話が聞こえてきた。どうやらエイミアス・クロウの家がもぬけの殻《から》だと気がついて、だれかをそこに残しておいたらしい。戻《もど》ってくるかもしれないと考えたんだ。片耳のない、髪《かみ》をひとつに結わえたやつだ」

シャーロックは納得がいかなかった。「いなかったけどなあ。家の中は全部調べたのに」

「外のどこかに隠《かく》れていたんだ。家のわきに穴を掘《ほ》って、そこから自分の隠《かく》れ場所まで伝声管を引いた。きみたちの話し声は全部聞こえていたようだ」

「デンセイカン？」マティには意味がわからないようだ。

「船長が機関室と話すときなんかに使うやつだ。管の片方でしゃべると、反対側にいる人が、それを聞くことができる。何百メートルも先まで、音が届くんだ」

「すげえな」マティがつぶやいた。シャーロックは悔《くや》しくて自分を蹴《け》とばしたい気分だった。エイミアス・クロウの家からは、たしかになにかの管が出ていた。しかしあのときは、とくに気に留めなかったのだ。ふだんとちがうものがあったら見逃《みのが》してはいけない。今後はそれを徹底《てってい》しようと決めた。

「やつは、きみたちふたりが家の中で話していることを聞いたあと――」ストーンが続ける。「――放牧場に出たきみたちに近づき、エディンバラって言葉を聞きとった」やれやれと首を振《ふ》った。「そしてそれを仲間に伝えたわけだ。あとは、わたしたちのあとを追ってキングズ・クロス駅から列車に乗ればよかったのさ。わたしたち三人のうちひとりをニューカッスルでさらって、エディンバラのどこにエイミアス・クロウがいるかを吐《は》かせようとした。行き先が本当にエディンバラなのかってことも含《ふく》めてね」残念そうな目で、血だらけの手を見た。「わたしはエディンバラのどこかにいるってことしか知らない。やつらはそれを確信すると、わたしを連れてここまでやってきた。わたしをおとりにするつもりだったんだろう。わたしたちは同じ列車に乗っていたんだよ。あの親玉が――きみに質問をした男だ――車両をまるまるひとつ借り切っていた。エディンバラに着くと、乗客が全員おりてしまうのを待って、外に出たんだ。やつらはまず、活動拠点《きょてん》にする場所をさがした。そしてきみたちを泳がせて、エイミアス・クロウに連絡《れんらく》をとろうとした。あるいはエイミアス・クロウからきみたちに連絡《れんらく》をとってくるだろうと考えて、それを待っていたんだ。そして今朝になり、やつらはきみたちをここに連れてきて、尋問《じんもん》することにしたのさ。わたしの知らないことも、きみは知っているかもしれない――そう考えたんだろうな。きみもなにも知らなかったようだが」

「じつは」シャーロックは言った。「知ってるんだ」床《ゆか》の新聞に目をやった。すっかり濡《ぬ》れて、ぐずぐずになってしまっている。だが、もうかまわない。メッセージは頭に入っているのだから。「けど、わからないなあ。やつらはどうしてクロウ先生を追っているんだろう」ストーンの手に目をやった。「ストーン先生、またバイオリンを弾《ひ》けそうですか？」

「レッスンが受けられなくなるんじゃないかと心配なのか？　もしそうなっても、月謝の払《はら》い戻《もど》しはしないぞ」ストーンは両手を自分の顔の前に出して、指を曲げたり伸《の》ばしたりした。痛みに顔をしかめながら、何度か続ける。「筋肉も腱《けん》も無事だ。切り傷も青あざも、そのうち治るだろう。パガニーニに挑戦《ちょうせん》するのはしばらく待ったほうがよさそうだが、ほかのレパートリーは変わりなく弾《ひ》けると思う」

シャーロックはあたりを見まわした。「質問をしてた男はどこに行ったんですか？　黄金のどくろのついたステッキを持ってましたよね」

ストーンは眉根《まゆね》を寄せた。「階段のほうに行ったが、会わなかったのか？」

「見ませんでした」シャーロックは、日差しに照らされた男の手を思いだした。「そういえば、あの男の手、なにか描《えが》いてあったようだけど」

「気がついたかい？」シャーロックがうなずくのを見て、ストーンは続けた。「あの男、全身に刺青《いれずみ》を入れてるんだ。顔、首、手、腕《うで》、ありとあらゆるところに」

「どんな刺青《いれずみ》ですか？」

「名前だ。人の名前。黒い字もあれば、赤い字もある。とくに、額の刺青《いれずみ》が赤くて大きかった」ストーンはシャーロックの目を見て言った。「彫《ほ》られていた名前は、バージニア・クロウだった」

11

心臓が凍《こお》るような思いがした。あの男の額にバージニアの名前の刺青《いれずみ》が？　どうして？　シャーロックが聞こうとしたとき、ルーファス・ストーンは眉《まゆ》を片方だけつりあげた。さっきの話が気になるんだが、という顔をする。「エイミアス・クロウの居場所を知ってるって？」

「新聞にメッセージがあったんだ」マティが答えた。「暗号だよ。おれたちが解いた」

〝おれたちが〟という言葉を聞いて、シャーロックはマティに視線を送ったが、マティはそしらぬ顔で笑い返してきた。

「よくやった」ストーンは室内を見まわした。「とにかく、ここを出よう。やつが戻《もど》ってくると面倒《めんどう》だ」

三人は階段をおりて、階下のふたり組を避《よ》けて出口に向かった。ふたりの手下たちはまだ痛みに苦しみ、うめいていた。ストーンは一瞬《いっしゅん》足を止めて、男たちを見た。その目がきらりと光る。与《あた》えてくれた痛みを少しばかりお返ししてやろうか、と言っているかのようだったが、すぐに踵《きびす》を返して歩きだした。「やつらを尋問《じんもん》してやってもいいんだが」まだあきらめきれないかのように言う。「そう簡単には口を割らないだろうからな」

「どうかな」マティが言った。「あちこち割れたり裂《さ》けたりしてるみたいだけど」

ストーンを先頭に三人は外に出た。空には鉛色《なまりいろ》の大きな雲に覆《おお》われ、その周囲からかすかな光が漏《も》れている。シャーロックは好奇心《こうきしん》たっぷりに周囲を見た。ふつうの家の中にいるものとばかり思っていたが、建物を振《ふ》りかえると、そうではなかったとわかった。似たような建物がたくさん並んでいて、どれも七階建てで、間口がすごく広い。建物と建物のあいだには狭《せま》い通路がある。その両側にそびえる建物の壁《かべ》が、まるで切り立った崖《がけ》のようだ。一階にはドアがたくさんあって、二階から上は窓また窓。しかし半分以上はガラスがなくなっている。がらんとして穴だらけだから、人が住むところというよりも、アリの巣みたいな印象を受ける。

「これ、なんなんだろう」シャーロックは言った。

意外なことに、答えたのはマティだった。「アパートってやつだよ。前にエディンバラに住んでたときも、こういうのがあったな。ていうか、街じゅうにある。貧乏《びんぼう》なやつらが住むとこで、ひとつの玄関《げんかん》につき、部屋はふたつしかないんだ。そいつが、鳥の巣箱みたいに、どんどん上に重なってる。中の作りはどの家もほとんど同じだ。玄関《げんかん》も、壁《かべ》のしっくいも、窓枠《まどわく》も、みんな同じ。住んでる人たちはいろいろ手を入れて個性を出そうとする。たとえばカーテンをかけたり、花瓶《かびん》を置いたりしてさ。けどそんなの、積み重ねたビールの木箱にリボンをかけるようなもんだ。かえって安っぽく見えるだけだよな」鼻をくんくんさせる。「しかもこのにおい！　ひどいだろ。腐《くさ》った生ゴミと、ゆでたキャベツのにおいだ」

「人が住んでないみたいだな」ストーンが言った。「大西洋を渡《わた》ってきた悪党たちのアジトとしては理想的な場所だ。なんでこんなに荒《あ》れてるんだろう」

「噂《うわさ》を聞いたことがあるよ」マティが答える。「前にこっちにいたときの話だ。街の権力者がアパートの住人を全部追いだそうとしてるってね。土地を売って工場や高級住宅地にしようっていうんだ。そのために、結核《けっかく》やペストがアパートの中ではやってるって噂《うわさ》を流した。住人を施設《しせつ》に移して、アパートをとりこわし、新しい建物を建てて大儲《もう》けしようって計画だ」マティは声を落とした。「けど、施設《しせつ》がいっぱいになれば、行き場のない人たちも出てくる。そういう人たちは、通路をレンガでふさいだところに閉じこめられて、飢《う》え死にしたって話だよ。いや、それはさすがにデマだと思うけどな」

「しかし、困ったな」ストーンがぼそりと言った。「ここがどこなのかわからない。どっちに行ったらいいかもわからないし、人に聞くこともできない」

シャーロックは周囲を見わたした。ポケットにはまだ地図が入っているが、この状況《じょうきょう》では役に立たない。「ぼくたちを乗せた荷車は、あっちから来たんだと思います」通路のひとつを指さした。「しばらく角を曲がらずまっすぐ来たから、あの道しかない」

「さっきの荷車、もういなくなってるんだろうな」マティが暗い表情で言った。「質問をしてたやつが乗ってったに決まってる」

ストーンは首を横に振《ふ》った。「いや、あの男は自分用の馬車を待たせていたはずだ。わたしをここに連れてきたのが御者《ぎょしゃ》つきの馬車だったからね」

「ぼくたちをさらった男たちがアパートに残ってるってことは」シャーロックが話を継《つ》ぐ。「さっきの荷車はまだそのへんにあるかもしれない」

三人は顔を見合わせて、さっきシャーロックが指さした方向に歩いていった。アパートのあいだの通路をまっすぐ進むと、舗装《ほそう》されていない道路に出た。その道路はずっと遠くまで続いている。道路のむこうがわには荒れ地《あれち》が広がり、やせこけた馬が何頭か、アザミや雑草を食べていた。シャーロックは思わず、ファーナムのエイミアス・クロウの家とくらべてしまった。のどかな景色の中に放牧地があって、手入れが行きとどいたバージニアの馬が、ゆったりと牧草を食《は》んでいたものだ。ここは、あの景色のすべてを暗転させたようなイメージだ。荒《あ》れ地《ち》の中に並んだ、まるで刑務所《けいむしょ》みたいな建物。サンディアのきょうだいだったとしてもおかしくないのに、やせこけて死にそうになっている馬たち。

アパートのほうに目をやったシャーロックは、入り口のひとつでなにかが動いたのに気がついた。目をこらして観察する。カーテンが風で揺《ゆ》れたんだろうか。ハトかカモメがねぐらに帰ってきたんだろうか。

建物の中の暗がりで、なにか白いものが動いている。さっきよりも動きがすばやくなった。あれは……どくろだ。目のところにはふたつの穴。頭に髪《かみ》はなく、ほお骨はとがって、歯をむきだしにした口が不気味に笑っている。こんなところでも、死人がこっちを見ているなんて！

骸骨《がいこつ》はすぐに物陰《ものかげ》に隠《かく》れてしまったので、マティとルーファス・ストーンに知らせる間もなかった。シャーロックは、ずらりと並ぶ入り口に目を走らせた。ぼくは頭がおかしくなってしまったんだろうか？　いや、ちがう。あそこにいる！　白い人影《ひとかげ》が、窓に半分隠《かく》れるようにして、こちらを見ている。シャーロックが気づくのと同時に、闇《やみ》の中に消えてしまった。

この化け物たちは、ぼくたち三人をさらったアメリカ人たちと関係があるんだろうか？　それとも、ただの幻覚《げんかく》？　ぼくの心が壊《こわ》れかけているからそんなものが見えるんだろうか……？

隣《となり》に目をやると、マティもアパートの入り口を凝視《ぎょうし》していた。そしてシャーロックを振《ふ》りかえる。

「見たかい？」シャーロックはすがる思いで聞いた。

マティはうなずいた。「死人が歩いてやがる。しかもおれたちを追いまわしてる」

「だけど、死人が歩けるはずないんだ」

「どうかな」

「肉屋のまな板に死んだウサギがのってるのを見たことがあるだろう？　魚売りの魚も死んでるよな？」

「ああ。知ってるよ」

「どっちも動かないじゃないか。絶対に動かない。死んだら体は動かなくなるんだよ。生気も活気も消えて、肉体が残るだけだし、その肉体も腐《くさ》っていく。死んだ動物は生き返らないし、人間だってそうだ」

マティは納得がいかないという顔をしている。「そんなこと、いま話してるヒマはないんじゃないか？」

「そのとおり！」ストーンが言った。「やつらにまた襲《おそ》われる前に、さっさと移動しよう」

道路の脇《わき》に、荷車が放置されていた。馬は背の低い木につながれている。道路のむこうがわにいる馬たちとくらべると、この馬はかなり元気そうだ。

「あれで帰ろう」ストーンが言った。「ただ、帰り道がわからないんだよな」

「ぼく、来た道をおぼえてます」シャーロックは答えた。「どれくらい進んでどっちに曲がった、という記憶《きおく》をさかさまにたどればいい。きっとホテルに戻《もど》れるはずです」

「頭に麻袋《あさぶくろ》をかぶらなきゃ思いだせないんじゃないか?」マティがぼそりと言って、シャーロックに笑顔を見せた。「感覚がちがうと、ちゃんと思いだせないぞ」

シャーロックとマティは荷車のうしろに乗り、ストーンが前に乗った。ためしに手綱《たづな》を引いてみると、馬は鉄砲《てっぽう》の音でも聞いたみたいに勢いよく走りだした。この界隈《かいわい》にいるのが、馬もいやなのかもしれない。

シャーロックはストーンのうしろに立って、木製のバーを握《にぎ》った。連れてこられた道のりを逆にたどっていく。来たときも荷車は同じくらい速かったので、どちらに曲がったか、どれくらいまっすぐ進んだかをすべて思いだし、それをさかさまに再現するだけでよかった。もちろん、曲がる方向も逆にしなければならない。街の中心からアパートに向かってくるとき、右に曲がったところは、帰り道では左に曲がることになる。

首がずきずきする。足首もロープですりむけていた。息をするたび、喉《のど》になにかがひっかかる感じがする。喉仏《のどぼとけ》が押《お》しつぶされてしまったんだろうか。しかし、体の傷以上に、精神がまいっていた。ロープで吊《つ》りさげられていたときの絶望感が、ちっとも消えていかない。絶体絶命のピンチはいままでにも経験したことがあるが、いつも、どこかに逃《に》げ道がある、がんばればなんとかなる、と思うことができた。ところが今日は、ポケットにナイフが――マティのナイフが――入っているのを思いだすまでは、敵にすべてを握《にぎ》られていたのだ。長く苦しんだあげく命を失うまで、あとほんのわずかだったと思う。

もしポケットにマティのナイフが入っていなかったら――あのときマティがナイフを渡《わた》してくれなかったら――助かる可能性はゼロだった。いまごろは死んでいた。

命が助かるかどうかは、そんな些細《ささい》なことに左右される。そう思うと不安でたまらなくなった。傷だらけのストーンの姿を見る。ストーンも同じことを考えているんだろうか。

曲がり角を二回まちがえたものの、三十分後にはプリンシズ・ストリートの近くの公園に戻《もど》ってくることができた。

「よし、やったぞ」ストーンが言う。「で、これからどうする?」

シャーロックはマティを見た。「きみから話すかい? 暗号、ふたりで解いたんだよな?」

「よせやい」マティはにっこり笑った。「おまえから話してくれよ」

「クロウ先生とバージニアは、クレイモンドっていうところにいます。地図を見て、道はわかってます。一時間くらいで着くんじゃないかな」

「先に腹ごしらえをしよう」ストーンは言った。「体もさっぱりさせたいな。きみたちがどうだか知らないが、わたしは腹ぺこなんだ」

食事とシャワーの両方をすませたあと、マティはどこかからスカーフを一枚くすねてきた。シャーロックはそれを首に巻いて傷とあざを隠《かく》した。出発だ。シャーロックの道案内に従って、ストーンが馬を走らせる。しばらくすると建物がまばらになり、田園地帯に入っていった。三十分ほどたつと、岩山に建つエディンバラ城の黒々《くろぐろ》とした全景がよく見えるようになった。鉛色《なまりいろ》の空は、シャーロックの気分を映しているかのようだ。クロウ親子を見つけるための旅は、冒険《ぼうけん》というより、もっと暗くて不愉快《ふゆかい》なものになってしまった。エイミアス・クロウを狙《ねら》っている人たちがいるのはよくわかったが、それはどうしてなんだろう。理由がなんにせよ、シャーロックは知らないうちにその一味をエディンバラに呼びよせてしまったのだ。いまのシャーロックにできるのは、敵より早くエイミアス・クロウのところにたどりつくことだけだ。

まわりに目をやった。一定の距離《きょり》をとりながら、それでいて大きく後れることなくついてくる馬車や荷馬車や馬はいないだろうか。見当たらない。しかし、あとをつけられることのないよう、これまで以上に気をつけなければ。途中《とちゅう》で二度、シャーロックはストーンに馬を止めさせた。路肩《ろかた》の納屋の裏に荷馬車を隠《かく》し、そのまま二十分待つ。通りすぎていく乗り物や、乗っている人を注意深く観察した。見おぼえのある顔はなかったし、追跡《ついせき》のターゲットが突然《とつぜん》消えたのであわてているような人間も、ひとりもいなかった。

そうして待っているときに、シャーロックはストーンに顔を寄せて話しかけた。「ぼく、ストーン先生はパラドール評議会につかまって、列車でロンドンに連れていかれたのかと思ってました」

「どうしてだい？　パラドール評議会のやつらは、モスクワ以降まったく音沙汰《おとさた》がないじゃないか。きみを精神病院に隔離《かくり》しようとしたことはあったが、あれきりだ」

シャーロックは眉《まゆ》をひそめて記憶《きおく》をたどった。「ニューカッスルの駅で、カイトを見かけたような気がするんです。荷物置き場の陰《かげ》に隠《かく》れて、ぼくをじっと見ていました」いったん言葉を切った。胸が締《し》めつけられるような苦しさをおぼえていた。「ぼくたちはパラドール評議会の計画をぶちこわしたから、その意趣返《いしゅがえ》しに来たのかと思ったんです。ぼくやストーン先生に、借りを返しにきたのかと」

「ありそうな話だが」ストーンは肩《かた》をすくめた。「わたしは、あの駅でカイトを見なかった。もし見かけていたら、あの赤いひげを、あいつの喉《のど》に押《お》しこんでやっただろう。

シャーロック、ひとつだけ言っておく。赤毛の男を信用するな。赤毛の女も同じだ。赤毛はトラブルのもとなんだ」

「バージニアも赤毛です」

ストーンは真顔でシャーロックを見た。「シャーロック、それは問題だな」

いやな流れになったので、シャーロックは話題を変えた。「クロウ先生はどうして狙《ねら》われているんでしょうか」

「パラドール評議会がわたしたちを狙《ねら》っている理由は、きみも察しているだろう？　それと同じじゃないかな。復讐《ふくしゅう》だよ」

「クロウ先生がなにをしたんですか？」

「エイミアス・クロウは、いくつもの顔を持っている。教養があり、公正な思想を持つ、上品な人間であると同時に……」ストーンは間を置いてから続けた。「どう言ったらいいかな――彼《かれ》の過去を詳《くわ》しく知ったら、知らなければよかったと思うことも出てくるだろう。クロウはそういう人間だ」

「北軍のスパイとして南軍をさぐっていた、と聞いたことがあります。その後、戦時中に一般《いっぱん》市民からの略奪行為《りゃくだつこうい》をおこなっていた南部連合の犯罪者をつかまえる仕事をしていたと」

「そうだ。わたしもそれは聞いている。だが、わたしたちが聞いていないこともある。そうした犯罪者をつかまえるためにどんなことをやったのか。そうした犯罪者をどれだけつかまえて法の裁きを受けさせることができたのか、また、そこに至る銃撃戦《じゅうげきせん》で、どれだけの人間を死なせたのか。シャーロック、これだけは忘れるな。エイミアス・クロウは、金のために働く罪人ハンターだったんだ。ただし、いまクロウを追っているやつらの目的は、金じゃない。復讐《ふくしゅう》だ」

「ストーン先生はクロウ先生がきらいなんですね」

ストーンは微笑《ほほえ》んだ。「わかってしまうかな、やっぱり。ああ、酒場でいっしょにビールを飲んだりパイプを吸ったりしたいタイプの人間じゃないな。おしゃべりじゃなく、議論の場になってしまいそうだ。人間の命は尊いものだと、わたしは思っている。しかし彼《かれ》は、些細《ささい》な理由で人命を奪《うば》うことに疑問を持たない人間なんだ。おまけに、音楽がきらいときてる」

シャーロックは黙《だま》って聞いていた。ストーンの理屈《りくつ》におかしなところはないし、エイミアス・クロウを評する言葉にまちがいもなさそうだ。しかし、だからといって、そこまでひどい言葉で切り捨てなくても、と思ってしまう。クロウ先生のやさしい笑顔が目に浮《う》かぶ。大きな翼《つばさ》で包みこむようにして、いろんなことを教えてくれた。人間はみんな、そうやっていろんな顔を持っているものなんだろうか。もしそうなら、ルーファス・ストーンはどうなんだろう。兄のマイクロフトは？

自分自身だって例外じゃない。

考えるのはやめよう。人の外面と内面が同じと信じているほうが楽だ。

「クロウ先生を狙《ねら》ってるやつら、何人くらいのグループだと思いますか」

「なんとも言えないな。アパートには三人いたが、そのほかに、リーダーの送迎《そうげい》をしている者もいる。いや、それはギャングの一味じゃないかもしれないし、一時的に雇《やと》っただけの人間なのかもしれないが。それ以外にもふたり、仲間がいるのはわかってる。問題は、ほかにもまだいるかもしれないってことだ」

「ぼくを抱《かか》えて運んだのがふたり」シャーロックが言った。

「おれもふたりに運ばれた」マティも言う。

「それだけで、少なくとも四人だからな。しかも、あの親玉が大金を持ってこっちに来てるとすると、いくらでも人を雇《やと》えるわけだ。アメリカ人でなきゃだめってことはないだろうからな。このイギリスのどこに行ったって、そこそこ大きな町でさえあれば、人手に困ることはないだろう。金のためなら――いや、ひと晩の飲み代やギャンブルのためなら――母親でも平気で殺すやつらがごろごろいる」ストーンはため息をついた。「悪いやつならいくらでもいるのに、いい人間は少なすぎる。だから悪いやつらがのさばるんだ」

「それはそうだけど」シャーロックが言った。「いい人がひとりいれば、悪いやつ十人分の価値がありますよ」

マティがふんと鼻を鳴らす。ストーンも、甘《あま》いな、と言いたそうな顔をしている。「本当にそうなら、世の中はもっとよくなってるはずなんだが」

「ぼくがおとなになったら」シャーロックはつぶやいた。「世の中をもっとよくするつもりです」

「ああ」ストーンは、これまで見せたことのないような笑みを浮《う》かべた。「きみならできるかもしれないな。きみも、きみのお兄さんも、まったくちがうやりかたで、社会に貢献《こうけん》すると思う」

「だけどぼくは、役人にはなりませんよ」

「なんでだよ」マティが聞いた。

「人から命令されて動くのがいやなんだ」シャーロックは暗い表情で言った。「だれからも指図はされたくない。そりゃあ、ときには指図を受けることもあるだろうし、従うけど、本当はいやなんだ」

荷車を道路に戻《もど》したとき、どちらを見ても人影《ひとかげ》はなかった。だれにもあとをつけられることなく、街を出ることができたようだ。

まわりは低木地で、木々《きぎ》のあいだには岩肌《いわはだ》が見えている。起伏《きふく》した土地なので、道路も坂ばかり。平坦《へいたん》な部分は一分も続かない。大きな岩場を迂回《うかい》する箇所《かしょ》もある。

クレイモンドは海沿いの村で、壁《かべ》は花崗岩《かこうがん》、屋根はわらぶきという家が並んでいる。石と石のすきまに生えた緑の苔《こけ》が伸《の》びて、嵐《あらし》のあとの海岸に海草が打ちあげられているかのようだ。しかもその海草は、そこに張りついているだけではなく、そこに根付いてさらに成長を続けているのだ。空気は潮の香りがする。カモメたちが、放置された赤ん坊《ぼう》みたいな声で鳴いている。

丘《おか》をぐるりとまわりきったとき、眼下に海が広がった。波頭が日差しを受けて、ぎらぎら光っている。見ていると催眠術《さいみんじゅつ》にかかりそうだ。緑がかった灰色の海面に、無数の光の点が踊《おど》っている。波の打ちよせる海岸には、白い泡《あわ》の平行線がどこからともなくあらわれては消えていく。

「クレイモンドに着いたようだな」下りはじめた道路を進みながら、ストーンが言った。

「これからどうする?」

「いつもの質問をしてまわればいいんじゃないか? 白いスーツに白い帽子《ぼうし》の、体の大きなアメリカ人を見ませんでしたかって」マティが元気な声をあげる。

「いや、白いスーツは目立つから、もう捨てたんじゃないかな」シャーロックは応じた。「それに、クロウ先生といっしょに酒場やなにかに入っていったときのことをおぼえてるかい？　店の人たちに話を聞くとき、先生の言葉は完璧《かんぺき》なイギリス英語になってた。まるで、ロンドン市内で生まれ育った人みたいだったよ。それに、背景に溶《と》けこむのも得意だから、存在感をあらわしたり消したりだって、思いのままなんだ。いまごろはスコットランドの訛《なま》りを完璧《かんぺき》に身につけて、生粋《きっすい》のエディンバラ育ちになりきってるんじゃないかな」

「じゃ、もう一度聞くぞ」ストーンが言う。「これからどうする？」

シャーロックはちょっと考えてから答えた。「クロウ先生は、ぼくたちに見つけてほしいと思ってるわけですよね。そのために、あんな暗号のメッセージを出したんだから。ってことは、ぼくたちがたどれるような足跡《そくせき》とか、ぼくだけにわかるようなヒントを、どこかに残してるはずです。村のどまん中にいるってことはないと思います。さすがに人の目につきすぎてしまう。言葉や服装は変えられても、背の高さだけはどうしようもありませんからね。村のはずれの、人気《ひとけ》のない場所にいるんじゃないかな。バージニアのことも、人目に触《ふ》れないように隠《かく》していると思います」あらゆる方向から、この問題を考えてみた。「家を借りるとしたら、街道沿いの家は避《さ》けるでしょうね。通行人に見られるリスクが高くなる。どこか高いところにある家なら、近づいてくる人を早く見つけられて、自分の背の高さも活かせます。だれかがそこに近づくには、上り坂だから足どりも遅《おそ》くなる。それに、上からなら石を投げて敵を撃退《げきたい》することもできる」シャーロックは眉間《みけん》にしわをよせて考えた。「丘《おか》のてっぺんなら、襲撃《しゅうげき》があったとき、どっちの方向にも逃《に》げられる。けど逆に、敵がどっちの方向から来るかわからない。四方八方を見張っているわけにはいかないですよね、たとえバージニアとふたりで見張っているとしても。そう、てっぺんじゃなくて、斜面《しゃめん》を選ぶんじゃないかな。斜面《しゃめん》がちょっとくぼんでいるようなところ。だれかがそこに近づくには、正面から行くしかないようなところ」

「さがす範囲《はんい》が狭《せば》まったな」ストーンが言った。「そういう条件にあう家がどこかにないか、聞いてまわろう」

「もっといい方法があるよ」マティが言う。

「なんだい？」

「子どもたちに聞くんだ」マティは自分の胸をどんと叩《たた》いた。「どんな町にも、どんな村にも、おれみたいな子どもはたくさんいるだろ？　子どもってのは、どこにでも出かけていくし、なんでも見てる。やめろって言われてもやめないんだ。子どもを見つけたら六ペンス硬貨《こうか》でも握《にぎ》らせて、聞いてみりゃいいよ。きっとクロウ先生の居場所を知ってる」

「もしかしたら――」シャーロックはマティの言葉に続けた。「クロウ先生も同じことを考えたかもしれないな。マティみたいな子たちが――」失礼、という視線をマティ送る。「――どこにでも出かけてなんでも見てるってことは、先生もよくわかってる。子どもたちに六ペンス硬貨《こうか》を握《にぎ》らせて、よそ者が来たら知らせろって言ってるんじゃないか？　だとすると、むこうからぼくたちを見つけてくれるよ」

三人の意気は上がった。村のまん中に荷馬車を進めながら、髪《かみ》がぼさぼさでみすぼらしい服装の子どもが歩いていないかと、周囲を観察した。ひとりでいる子どもでもいいし、集団でもいい。見つけると、マティが荷馬車をおりて、近づいていった。しかしそのたび、マティは首を横に振《ふ》りながら戻《もど》ってくる。なにも答えてくれない、というのだ。しかしシャーロックは気づいていた。マティに声をかけられた子どもは、荷馬車が離《はな》れるのを待って、決まってどこかに駆《か》けだしていく。しかも同じ方向に走っていくようだ。

「あとをつけてみるか？」しばらくして、ストーンが言った。荷馬車を村の中心近くの道ばたに止めたところだった。

「いいえ」「ううん」シャーロックとマティが同時に言った。

「あの子たちは、ほかの子に――たぶん年上の、司令塔《しれいとう》みたいな子に――連絡《れんらく》しにいったんです」シャーロックが説明した。

「そこからクロウ先生のところに伝令が行くってわけさ」マティがつけたす。「おれたちがその司令塔《しれいとう》にいきなり近づいていったら、相手はびびって逃《に》げだしちまうよ。で、おれたちはふりだしに戻《もど》る」

「クロウ先生がここで作った情報網《じょうほうもう》が、そんなに大きなものだとは思えません。ここで待っているのがいちばんですよ。クロウ先生のところに情報が届いたら、きっとだれかをぼくたちのところに寄越《よこ》すと思います」

そのとおりだった。しばらくすると、汚《よご》れた服を着た子どもがひとり、近づいてきた。靴《くつ》を履《は》いていない足も汚《よご》れて真っ黒になっている。

「やあ！」ストーンが声をかけ、額に手を当てて敬礼のまねをした。

「聞きたいことがあるんだ」少年が言う。スコットランドの訛《なま》りがきつい。

「どうぞ」

「ラシーの馬の名前は？」

「ラシーって？」シャーロックが聞いた。

「女の子って意味だよ」マティが説明する。「バージニアのことだな」

「ああ、そうか。サンディアだ」

「あんたの馬は？」

シャーロックは笑顔になった。アメリカの地名を馬の名前にしたので、そのことをバージニアとよく笑っていたものだ。「しばらくは名無しだったけど、いまはフィラデルフィアって名前だよ」

「オッケー。あんたのミドルネームは？」

「スコットだ。ぼくの名前は、シャーロック・スコット・ホームズ」

「ついてきな。行きたいところがあるんだろ？」ストーンが手綱《たづな》を握《にぎ》ろうとするのを見て、少年は言った。「荷馬車は置いてったほうがいいよ。斜面《しゃめん》をのぼるから」

少年は道路からはずれて、斜面《しゃめん》をのぼりはじめた。岩から岩へと足をかけ、草をつかんで体を引きあげる。シャーロックとマティとストーンは必死についていった。急斜面《きゅうしゃめん》なので、拷問《ごうもん》を受けたばかりのシャーロックにはあまりにもつらい。何分もしないうちに息が切れて、胸からぜいぜいという音が聞こえはじめた。足首も痛い。ロープが食いこんでいたところがずきずきする。十分後、ふくらはぎの筋肉が切り刻まれるように痛みはじめた。それでも休まずのぼりつづけた。そうするしかなかった。ストーンも同じように苦しんでいるはずだ。

斜面《しゃめん》に建ついくつもの家を横目で見ながらのぼっていく。家はどれも、海にむかって建っていた。シャーロックはときどき振《ふ》りかえって、景色をみた。海が大きくうねっている。さっき道路から見たときは緑色っぽく見えたのに、上から見ると一面灰色に見える。ところどころが黒っぽく見えるのは、海底の砂地が深くくぼんでいるところだろう。海岸線をずっとたどっていった先には波止場があって、漁船が何艘《そう》か並んでいる。波の動きに合わせて、マストが上下に動いている。これ以上平和な風景があるだろうか。脚《あし》と胸の痛みは増す一方だが、大きな手に心臓をつかまれているかのような不安感は薄《うす》れてきた。マティも同じように感じているのが、表情でわかる。

石造りのチャペルと墓地を通りすぎた。村でいちばん高い地点だ。そのあとは下り坂。振《ふ》りかえって海を見ると、背の高い草やアザミをかきわけて進む。カモメの声がとぎれることなく聞こえている。振りかえって海を見ると、こんなに高いところまでのぼってきたのかと驚《おどろ》いた。カモメたちを見下ろしている。

きついハイキングを二十分も続けただろうか。のぼり斜面《しゃめん》にはさまれた、谷のようなところに出た。ゆるやかなのぼり坂になった谷間を進んでいくと、左右に切り立った崖《がけ》があらわれた。前を行く少年が軽く振《ふ》りかえる。「ここからがきついから、覚悟《かくご》しな」

その言葉のとおりだった。ゆるやかなのぼり坂を百メートルほど進み、左右の崖《がけ》のあいだが狭《せば》まってきたとき、三メートルくらいの急坂があらわれた。左右の崖《がけ》ほど切り立っているわけではないが、かなりの急坂であることはたしかだ。両手両足を使わないとのぼれない。そこをなんとかのぼりきってから、シャーロックは振《ふ》りかえり、高さに驚《おどろ》いた。はるか遠くに、灰色の空と灰色の海が出会う、黒々《くろぐろ》とした水平線が見えた。

谷はさらに狭《せま》くなり、右に曲がっている。谷の終点があるとしたら、その先にあるのだろう。四人は疲《つか》れた体を引きずるようにして歩きつづけた。

しばらくして、シャーロックはまた振《ふ》りかえった。さっきのぼった坂が途中《とちゅう》まで見えるだけで、あとは空しか見えない。坂が急だったのがよくわかる。

谷間を右に曲がったとき、ようやく一軒《けん》の家が見えてきた。ほかの家と同じく、花崗岩《かこうがん》で作られた家だ。長年の風雨と嵐《あらし》にさらされてきたであろうその家は、まるで斜面《しゃめん》に生えているかに見える。そこは渓谷《けいこく》の行き止まりにあるV字形の土地で、家の前にはさまざまな大きさの岩が散らばっている。長い年月のあいだに、崖《がけ》から落ちてきたものだろう。左右の絶壁《ぜっぺき》の上には、さらにのぼり斜面《しゃめん》が続いている。ここにエイミアス・クロウがいるのだろうか。隠《かく》れ家としては最高の条件だ。近づくには坂をのぼってくるしかないし、しかも正面からしか近づけない。左右も裏も、岩の絶壁《ぜっぺき》に囲まれているのだ。あの絶壁《ぜっぺき》をおりてくるとしたら、相当の命知らずだ。

少年は、家の窓が見えるところで足を止めた。そのうしろにシャーロックとストーンとマティも立ちどまる。すると、窓のひとつがあいて、また閉まった。〝進んでよし〟の合図だろう。シャーロックの脳裏に、窓辺で大きな銃《じゅう》をかまえているエイミアス・クロウの姿が浮《う》かんだ。だれかがこの家に近づいてきて、その人間が正体不明だったり、〝進んでよし〟の合図を待たずに家に入ろうとしたりしたら、引き金を引くにちがいない。

少年が振《ふ》りかえった。「あの人が、入ってもいいって言ってる」

「ありがとう」シャーロックは衝動《しょうどう》的にポケットに手を入れて、六ペンス硬貨《こうか》をとりだした。「おかげで助かったよ」少年に硬貨《こうか》を差しだす。

少年は物欲しげな顔でそれを見た。「おれたち、あの人にたっぷりもらったんだ」手を出そうとしない。「あの人に言われたんだよ。ふたりの主人から金をもらう人間は、どちらの主人からも信頼《しんらい》されないって」

シャーロックはうなずき、硬貨《こうか》をひっこめた。「たしかにそうだね」

少年は口笛を吹《ふ》いて戻《もど》っていった。

「どうする?」マティが言う。

「なにがあったのか、クロウ先生に教えてもらおう」シャーロックはそう言って、家に向かって歩きだした。

⚜ 12 ⚜

わずかな距離《きょり》なのに、歩いていくのがこわい。シャーロックにとって、こんな思いをするのははじめてだった。なにが待っているのかわからない。エイミアス・クロウは、会えたことを喜んでくれるのか。バージニアはここにいるのか、それともどこか別の場所に隠《かく》れているのか。なにより気になるのは、ふたりはファーナムに戻《もど》るつもりがあるのか、それともここを中継地《ちゅうけいち》としてアメリカに帰ってしまうのか。情報が少なすぎて、推測しようがない。そのせいで不安ばかりが募《つの》ってくる。

玄関《げんかん》まで来たときは、心臓がどきどきしていた。閉まっているドアをノックした。

「入ってくれ」なつかしい声が聞こえた。

ドアを押《お》しあけて、中に入った。暗くてよく見えない。これもクロウの作戦のひとつだろう。目が慣れてくると、部屋の奥《おく》にクロウが座っているのが見えた。黒っぽいスーツを着て、銃《じゅう》をかまえている。

「シャーロック、よくやった」クロウは言った。「わたしの残した謎《なぞ》を解いたんだな。きみなら解けると思ったよ」

「難しくはありませんでしたよ」シャーロックは肩《かた》をすくめた。

「まあ、きみならそうだろう」クロウはシャーロックの相棒に視線を移した。「アーナットくん、わたしの仮住まいへようこそ。ストーンくん、きみもだ。よく来てくれた。三人とも、くつろいでくれたまえ。あいにくわたしは窓のそばから離《はな》れられない。これ以上客が来る予定はないんだが、突然《とつぜん》の来客にそなえる必要があるからね。飲み物でもどうかね？　飲み物といっても水しかないが」

「ここまでののぼりがけっこうきつかったからなあ」ルーファス・ストーンが言った。「ありがたくちょうだいしますよ。けど、ビールはないでしょうね。シードルも。いまこの瞬間《しゅんかん》にシードルが一本あったら、生き返る気持ちがするだろうなあ」

クロウは微笑《ほほえ》んだ。「その手のものなら、なにかあるかもしれん」それまでよりも大きな声で言った。「バージニア、出てきていいぞ。お客さんだ」

クロウの背後のドアが開いて、バージニアが出てきた。薄暗《うすぐら》い部屋の中で、赤毛が炎《ほのお》のように輝《かがや》いている。めずらしく照れているのか、うつむいたままだ。しかし、しばらくすると顔をあげて、シャーロックを見た。

バージニアはシャーロックに駆《か》けよってきた。両手で首に抱《だ》きついたかと思うと、シャーロックの唇《くちびる》にキスした。シャーロックは、キスってどんな感じがするんだろう、と前から想像していたが、現実は想像をはるかに越《こ》えていた。抱《だ》きついてきたバージニアの重み。唇《くちびる》のぬくもり。髪《かみ》の香り。そのすべてに圧倒《あっとう》されて、どうしたらいいのかわからなかった。なのに体は勝手に動いて、バージニアにキスを返していた。だれにもキスのしかたを教わったことはないのに。

バージニアがさっと離《はな》れた。シャーロックの体を突《つ》きはなしたわけではないが、うしろに一歩さがった。それでもシャーロックは拒絶《きょぜつ》されたという気持ちにはならなかった。バージニアの両手が、シャーロックの肩《かた》に置かれたままだったからだ。どこまでも引きこまれてしまいそうなすみれ色の瞳《ひとみ》で見つめられたシャーロックは、その目が涙《なみだ》でうるんでいることに気がついた。

「わたしたちを追ってきてくれたのね」バージニアの声は消え入りそうだった。

「当たり前だよ」シャーロックはそれしか言えなかった。ほかの言葉がなかなか出てこない。前もって考えておけばよかった。「きみがいないと生きていけない」

「感動の再会シーンをお邪魔《じゃま》して申し訳ないが」エイミアス・クロウの無粋《ぶすい》な声が響《ひび》く。「話し合うことが山ほどある。ストーンくんはなにか飲まないとエネルギー切れになってしまうらしい。バージニア、お客さんたちのために、飲み物を持ってきてくれるか?」

バージニアはシャーロックの腕《うで》をぎゅっとつかんでから、手を離《はな》した。あとずさりするあいだも、シャーロックと目を合わせたままだった。あの瞳《ひとみ》におぼれてしまいそうだ、とシャーロックは思った。なにか伝えたいことがあるのかもしれないが、それがなんなのかわからない。バージニア自身もわかっていないのだろう。伝えたいことがあるというのが伝わればいいのであって、もしかしたら、その内容は関係ないのかもしれない。

バージニアがうつむいた。シャーロックは、操り糸を突然《とつぜん》ゆるめられた操り人形のようだった。あたりを見まわし、ほかのふたりに目をやった。世界ががらりと変わってしまったみたいに思えた。まったく同じはずなのに、全然ちがう。うまく説明できない。

エイミアス・クロウが奇妙《きみょう》な表情を浮《う》かべてこちらを見ている。もじゃもじゃの眉《まゆ》を片方だけ吊《つ》りあげる。「わたしは握手《あくしゅ》だけで勘弁《かんべん》してもらおうか」

シャーロックは微笑《ほほえ》んだ。「お元気そうでなによりです、おふたりとも。家がもぬけの殻《から》だったので、すごく心配していました」

クロウはうなずいた。「ああするしかなかった。近所でわたしやバージニアのことを嗅《か》ぎまわってるやつがいると知った。わたしはいつもなら、そういうやつがいるとわかったら、自分でそいつに会って、話をつける。だが、そいつの特徴《とくちょう》を聞いたとき、今回ばかりは慎重《しんちょう》に行動すべきだと考えた。そして逃《に》げた」

「そんなに危険なやつなんですか」ストーンが聞いた。「一味のうちのふたりは、シャーロックにこてんぱんにされてましたけどね。片耳のない黒髪《くろかみ》の男と、ジャガイモみたいな顔の男です」

「ネッド・フィロンとトム・ペインだな」クロウは銃《じゅう》をかまえたままだと気がついて、銃《じゅう》をわきに置いた。「やつらは雑魚みたいなものだ。本当に恐《おそ》ろしいのは、やつらの親分なんだ」

「たぶんその男にも会いました」シャーロックは言った。「顔は見えませんでしたけど、声は聞きました。すごく小さな声でしゃべる男でした」

「わたしも見ましたよ」ストーンが言った。「見たのを後悔《こうかい》するくらい、気味の悪い男だった。全身に刺青《いれずみ》があるんです。それも全部、人の名前の」ストーンの視線が一瞬《いっしゅん》バージニアに向いた。クロウは頭を軽く振《ふ》って、黙《だま》っていろよ、という顔をした。それに気づいたのはストーンとシャーロックだけだった。

「ブライス・スコベルだ」クロウは重い口を開いた。「やはり来ていたのか」ため息をつく。手下を送りこんできただけならいいがと思っていたが、甘《あま》かったようだな。自分の手でわたしに復讐《ふくしゅう》したいがために、わざわざアメリカからやってきたわけだ。やつにはファーナムで会ったのかね?」

「残念ながら、エディンバラです」

薄暗《うすぐら》い部屋の中でも、クロウの顔が青ざめるのがわかった。体をぴくりとも動かさない。なにか強い感情にとらわれているんだ、とシャーロックは思った。クロウは片手を伸《の》ばしてテーブルのピストルを握《にぎ》った。視線を窓にやる。だれかが近づいてくれば、かならず見えるはずだ。「じつに甘《あま》かった」クロウは慎重《しんちょう》に言葉を選んでいる。危険な沢《さわ》を石伝いに渡《わた》ろうとしているかのようだ。「きみたちなら追手をまいてここに来てくれるだろうと思ったんだが。やつは、この家のことも知っているのか?」

「いいえ」

「だが、時間の問題だな」クロウはいらだたしげに首を振《ふ》った。「シャーロック、きみともあろう者がどうしてそんなミスをしたのかね」

「行き先がエディンバラだとわかったときのマティとの会話を、敵に聞かれていたんです」シャーロックの神経もぴりぴりしていた。「あの家に盗聴《とうちょう》用の仕掛《しか》けをされていて」

「そうか」クロウはうなずいた。「やるな」

「やつら、来る途中《とちゅう》でストーンさんをさらったんだ」マティが言う。「それから、おれとシャーロックもさらわれて、なんとか逃《に》げだしたんだ」

「逃《に》げだした？」クロウは顔をゆがめた。「そうじゃないだろう。やつらはきみたちをわざと逃《に》がしたんだ」

マティはむっとして言った。「シャーロックは、手下のやつらの――フィロンとペインだっけ――脚《あし》を折ってやったんだぜ」

クロウは肩《かた》をすくめた。「その結果、きみたちのあとをつけてここを突《つ》きとめることができたとしたら、安いものだ。やつならそう思うだろう」

「ぼくも拷問《ごうもん》を受けました」シャーロックは言った。「あのまま拷問《ごうもん》を続けてぼくから情報を得るほうが、手下たちを失うことより簡単だったはずです」

クロウの怒《いか》りはさめていないようだ。しかしピストルからは手が離《はな》れた。「そうかもしれんな。あとをつけられずにここに来たのはたしかなんだな？」

「ええ、まちがいありません」シャーロックはきっぱり答えた。

「そのスコベルってやつ、どういうところがそんなにおっかないんだい？」マティが聞く。「人を痛めつけるのが好きってのはわかったけど、そんな人間はそこらじゅうにいるじゃないか。なにがそんなに特別なのか、わかんないよ」

シャーロックはうなずいた。マティの言葉を聞いて思いだしたのは、ゆすり屋のジョシュ・ハークネスの顔だ。エグランタインさんと組んでいた男。あれも相当ひどい男だったが、ブライス・スコベルはそれ以上の悪党だというのか。

「やつの逸話《いつわ》なら山ほどあるが、ひとつだけ話せばじゅうぶんだろう」クロウの目はシャーロックを見ていない。ほかのだれを見るでもなく、クロウだけに見えるなにかをまっすぐとらえているようだった。「スコベルは南軍の中佐だった。当時からちょっとおかしいやつだったんだが、どういうふうにおかしかったのか――おかしいのか――表現するのが難しいな。悪人という言葉はちょっとちがうんだ。罪悪感ってものを持っていない。同情とか恥《はじ》とか、だれもが持っているような感情を持ち合わせていないんだ。怒《いか》りや喜びという感情もない。まわりのなにごとにも関心を示さず、ただ淡々《たんたん》と生きているという感じだった。そう、関心があるのは、自分がいかに生きぬくかってことだけなんだ。自分は世界でもっとも重要な人物だと心の底から信じているし、自分以外のものは、自分の人生をよりよいものにするための道具にすぎないと考えている」重いため息がつく。「はじめてやつの名前を聞いたのは、ネイティブアメリカンの部族が暴動を起こしたときだ。その鎮圧《ちんあつ》に、やつが駆《か》りだされた。その部族は、南北戦争によるアメリカ国内の混乱に乗じて、まわりの家族や移住者を次々《つぎつぎ》に襲《おそ》い、殺していった。スコベルの当時の上司は、ジョン・チビントン大佐。ふたりは民兵による軍を組織して、アラパホー族とシャイアン族の暴動を鎮《しず》めにかかった」

バージニアが戻《もど》ってきた。トレイにグラスを五つとオートミールのビスケットをのせている。そういえば、バージニアはいつ部屋を出ていったんだろう。クロウの話に夢中になって、だれも気づいていなかった。「バージニアはクロウとルーファス・ストーンにビールを渡《わた》し、シャーロックとマティには水の入ったグラスを差しだした。ビスケットはそれぞれが自分でとった。

「五、六年前のことだった」クロウが話を続ける。「チビントンはもともと牧師だったが、やさしい態度をとるのは仲間に対してだけだった。彼《かれ》はネイティブアメリカンを嫌《きら》っていた。それも、ふつうの人間がサソリや狂犬病《きょうけんびょう》の犬を嫌《きら》うのと同じくらい、激しく嫌《きら》っていたんだ。部下であるスコベルはというと、ネイティブアメリカンを嫌《きら》ってこそいなかったが、この世界に存在するのにふさわしくない下等生物だと考えていた。つまり、ふたりとも、ネイティブアメリカンと融和《ゆうわ》をはかろうなどという思いは、これっぽっちも持っていなかったわけだ。チビントンとスコベルの指揮のもと、民兵たちはシャイアン族とアラパホー族だけでなく、スー族、コマンチ族、カイオワ族も攻撃《こうげき》した」

クロウはビールを口にした。ほかのだれひとり、重苦しい沈黙《ちんもく》を破ろうとはしない。

「苦境に立たされたネイティブアメリカンの人々《ひとびと》は、和平を求めた。そこで、代表者同士の話し合いがおこなわれた。話し合いが終わったとき、ネイティブアメリカンの首長たちは、和平の条約が結ばれたものと思っていた。しかし、それは口約束に過ぎなかったんだ。それから何日もたたないある日のこと、ブラック・ケトルという名の首長が、部族の人々《ひとびと》を連れて、ライアンの砦《とりで》のそばで野営していた。アーカンソー川沿いにいるバッファローを追っているところだった。彼《かれ》らにとって、バッファローは生活の糧《かて》だったんだよ。肉を食べ、皮を衣服にし、脂《あぶら》をとる。ありとあらゆるものにバッファローを利用していた」

クロウはいったん言葉を切り、窓の外を見た。手がピストルに伸《の》びたが、狙《ねら》うべきものは見えなかったらしい。鳥か動物が家の前を横切ったのだろう。手を元の位置に戻《もど》し、続きを話しはじめた。

「ブラック・ケトルの部族は、予定どおりにライアンの砦《とりで》に着いて、七十キロ北にあるサンド渓谷《けいこく》で野営することにした。まわりを低い丘《おか》に囲まれた窪地《くぼち》だった。彼《かれ》らがそこに着いてまもなく、チビントンとスコベルがライアンの砦《とりで》にやってきて、現地の警備司令官に、ブラック・ケトルの部族を襲撃《しゅうげき》するつもりだと話した。警備司令官は、ブラック・ケトルはすでに投降していると答えたんだが、スコベルは警備司令官に、この世からネイティブアメリカンを一掃《いっそう》する絶好のチャンスだと言い、黙《だま》らせた。やつには他人を巻きこむ力があったんだ。翌日、民兵の軍隊は酔《よ》っぱらっていたらしいんだが、チビントンはそれを率いて、ブラック・ケトルの野営地をとりかこんだ。スコベルのアドバイスにしたがって、チビントンは大砲《たいほう》を四機も準備していた」

バージニアがシャーロックのとなりに座り、シャーロックの手に自分の手を重ねた。

シャーロックが、大丈夫《だいじょうぶ》だよというようにその手を握《にぎ》ると、バージニアも握《にぎ》りかえした。

「軍隊が迫《せま》ってきたのに気づいたブラック・ケトルは、降参の白旗をテントにかかげた。

それなのに、なんの警告もなく、また、チビントンとの相談もなく、スコベルが襲撃《しゅうげき》の号令を発した」

クロウは短い間を置いた。部屋の空気は重苦しく、それでいて生気の満ちたものになっていた。

「死と破壊《はかい》が、人々《ひとびと》の上から降りそそいだ」小声で続ける。「男も女も子どもも、大砲《たいほう》やライフルの餌食《えじき》になった。大砲《たいほう》やライフルの弾《たま》がなくなると、スコベルは民兵たちを連れて野営地に乗りこみ、まだ息のある人間をひとり残らず殺していった。ライフルの銃床《じゅうしょう》で殴《なぐ》ったり、ナイフで刺《さ》したりしたそうだ。完全な皆殺《みなごろ》しだった」

「だれかが訴《うった》えなきゃだめだ」シャーロックが言った。「チビントンとスコベルは、平和条約を破ったんですから」

クロウは荒々《あらあら》しく笑った。「平和条約？　そんなもの、どこにある？　書類があるなら見せてみろ」シャーロックが口を開いてなにか言おうとすると、クロウは手をあげてそれを制した。「一年か二年たって、チビントンは軍事法廷《ほうてい》で裁かれ、軍隊をやめさせられた。スコベルは無言で姿を消し、それ以来見つかっていない」

「ひどい……。子どもまで殺すなんて」バージニアが声を漏《も》らした。「どうして？ なんのために？」

「軍事法廷《ほうてい》でも、そのことが問題になった。するとチビントンは『シラミは増える前につぶしておくべきだ』と答えた。わたしにはなぜか、チビントンではなくブライス・スコベルの声が聞こえるような気がするよ。スコベルは、上官であるチビントンに対して、当時の人々《ひとびと》が思っていた以上の影響力《えいきょうりょく》を持っていたんだ」

「つまり」ルーファス・ストーンが言った。「あなたはスコベルに法の裁きを受けさせようとしたわけですね」

「あるいはわたし自身が裁きを下すことになっていた」クロウは淡々《たんたん》と答えた。「アンドルー・ジョンソン大統領からじきじきに、その権限を与《あた》えられたんだ」首を横に振《ふ》る。「三度、スコベルをとらえる寸前まで行った。アメリカ国内の、それぞれ別の場所だった。戦いの中で、仲間たちが――何人もの善良な人間が――命を落とした」

「なにがあったんだい？」息をのんで聞いていたマティが言った。

クロウはマティをまっすぐ見て答えた。「スコベルがどういう人間かがわかる話をしてやろう。三年前、シンシナティでの出来事だ。スコベルがある下宿屋に潜伏《せんぷく》しているのをつきとめたわたしたちは、その周囲をとりかこみ、突入《とつにゅう》した。スコベルは逃《に》げたあとだったが、下宿屋の女主人がベッドに座っていた。手にダイナマイトとマッチを持っていた。わたしたちの姿を見るや、女はマッチをすってダイナマイトに火をつけた」言葉を切り、首を横に振《ふ》った。「わたしたちは急いで退却《たいきゃく》し、爆発《ばくはつ》に巻きこまれずにすんだ。しかしもちろん女は死んだ。あとでわかったんだが、スコベルは女の娘《むすめ》を誘拐《ゆうかい》し、自爆《じばく》しないと娘《むすめ》を殺すと女を脅《おど》していたんだ。そして女は従った」

「娘《むすめ》はどうなったんだい?」マティが聞く。

「解放された。用がなくなったわけだ。娘《むすめ》は母親を失ったわけだが、スコベルにはどうでもいいことだったんだろう」

シャーロックはエイミアス・クロウを見つめた。なにか隠《かく》していることがあるような気がする。

「けど、状況《じょうきょう》がひっくりかえったのはどうしてですか? もともとはクロウ先生がスコベルを追いかけていたのに、いまはスコベルが先生を追いかけてる。なにがあったんですか?」

クロウはシャーロックをまっすぐ見据《みす》えた。「シャーロック、きみは相変わらず鋭《するど》いな。

そう、状況《じょうきょう》が変わるような出来事があったんだよ。さっき、スコベルとの戦いの中で仲間たちが死んだと言ったが、それはスコベルにとっても同じことだった。やつは……」クロウはバージニアに目をやった。「バージニア、これはおまえにも話したことがない。おまえはこの話を聞いて、わたしを軽蔑《けいべつ》するかもしれん。だが、それならそれでしかたがない。本当のことなのだからな」

クロウはひとつ息をついた。話す勇気をふりしぼっているかのようだ。シャーロックはいつのまにか息を止めて、話がはじまるのを待っていた。

「ブライス・スコベルには妻と子がいた。妻子に対する愛情はなかっただろう。やつが愛という感情を知っているとは思えないからな。だが、それに近い思いは持っていたかもしれん。ふたりはスコベルにとって特別な存在だった。持ち物と言ったほうがいいのかもしれないが、実際のところは、わたしにはよくわからん。ある日、わたしたちは、フェニックスの農家に、スコベルとボディガードたちを追いつめた。やつらはわたしたちを撃《う》ってきた。わたしたちも応戦した。その銃撃戦《じゅうげきせん》で、わたしたちの仲間もふたり死んだが、スコベルの妻子も死んだ。やつの妻子がそこにいるとは、わたしたちは知らなかった。スコベルはいつものように、その場から姿を消した。しかしそのとき、わたしへの復讐《ふくしゅう》を誓《ちか》ったらしい」クロウは顔をしかめた。「一ヶ月後、メッセージが届いた。スコベルからだ。わたしの妻と子を、わたしの目の前で殺す、そう言ってきたんだ。具体的なやりかたまで書いてあった。まともな人間ならとても頭に浮《う》かばないようなやりかただ。スコベルは——あの男は——こうと決めたら絶対にそれをやりとげる人間だ。ジョンソン大統領の許可を得て、わたしはそれまでの仕事をやめ、イギリスに渡《わた》った」

「そして、スコベルが追ってきた。そういうことなんですね」クロウの告白のあとに広がった沈黙《ちんもく》を、シャーロックは破った。

「さっきも言ったように、やつがこうと決めたことは実現する」

「どうして助けを求めなかったんです?」ルーファス・ストーンが言った。「マイクロフト・ホームズに言えば、自宅に護衛をつけてくれたはずです。それがだめでも、町の人間を雇《やと》うことができたのでは?」

「永遠にそんなことが続けられると思うか? マイクロフトくんが二十四時間のボディガードをつけてくれたとしても、一時的なものになるだろう。いずれ、その人材を、もっと重要な任務に割り当てる必要が出てくる」クロウは首を左右に振《ふ》った。「ブライス・スコベルは辛抱《しんぼう》づよい男だ。粘《ねば》りづよくて、とても悪知恵《わるぢえ》が働く。みんなが飽《あ》きて面倒《めんどう》になるのを待ち、それから攻撃《こうげき》をしかけてくるだろう」

「けど、危険な男ならいくらでも相手にしてきたんじゃないんですか?」シャーロックは聞いた。どういうことなのか、まだわかっていなかった。逃《に》げずに戦えばよかったじゃないか、と思ってしまう。シャーロックにとってクロウは、どんな困難にも立ちむかい、けっして逃《に》げない男というイメージなのだ。正直、いまの話を聞いてがっかりしていた。

「ウォータールーの地下トンネルで、ぼくを殺そうとした男と戦ってくれましたよね。首をへし折ったかと思いました。あのときの先生は、おそれなんか知らないように見えました。ああいう男たちとスコベルは、いったいなにがちがうんですか?」

「危険な人間には何度も出会ったことがある。世界でも指折りの屈強《くっきょう》な男たちとも戦った。しかし、ブライス・スコベルは、そういうやつらとはちがう。まったく別の生き物なんだ。うまく説明できないが、なんというか……人間じゃない、とでも言ったらいいだろうか。たいていの人間は、殺されたくない、痛い思いをしたくない、と思うものだし、それが戦う力になる。だが、スコベルはちがう。やつはなにも恐《おそ》れていない。痛みを感じない人間だというわけではない。痛みを感じることは感じるが、気にしないんだ。平気でやりすごしてしまう。そして、痛みを記憶《きおく》しない。ふつうの人間は、顔面を何度も殴《なぐ》られれば、同じ痛みを味わいたくなくて、腰《こし》が引けてくるものだ。スコベルの場合は、殴《なぐ》られれば、殴《なぐ》られたこと自体は忘れないが、痛みは忘れてしまうから、もうやられないようにしようとは思わない。殴《なぐ》られて倒《たお》れても、立ちあがる。何度でも立ちあがる。何度でも反撃《はんげき》してくる。戦うロボットみたいなものだ」クロウは言葉を切り、首を振《ふ》った。「おかしな話をしていると、自分でも思う。だが、ブライス・スコベルと戦うのは、一種のダーク・フォースと戦うようなものなんだ。やつを止めることはできない。やつが馬鹿ならまだいいが、やつは利口だ。わたしの知っている中でも指折りの、頭のいい男だ。チェスで何手も先まで読むように、相手の動きを先の先まで読みとることができる。そして、自分と似たタイプの手下でまわりを固めている」

「お父さん、名前を彫《ほ》るってどういうこと?」それまで黙《だま》っていたバージニアが唐突《とうとつ》に言った。「どうしてそんな刺青《いれずみ》を入れるの? どういうこと?」

「執着《しゅうちゃく》だな」クロウは暗い顔で答えた。「聞いた話だと、南軍に加わったときのスコベルは、腕《うで》に名前が三つ彫《ほ》られているだけだったそうだ。なんなんだと人に聞かれたとき、やつは、それまでに殺した人間の名前だと答えた。そのとき、まだ十八歳《さい》だったたってのに。殺した人間の名前と日付を、皮膚《ひふ》に永遠に刻印したってわけだ。忘れないように、ということらしい。もちろん、戦争中は、殺した敵兵の名前なんてそう簡単にわかるものじゃない。そこで、あとから調べたそうだ。どこ出身で、なんという名前か。戦った連隊の名前をもとに、調査したんだろう。南北戦争が終わってから、やつは大金を払《はら》って、ある特定の場所と日時に戦死した北軍の兵士の名前を調べた。殺したネイティブアメリカンの名前も全部調べた。ブラック・ケトルの名前は首のうしろに彫《ほ》られている。要するに、これはスコベルのこだわりなんだ」

「赤く彫《ほ》られた名前があった。あれはどういう意味なんです?」ストーンが聞いた。

クロウはストーンをにらみつけた。そのまなざしには、バージニアの名前を出すなよ、というクロウの思いがこめられていた。「赤字の名前は、これから殺そうとしている人間だ。スコベル流の死亡宣告ってわけだな。そしてその人間を殺すと、その名前を黒く彫《ほ》りなおす」窓に目をやる。「わたしの名前は腕《うで》に彫《ほ》ってあるらしい。腕《うで》ならいつでも見えるからな」

ストーンは眉《まゆ》をひそめた。「頭のいい男にしては、馬鹿なことをしたものだ。ブライス・スコベルは大きなミスを犯していたんですね。クロウさんに追われていたということは、アメリカ政府そのものから追われていたようなものなのに、わざわざそんな奇妙《きみょう》な刺青《いれずみ》なんか入れていたとは。わたしはここにいますよと言っているようなものだ。わたしが同じ立場だったら、髪《かみ》をブロンドに染めて、人目を避《さ》けて暮らすだろうな。名前の刺青《いれずみ》を増やすなんて、もってのほかです」

「あの男にとって、刺青《いれずみ》は強迫《きょうはく》観念みたいなものなんだろう」クロウが答える。「やらずにいられないんだ。それに、手袋《てぶくろ》をはめて、顔と首に特殊《とくしゅ》メイクをほどこせば、刺青《いれずみ》など簡単に隠《かく》すことができる」

「で、どうするんだ?」マティが聞いた。「これから」

「なにもしない」クロウは答えた。「バージニアとわたしはこの国を出て、どこかよその土地に行く。名前を変え、できるかぎり外見を変えて、暮らしていく。きみたちはファーナムに戻《もど》り、わたしたちのことを忘れて暮らしてくれ」

シャーロックは頭をがつんと殴《なぐ》られた気分だった。視線がバージニアに向かう。「そんなこと、できません」小声で言った。

ストーンが眉《まゆ》をひそめた。「わからないな。わたしたちの助けを必要としているのでなければ、どうしてエディンバラに行くというメッセージを残したんですか」

クロウは一瞬《いっしゅん》目を閉じた。「きちんとお別れを言いたかったからだ。それと、わたしたちが逃《に》げる理由を、面と向かって話しておきたかった。どれほど恐《おそ》ろしい敵を相手にしているのか、わかってもらいたかった。逃《に》げても逃《に》げても、スコベルは追ってくるだろう。そして目的を遂《と》げる。逆襲《ぎゃくしゅう》してスコベルをつかまえてしまえばいい、そう思うかもしれないが、やつは頭のいい男だから、そんなことは無理だ。気配を消してどこかにじっとひそみ、わたしの注意が薄《うす》れるのを待つだろう。罠《わな》をかけてくるだろう」

沈黙《ちんもく》が流れた。部屋にいる全員が、クロウの言ったことを必死で理解しようとしている。

「問題がふたつあります」シャーロックが沈黙《ちんもく》を破った。

クロウが片方の眉《まゆ》を吊《つ》りあげる。「なんだね?」

「ひとつは」シャーロックはクロウに気おされることなく続けた。「クロウ先生がどこへ逃《に》げても、ブライス・スコベルは先生を追いかけつづけるでしょう。そんなに頭がよくて執念深《しゅうねんぶか》い男なら、どれだけ時間をかけても、必ず先生の居どころをつきとめます」

「そのとおりだ」ストーンがうなずく。

「もうひとつはなんだ?」マティが聞く。

「クロウ先生が、この件をハンティングと同じようにとらえているということです」

シャーロックは言葉を切り、頭の中を整理した。「いままで教わったことから、先生が人間を動物のように考えているのはわかっています。獲物《えもの》をとらえるには、獲物《えもの》の習性をもとに、その動きを予測しなければならない。存在の気配や痕跡《こんせき》をさがさなければならない。動物は必ずなんらかの痕跡《こんせき》を残すものだ、という考えかたです」

「ああ、それがわたしの昔からの考えかただ。人間は動物の一種だからな。そしてそれが実際に役立ってきた。シャーロック、なにが言いたい?」

「ブライス・スコベルは動物ではない、ということです。追う追われるの立場が逆転して、いまはスコベルがクロウ先生を動物と考え、先生の痕跡《こんせき》をたどり、先生をおびえさせています。だから、先生のいつものやりかたは通用しません。ゲームはひっくりかえされたんです」

「やつはわたしより賢《かしこ》い、そう言いたいのか?」クロウは挑《いど》むように言った。もじゃもじゃの眉《まゆ》の下で、両目がきらりと光る。

「はい」シャーロックは率直に答えた。「ゲームがひっくりかえされてしまったんですから、同じゲームを続けていてはだめだと思います。スコベルがハンターとして先生よりすぐれているなら、ハンティングはやめましょう。スコベルのほうがゲームがうまいなら、ゲームはやめましょう。戦いかたをやつに選ばせてはいけません。ルールを変えてやりましょう」

「言うのは簡単だが」クロウはうなったが、顔にはかすかな驚《おどろ》きが浮《う》かんでいた。

「スコベルがクロウ先生をさがしているなら、隠《かく》れてはいけません。それは敵の予想どおりの行動なんです。先生が表に出て堂々《どうどう》としていれば、スコベルは、なにかがあったんだろうといぶかるでしょう。罠《わな》かと思って距離《きょり》をとるはずです」

「それからどうする?」

「敵がなにかミスをするのを待って、形勢を逆転してやりましょう」

クロウはゆっくりうなずいた。「ハンティングのゲームで負けそうなら、ルールを変えてやれ、か」

「敵の頭がいいなら、そして冷酷《れいこく》なら」シャーロックは強い口調で言った。「頭のいい者や冷酷《れいこく》な者が勝つとは限らない、そういうゲームをするべきです」

クロウは微笑《ほほえ》み、なにか言おうとして口を開いた。しかしそのとき、屋根からごとりという音がした。クロウの視線が上を向く。手はピストルをつかんでいた。視線が窓に戻《もど》る。シャーロックもクロウの視線を追った。家の前の狭《せま》い斜面《しゃめん》にはなにも見えない。しかし、なにかが変わった。においだ。なにかが……燃えている。

「煙《けむり》だ！　煙《けむり》のにおいがします！」

エイミアス・クロウはすばやく窓辺に行った。「なにもないが」

シャーロックはドアに目をやり、さらに家の中全体を見まわした。気のせいだったのか。いや、空気がかすかに白っぽくなったんじゃないか？

「スコベルだ！　火をつけたんだ！」

「どうやって？」ストーンが言う。「人の姿は見えないぞ。それに、どうやってここを見つけたんだ？」

「ここに近づく必要はないんです。上から火種を落とせばいい。屋根がわらぶきだから、あっというまに燃えひろがってしまう！」

13

「逃《に》げよう！」マティが叫《さけ》んだ。「外に出なきゃだめだ！」

シャーロックはバージニアの手をとり、確実にドアへ連れていこうとした。しかしクロウに肩《かた》をつかまれた。「スコベルが待ちかまえてるぞ！　ライフルをかまえてるにちがいない。出ていけば、ウサギみたいに撃《う》たれて死ぬだけだ」

シャーロックの頭を、ファーナムのエイミアス・クロウの家で見た、頭のないウサギの死骸《しがい》がちらついた。あんなふうになりたくない。

「しかし、どうしようもない」ルーファス・ストーンが言った。「ここにいれば生きたまま焼かれてしまう」

わらがぱちぱち音をたてて燃えている。巨大《きょだい》な手で小枝を折っているような音だ。煙《けむり》がドアから入ってくる。息苦しいほどになってきたし、視界もきかない。

「ぼくたちがこのまま焼け死ぬのを、スコベルは望んでいないはずだ」シャーロックがふと思いついて言った。

どういうことだ、と言うようなクロウの視線を感じる。

「やつはクロウ先生に復讐《ふくしゅう》したいんです。先生が火事なんかで死んだら、復讐《ふくしゅう》した気にならないでしょう。焼け跡《あと》を見て、先生がここにいたかどうかがはっきりわからなかったとしたら、なおさらです」

「じゃあ、どうするつもりなんだろう」ストーンが咳《せ》きこみはじめた。

「外におびきだすつもりでしょう。斜面《しゃめん》の途中《とちゅう》に、銃《じゅう》を持った手下を待たせているはずです。そしてぼくたちを生け捕《ど》りにする」

「だけど、出ていくしかないじゃないか！」マティが叫《さけ》ぶ。

クロウはかぶりを振《ふ》った。「そうとも限らない。岸壁《がんぺき》をのぼるルートがあるんだ。ここから少し離《はな》れてるから、そこまでの坂を無事におりていければの話だ。ルートは見つけにくいが、わたしが行けばわかるだろう」

ストーンは口元をおおって、また咳《せ》きこんだ。「そこまで行けるかどうかが問題だ。スコベルの手下たちがそのへんに控《ひか》えてるだろう」

「ぼくに考えがあります」

シャーロックは玄関《げんかん》のドアに駆《か》けよった。クロウとストーンがすぐあとに続く。マティとバージニアもそのあとについた。シャーロックがドアを大きくあけると、新鮮《しんせん》な空気に煙《けむり》が吸いだされたかのようだ。大量の煙《けむり》が外に吐《は》きだされた。上の岩山でようすを見ているであろう男たちも、変化に気づいたはずだ。

家の前にはさまざまな形と大きさの岩がごろごろしている。そこを過ぎて六メートルも進めば、三メートルくらいの急な下り坂。両手両足を使わないと上り下りできない場所だ。その下に地面がくぼんだところがあった。おそらくそこに、スコベルの手下たちがひそんでいるのだろう。

「助けて！」シャーロックは叫《さけ》び、大きな岩のひとつを押《お》しはじめた。

シャーロックの意図を読みとったストーンとクロウも、それぞれ岩を動かしはじめた。シャーロックが押《お》しているのより大きなやつだ。マティとバージニアはシャーロックのかたわらに行き、岩を押《お》すのを手伝った。

シャーロックは岩に肩《かた》をあてて、足をふんばった。ロープをかけられていた首と足首がずきずき痛む。しかし痛みを無視して押《お》しつづけた。岩が動いた。手前がわが地面から浮《う》きあがる。

「動いたぞ！」

なにかがひゅうっと音を立てて、シャーロックの耳をかすめていき、すぐそばの地面に刺《さ》さった。シャーロックは驚《おどろ》いて岩から手を離《はな》した。浮《う》いていた岩が、また元のくぼみにはまってしまった。どんという低い音がする。地面に落ちたものに目をやった。最初は棒切れだと思ったが、よく見ると、端《はし》に羽根がついている。地面から引きぬくと、先端《せんたん》は矢のようにとがっていた。

上に目をやった。V字形の崖《がけ》の上に、男たちのシルエットが見える。それぞれ、なにか十字型のものを持って、ライフルのようにそれをかまえ、こちらを狙《ねら》っている。

クロスボウだ。実物を見たことはないが、写真を見たことがある。ライフルに小型の弓をつけたようなもので、金属でできた小型の矢を、ものすごい速さで射ることができる。金属のよろいも貫《つらぬ》く破壊力《はかいりょく》があるという。

「逃《に》げろ！」マティが叫《さけ》んで、家のほうに駆《か》けだした。

「本気で狙《ねら》ってるわけじゃない。ぼくたちがあわてて逃《に》げだすように仕向けてるだけだ！」シャーロックは叫《さけ》び、マティにかまわず岩をふたたび押《お》しはじめた。「忘れるな、やつらはぼくたちを簡単に死なせたくないと思ってるはずだ！」岩が持ちあがって、むこうがわに傾《かたむ》いた。あとひと押《お》しで斜面《しゃめん》を転がりおちる。

いいぞ、転がれ！

クロスボウの矢がさらに飛んできて、まわりの地面に突《つ》きささる。しかしシャーロックはそれを無視して、全力をこめて岩を押《お》した。岩は草地を転がりだし、斜面《しゃめん》でスピードを増し、軽くはずんで、下の窪地《くぼち》に着地した。エイミアス・クロウの岩も転がりはじめた。大きな岩なので、あまりはずまない。地面に跡《あと》を残しながら転がるうちに、ものすごいスピードになった。

ストーンの岩も転がりだしたが、シャーロックやクロウの岩とはちがって、斜面《しゃめん》を斜《なな》めに進み、崖《がけ》のふもとに近づいていく。そのまま止まってしまうんじゃないか、とシャーロックは思ったが、岩は岸壁《がんぺき》に当たってはねかえった。途中《とちゅう》にあった小さめの石を伴《ともな》って、斜面《しゃめん》に消えていった。

二、三秒たつと、あわてたような声と悲鳴が下から聞こえた。岩はボーリングの球みたいに斜面《しゃめん》を転がって、ボーリングのピンみたいに並んでいたブライス・スコベルの手下たちをなぎ倒《たお》したにちがいない。脚《あし》の何本かは折れたかもしれない。シャーロックはにやりと笑った。

「もっと落としてやろう！」シャーロックは叫《さけ》び、次の岩の下に両手をかけて、持ちあげた。岩は簡単に持ちあがったので、砲丸《ほうがん》投《な》げのように投げてやった。地面に落ちた岩は大きくはずみ、坂を転がって見えなくなった。マティとバージニアは小さめの石をどんどん投げている。エイミアス・クロウとルーファス・ストーンは、今度も大きい岩を転がした。

さらに二本、クロスボウの矢が地面に突《つ》きささった。あたりに土が飛びちる。敵は、シャーロックたちがおびえていないことに気づいたらしい。だれかを本気で狙《ねら》ってきたらどうしよう、とシャーロックは思った。しかし、そんな命令はされていないはずだ。その後も矢はぽつぽつと降ってきたが、もう怖《こわ》いとは思わなかった。

下から派手な悲鳴が次々《つぎつぎ》に聞こえるようになった。スコベルの手下が何人いるのかわからないが、おそらく全員がひどいけがをして動けなくなったか、そうでなくてもおびえてなにもできなくなっているはずだ。火事とクロスボウを恐《おそ》れて逃《に》げてきた五人をつかまえるだけ――そう思っていたのだろうが、人間ではなく岩が降ってきたのだから、驚《おどろ》いたことだろう。

「行こう!」シャーロックは叫《さけ》んだ。

クロウとバージニアとマティとストーンを従えて、シャーロックは、転がした岩のあとを追うようにして斜面《しゃめん》をおりはじめた。のぼってきたときよりも急勾配《きゅうこうばい》に感じられる。体のコントロールがきかなくなってきた。濡《ぬ》れた草で足が滑《すべ》る。スピードを落とそうとすると、うしろからエイミアス・クロウがつっこんできて、前に突《つ》きとばされる格好になってしまった。

斜面《しゃめん》を駆《か》けおりる途中《とちゅう》、ブライス・スコベルの手下たちの姿が見えた。窪地《くぼち》のところに五人いる。四人は切り傷だらけで、血を流している。傷の程度がどれくらいなのかはわからないが、そのうちふたりは、クロウとストーンが落とした岩の下敷《したじ》きになり、動けないようだ。無事らしいひとりは、仲間を助けようとしているものの、どうしていいのかわからないといったようすだ。足もとにクロスボウが散らばっている。

シャーロックはそのままそこを駆《か》けぬけようとした。いまなら敵はこちらの存在に気づいていない。振《ふ》りかえると、クロウとストーンがスピードを落とし、マティとバージニアを誘導《ゆうどう》していた。ふたりを先に行かせて、あとから駆《か》けてくる。スコベルの手下のひとりが、手さぐりでクロスボウをつかもうとしている。シャーロックはそれを蹴《け》とばして、手が届かないようにしてやった。

走りつづける。男たちはついてこない。

崖《がけ》の上からのクロスボウは、まだときおり飛んできて、地面に刺《さ》さったり岩に当たったりしている。距離《きょり》も角度もあるから、大丈夫《だいじょうぶ》、当たりっこない——シャーロックはそう信じて走った。

気分が高揚《こうよう》していた。エイミアス・クロウを助けることができたのだ。

「バージニア！　シャーロック！　こっちだ！」

シャーロックは足を止めずに振《ふ》りかえった。エイミアス・クロウが五十メートルほどうしろに立っている。そのそばの崖《がけ》に階段らしきものが見える。通りすぎたときはまったく気づかなかったものだ。バージニアもそうだったのだろう。しかしストーンとマティはもうのぼりはじめている。さっきクロウが言っていた、秘密のルートにちがいない。シャーロックがあわてて止まると、バージニアも止まった。ふたりでクロウのところまで戻《もど》ろうとしたとき、スコベルの手下のうち三人が走ってくるのが見えた。服も顔も血だらけだ。さっきの窪地《くぼち》にいた男たちなのだろう。殺気を感じる。スコベルに与《あた》えられた命令などうでもいい、仕返ししてやらないと気がすまない、という顔をしている。

クロウはシャーロックの視線に気づいて、うしろを振《ふ》りかえった。その肩《かた》に力が入るのがシャーロックにもわかった。ふたたびシャーロックとバージニアのほうを見たクロウの目には、怒《いか》りと恐怖《きょうふ》の色が浮《う》かんでいた。どうやら、頭の中でシャーロックと同じ計算をしたらしい。男たちは坂をくだってくる。シャーロックとバージニアがクロウのところへ戻《もど》るとしたら、坂をのぼることになる。どう考えても、敵のほうが早くクロウのところに到着《とうちゃく》するだろう。シャーロックは、友人であり家庭教師でもあるクロウの手腕《しゅわん》を高く評価しているが、さすがのクロウでも、スコベルの手下が三人がかりで向かってきたら、勝ち目はないだろう。三人とも、かんかんに怒《おこ》っているのだ。しかも、武器を持っているかもしれない。

「行ってください！」シャーロックは叫《さけ》んだ。「ストーン先生とマティを頼《たの》みます！　ぼくはバージニアと逃《に》げます！」

「だめだ！」クロウは叫《さけ》んだ。顔が蒼白《そうはく》になっている。

「それしかありません！」シャーロックはまた叫《さけ》んだ。振《ふ》りかえると、バージニアはシャーロックと父親を交互《こうご》に見ていた。「ぼくについてきて。おりていくよ！」

バージニアは父親に目をやった。クロウはもうだめだ、という顔をしている。そのまま何時間もたったように思われたが、実際には一秒もたっていなかっただろう。クロウはうなずいた。

バージニアはシャーロックのもとに駆《か》けよった。クロウは秘密のルートを進んでいく。その巨体《きょたい》からは想像できないほどのスピードだった。

バージニアはシャーロックの手をつかみ、走りだした。飛ぶように坂をおり、追手を引きはなしていく。

シャーロックは一度だけ振《ふ》りかえった。といっても、走りながらなので、顔を半分うしろに向けただけだ。エイミアス・クロウとストーンとマティの姿は岩陰《いわかげ》に隠《かく》れて、もう見えなくなっていた。敵はクロウがそっちに行ったのを見ていたのか、ふたりがあとを追っていった。ひとりが斜面《しゃめん》をおりてくる。

平らなところまでおりてきた。左手に、のぼるときに見たチャペルがある。もうすぐ町だ。このまま追手をまくことができるだろうか。それとも別の男たちが下で待っているんだろうか。

バージニアはシャーロックの手を握《にぎ》り、チャペルのほうに引っぱった。「あそこに隠《かく》れましょう」息がはずんでいる。

いまにも倒《たお》れそうな角度まで傾《かたむ》いた、苔《こけ》むした墓石がある。そのうしろに身を隠《かく》した。完全に隠《かく》れるには、バージニアと密着しなければならない。シャーロックの首のうしろにバージニアの呼吸がかかってくる。呼吸は浅いが、温かかった。

岩場を走る足音が聞こえ、遠ざかった。

「もう大丈夫《だいじょうぶ》かな」なにも聞こえなくなってから二、三分たって、シャーロックは言った。

「お父さんやストーン先生やマティに会えるかしら」

シャーロックはうなずいた。「会えるさ」

振《ふ》りかえると、目の前にバージニアの顔があった。三センチと離《はな》れていない。キスしたい、とシャーロックは思った。しかしその気持ちを抑《おさ》えて、「行こう」と言った。

ハリエニシダとヒースを踏《ふ》みながら進んだ。靴《くつ》に茎《くき》がからみついてくる。バージニアはシャーロックより歩きやすそうな靴《くつ》を履《は》いていて、どんどん前に歩いていく。シャーロックは懸命《けんめい》についていった。

あたりのようすをうかがいながら、建物があればその陰《かげ》に目を光らせ、低い塀《へい》があればゆっくり近づいた。だれかがこっちを見ているんじゃないか、それぱかりが気になった。しかし、だれにも出会わない。奇妙《きみょう》なほど、あたりに人気《ひとけ》がないのだ。どこかから人が突《とつ》然《ぜん》飛びだしてくるんじゃないか、こっちを指さして大声をだすんじゃないか、とシャーロックはびくびくしていたが、そんなことは起こらなかった。

もう夕方だった。ヒースの野原にふたりの長い影《かげ》が落ちて、紫《むらさきいろ》色の花が、さらに濃《こ》い紫《むらさき》色に染まっている。ひんやりした空気に花の香りが漂《ただよ》っていた。季節はずれのミツバチが、花粉を求めて飛びまわる。

「なにを考えてるの?」

シャーロックは振《ふ》りかえった。バージニアがこちらを見ている。シャーロックが考えこんでいるのに気づいたらしい。

「ミツバチのことを考えてた」シャーロックは答えた。

「ミツバチ?」バージニアは信じられないというふうに首を振《ふ》った。「みんなと離《はな》ればなれになって、人殺し軍団に追われてる。そんなときに、ミツバチ? どういうことなの？」

シャーロックは肩《かた》をすくめた。わかってもらえるかどうか、急に不安になった。「ミツバチの行動は理解できる。単純だし、ひとつひとつの行動に、ちゃんとした理由がある。ぜんまい仕掛《じか》けの機械みたいなものだよ。だから理解できる」

「人間は理解できない、そう言いたいの？」

シャーロックはすぐには答えず、歩きつづけた。「どうしてこんなことが起きてるんだろう？」唐突《とうとつ》に言った。「まず、ブライス・スコベルはネイティブアメリカンがきらいだった。だったら自分がネイティブアメリカンがいないところに行けばいいのに、スコベルはそうせず、ネイティブアメリカンを大量殺戮《さつりく》した。そして、きみのお父さんはスコベルをつかまえるよう命じられ、その目的を果たすことに執着《しゅうちゃく》しすぎた結果、たくさんの人を死なせることになってしまった。そして、そのせいで、スコベルが復讐《ふくしゅう》の鬼《おに》になり、きみのお父さんを追ってイギリスにまでやってきた。世界のどこかでひっそり平和に暮らしていればよかったのに、そうしなかった。どれも、ぼくには理解できないことばっかりだ！　みんなが理性的にものを考えて暮らしていれば、こんなことにはならなかった」

「スコベルは気が触《ふ》れているのよ、お父さんはそう言ってたでしょ」バージニアは穏《おだ》やかに応じた。「良心も罪悪感もない。自分の望みをかなえるためなら、どんなことでもする」

「気が触《ふ》れている、か。そのことはわきに置いておこう」シャーロックは自分の父親のことを思いながら、小声で続けた。「この事件全体の中で、その点だけは理解できるんだ。良心も罪悪感もないからなんでもできるっていうのは、理にかなってる」

「理にかなっていればいいってものじゃないわ。それに、世の中のみんながそうなってしまったら、文明なんて崩壊《ほうかい》してしまう。世の中はカオスに支配され、強い者しか生き残れなくなってしまう」

ふたりはしばらく、黙《だま》って歩きつづけた。シャーロックはバージニアの視線を感じていたが、気持ちをどう伝えたらいいのかわからなかった。

突然《とつぜん》、視界の中でなにかが動いた。同時に大きな音がして、ふたりははっとした。しかし、茂《しげ》みから鳥が飛びたっただけだとわかった。

さっき見た石の塀《へい》のところまでやってきた。シャーロックはちらりとうしろを見た。人気《ひとけ》のない風景が見えるだけだと思っていたが、そうではなかった。チャペルのそばを何人かの人が歩いている。距離《きょり》があるので、地元の人たちなのか、スコベルの手下たちなのか、わからない。リスクは避《さ》けるのが賢明《けんめい》だろう。と思ったとき、バージニアに腕《うで》をつかまれて、塀《へい》のほうに引っぱられた。塀《へい》は低くて、腰《こし》くらいまでしかない。バージニアはそれを軽やかに跳《と》びこえて、あっというまに姿を消した。シャーロックもそれに倣《なら》って、バージニアの隣《となり》にうずくまった。

地面にひざをつき、塀《へい》の上からチャペルのほうをのぞき見る。まだ人がいる。

「行きましょう」バージニアが言った。「じっとしてるわけにはいかないわ。お父さんに合流しなきゃ」

「そうだね。けど、気をつけて。見られないように」

ふたりは身を低くして、塀《へい》の陰《かげ》に隠《かく》れながら移動した。だれにも姿を見られたくない。

シャーロックは前方に目をやった。遠くのほう、起伏《きふく》した道のむこうに、ちょっとした森がある。

「行こう。暗くなる前に安全なところまで出たほうがいい」

緊張感《きんちょうかん》はあるものの、森への道のりは退屈《たいくつ》そのものだった。朝からいろいろありすぎて、体がへとへとだ。足を一歩ずつ前に出すことがこんなにつまらない作業だとは思ったことがなかった。路上の石ころに何度もつまずき、穴に足をとられ、何度も転びそうになっては、バージニアに笑われた。

周囲の状況《じょうきょう》には気を配っていた。なにか動くものがあれば、だれかに見つかったということだ。しかし、空に弧《こ》を描《えが》く鳥たちや、ときおり姿を見せるウサギのほかには、立派な雄《お》ジカが地面の小高いところにあらわれただけだった。葉の落ちた大枝のように大きく広がった角が印象的だった。シカは平然としたようすでシャーロックたちをながめると、頭を反対側に動かした。自分をおびやかす存在ではない、と判断したのだろう。そして、足元のヒースを食べはじめた。

空の色は青から藍《あい》へ、藍《あい》から黒へと変わっていく。星がまたたきはじめた。ひとつ、ふたつ……あっというまに数えきれないくらいになった。

さっきの雄《お》ジカの姿が思いだされる。こちらの存在を気にするのをすぐにやめて、草を食べていた。おなかがすいた、とシャーロックは思った。そんな言葉では足りないくらいだ。朝食のあとは、さっき隠《かく》れ家《が》でオートミールのビスケットを食べただけなのだ。

バージニアが唇《くちびる》を噛《か》んでいる。おなかがすいているんだろう。

どうしたらいい？　次にウサギがあらわれたら、つかまえてみようか。いや、無理に決まってる。マティのナイフを——いまもポケットに入っている——投げたら当たるかもしれない。投げナイフはお祭り会場で見たことがあるが、やりかたがわからない。たぶん、うまく回転をきかせて投げないと、まっすぐ飛んでいかないだろう。マティのナイフは柄《え》の部分がごついから、バランスをとるのが難しそうだ。的に当たるとは思えない。

エイミアス・クロウとの最初のレッスンを思いだす。ホームズ荘《そう》をとりまくハンプシャーの森で、食べられるキノコと毒キノコの見分けかたを教えてくれた。どこかにキノコが生えていないだろうか。見まわしたが、草地でキノコが見つかる可能性は低そうだ。森に入れば、腐《くさ》った木や落ち葉のそばで見つかるかもしれない。

森まであとどれくらいだろう。一キロ近くあるだろうか。

「ねえ」バージニアが言った。「今夜、あそこで寝《ね》るのはどう?」

シャーロックはバージニアが指さした先を見た。はじめはなにも見えなかったが、よく見ると、木立の陰《かげ》に小さな石の小屋がある。誰《だれ》かの家かと思ったが、すぐにちがうとわかった。家にしては小さすぎるし、窓にガラスもなければ、出入り口にはドアもない。羊飼いが嵐《あらし》を避《さ》けるための避難所《ひなんじょ》みたいなものだろう。

「よく見つけたね」

「食べものがどこかで見つかるといいんだけど。ずっと歩いてきて、おなかがすいちゃった」

シャーロックはちょっと考えた。バージニアの安全な居場所を確保できたら、ひとりでキノコをさがしにいってもいい。

そう伝えると、バージニアは不安そうな顔をした。「キノコ? 毒キノコだったらどうするの?」

「信じてくれよ。きみのお父さんに見分けかたを教わったんだ」

バージニアは眉《まゆ》を片方だけ吊《つ》りあげた。「なるほどね。でも、お父さんの言ったことを全部信じていいと思ってるの？」

「確かめる方法はただひとつさ」

「じゃ、わたしはたき火用の木切れでも集めてくるわ。そのあいだにあなたがキノコをとってくればちょうどいいわね」

「けど、大丈夫《だいじょうぶ》かな。ぼくたち、追われてるんだよ」

バージニアは不満そうな顔で言った。「自分の身くらい自分で守るわよ」

ふたりは小屋に入ってみた。部屋はひとつきり。隅《すみ》に落葉がたまっているが、造りはしっかりしているようだ。かまどもある。でこぼこになったフライパンや金属の皿も置いてあった。

「あまり遠くまで行かないでね」

シャーロックは肩《かた》をすくめた。「といっても、なにか見つけてこないとね。おなかがすいてるんだろう？」

バージニアは微笑《ほほえ》んだ。「男の人がわたしのために食べものを集めてきてくれるなんて、お父さん以外でははじめてよ。なんだかうれしい」

シャーロックは思わず聞いた。「ちゃんとしたディナーは？　だれかに連れてってもらったことはあるかい？　もちろん、お父さん以外で」

バージニアはかぶりを振《ふ》った。「ないわ」

「料理をしてくれた人は？」

「ないわ」

シャーロックはにっこりした。「なるべく早く帰ってくるよ」

出かけるとすぐ、鬱蒼《うっそう》と繁《しげ》る木々《きぎ》に囲まれた。地面をのたくるような根っこ、胴体《どうたい》ほどもありそうな木の幹、空にむかって伸《の》びる梢《こずえ》、木の葉の天蓋《てんがい》を作ってくれる大枝。やさしい月明かりが足元を照らしてくれる。顔に当たりそうな小枝を避《さ》けて歩いていくが、それでも、伸《の》びた苔《こけ》に――それともクモの巣だろうか――頬《ほほ》や額をなでられる。それらを押《お》しのけながら、森に入っていった。フクロウの鳴き声がする。ときおり、もっと大きな動物の気配を感じる。アナグマやフェレットだろうか。群れからはぐれたシカかもしれない。下生えをかきわけて歩いていく音が聞こえる。

ちょっと離《はな》れたところから、小枝を踏《ふ》むような音が聞こえた。木の葉がこすれるさらさらという音もする。風だろうか。それとも人？

どきりとした。スコベルの手下が追ってきたのかもしれない。しかしすぐに、それはちがうと思った。フクロウの鳴き声や小動物の足音はまだ聞こえている。スコベルの手下が近くにいるとしたら、動物たちはもっと警戒《けいかい》しているはずだ。

エディンバラのアパートでの記憶《きおく》がよみがえる。暗がりからこちらを見ていた死人の顔。急に胸がどきどきしてきた。死人がここまで追ってきたというのか？　やつらは羊飼いの小屋にも迫《せま》っていて、いまにもバージニアを襲《おそ》おうとしているのか？　胸が苦しくなってきた。回れ右をして小屋に戻《もど》ろうとしたが、足を止めてひとつ深呼吸をした。馬鹿げている。恐怖感《きょうふかん》が大きな手に力を変えて胸につかみかかっていたが、その手を払《はら》いのけた。死んだ人間は歩いたりしない。幽霊《ゆうれい》なんかいない。そんなものは理屈《りくつ》に合わない。迷信に過ぎないのだ。この一年間で、エイミアス・クロウにはいろんなことを教わり、さまざまな知識を積み重ねることができたが、その根底には、シャーロックがもともと持っていた懐《かい》疑心《ぎしん》があった。なにかが起こるには理由がある。原因もある。死者は死者、動くはずがない。死は生の反対なのだから。あのアパートでマティとシャーロックが見たものは、死人なんかじゃない。

気分が楽になった。風の音以外になにか聞こえるとしたら、動物の足音に決まっている。それ以外のなにかだと考えるのは余計な想像力のせいであって、根拠《こんきょ》などないに等しい。正確な情報もないのにあれこれ想像して考えても、頭がいっぱいになるばかりで、得られるものはなにもない。これからのことを建設的に考えたければ、根拠《こんきょ》のある事実をもとに、考えを組み立てるべきだ。

木々《きぎ》のない、ちょっと開けた場所に出た。月明かりの中で目を凝《こ》らすと、腐《くさ》りかけた落葉の下に、キノコが群生しているのが見えた。近づいて、そばにひざをつく。キノコは鮮《あざ》やかなオレンジ色。アンズタケだ！　片っ端《ぱし》から引きぬいて、上着のポケットに入れた。

少し離《はな》れたところに目をやると、アミガサタケが生えていた。ハチの巣みたいな傘《かさ》といい、茶色っぽい色といい、まちがいない。ふたたび木立の中に入ってすぐのところには倒《とう》木《ぼく》があり、その幹の上に白いものが見える。あれはヤマブシタケだ。

ポケットだけでなく両手にもキノコをたくさん抱《かか》えて、来た道を戻《もど》りはじめた。これだけあれば朝まで元気で過ごせるだろう。あとは水があればいいのだが。フライパンでわかせば飲むことができる。そのとき、ふと考えた。ハーブが手に入れば、水に香りをつけることができる。

バージニアを喜ばせてやりたい、素敵なディナーねと言われたい。そんな思いで頭がいっぱいだった。

「バージニア！」寝《ね》ているかもしれないと思い、小さな声で呼んだ。「食べものをとってきたよ！」

小屋に入ると、かまどに火が入っていた。バージニアがやってくれたんだろう。明るい火のそばでバージニアが眠《ねむ》っているのが見えた。地面で体を丸めている。バージニアはイグサを見つけてきたらしい。それをまとめたものを枕《まくら》にしていた。少し離《はな》れたところにもひと山あるのは、シャーロックのぶんだろう。

どうしようか。食事の用意をしてからバージニアを起こしてやってもいいが、今日はずいぶん歩いたし、朝になればもっと歩くことになる。バージニアを起こさないほうがいいのかもしれない。

とってきたキノコを地面に置いて、バージニアのそばに腰《こし》をおろした。新鮮《しんせん》な空気を吸って森をたっぷり歩いたせいで、空腹感もまぎれていた。一食くらい抜《ぬ》いたって、栄養失調にはならないだろう。キノコは朝、明るくなってから料理すればいい。

バージニアの顔を見つめた。とてもリラックスしたようすで、ぐっすり眠《ねむ》っている。唇《くちびる》には笑みが浮《う》かんでいるように見える。これほど穏《おだ》やかなバージニアの顔を見るのははじめてだ。いつもはなにかを警戒《けいかい》しているような顔をしているのだ。とくにシャーロックと向き合うときはそうだった。これが、余計な心配をしなくていいときの、本当のバージニアの表情なんだな、とシャーロックは思った。もっともっとバージニアのことが知りたい、心からそう思った。

まぶたにかかった髪《かみ》をどけてやった。バージニアは少し動いて小さな声を漏《も》らしたが、目は覚まさなかった。

それからしばらく、シャーロックはバージニアを見つめていた。本当にきれいだ。昼間はこんなふうに見つめることができない。見ているとバージニアに気づかれて、まっすぐな視線が返ってくるし、なにを見ているのと聞かれることもある。いまだけは、好きなだけバージニアの顔に見とれていることができる。

とうとうシャーロックも横になった。バージニアが用意してくれたイグサの枕《まくら》に頭を置く。うとうとしながら、考えた。いまは危険と隣《とな》りあわせだし、困ったことはいろいろあるが、しあわせだ。この場所にずっといたいとさえ思う。

だんだんと深い眠《ねむ》りに落ちていった。そのせいで、なにが起こったのかわからなかったが、突然《とつぜん》目が覚めた。入り口から朝日が射している。寝《ね》ているうちに寝返《ねがえ》りを打ったのか、顔がバージニアの反対側を向いていた。

振《ふ》りかえったとき、心臓が凍《こお》りついた。

バージニアがいない。しかも、白い骸骨《がいこつ》のような人間が三人、部屋のまん中に立っている。眼窩《がんか》の奥《おく》にある目玉が、じっとこちらを見ている。手には湾曲《わんきょく》した刃物《はもの》。農家の人たちが使う草刈《くさか》り鎌《がま》だろうか。

必死でドアのほうに向かおうとしたが、骸骨《がいこつ》たちの細い腕《うで》にとらえられてしまった。小枝みたいな指なのに、骨のように硬《かた》くて力強い。締《し》めつけられた腕《うで》が悲鳴をあげた。

14

シャーロックは全力でもがき、逃《のが》れようとしたが、骸骨《がいこつ》のような男たちにがっちりとつかまれて、どうしようもなかった。男のひとりがシャーロックの首にナイフを押《お》しあてた。ナイフの柄《え》は、何年ものあいだ墓に埋《う》まっていたのかと思うような、鈍《にぶ》い色をしている。骸骨《がいこつ》たちのメッセージははっきりと伝わってきた。シャーロックはもがくのをやめた。

乱暴なやりかたでうつぶせにされた。恐怖《きょうふ》に震《ふる》えながら、シャーロックは骸骨《がいこつ》たちの衣服にも目をやった。ぼろぼろでかびが生えている。これもやはり、何年も地中に埋《う》まっていたものなんだろうか。

骸骨《がいこつ》たちはかがんでシャーロックの脚《あし》をつかみ、あっというまにシャーロックをかつぎあげた。見かけによらず、力強い。シャーロックはトウモロコシの入った麻袋《あさぶくろ》みたいにして、小屋から運びだされた。だれもなにも言わない。しかし、呼吸の音が聞こえた。ひとりは喘息《ぜんそく》の症状《しょうじょう》があるのか、息の音が荒《あら》い。あとのふたりは、ふつうに息をしている。

重い荷物を持っているので、少しはずんでいる程度だ。死人なら呼吸なんかするはずがない。それに、死人みたいなにおいもしない。腐《くさ》りかけた死骸《しがい》の悪臭《あくしゅう》なら、何度も嗅《か》いだことがある。森に行けば、動物の死骸《しがい》に出くわすことはよくあるものだ。この男たちが見た目のとおりの死骸《しがい》なら、ものすごい悪臭《あくしゅう》がするはずだ。なのに、感じるのは汗《あせ》のにおいだけ。やっぱり生きた人間だ。死骸《しがい》のふりをしているだけなのだ。どうしてそんなことをするんだろう。バージニアはどうなったんだろう。

自分の肩《かた》に目をやった。細い手につかまれたところに白い汚《よご》れがついている。化粧品《けしょうひん》だ。手になにか塗《ぬ》っているのだ！　シャーロックはほっとして息を漏《も》らした。本気で死人だと思っていたわけではないが、推理の裏付けが得られたことがうれしかった。考えてみれば当たり前のことだ。死人だと思わせたいから死人を装った、それだけだ。死人は血が通っていないから、顔や手が白い。顔や手を白くすれば、遠くからだと死人に見える。

死人のふりをした男たちは、斜面《しゃめん》をおりていく。方向からして、クレイモンドの町から離《はな》れようとしているらしい。上下に揺《ゆ》すられるたび、男たちの顔がちらりと見える。さかさまにしか見えないが、距離《きょり》が近いので、白塗《ぬ》りした顔にひげが伸《の》びはじめているのがわかる。皮膚《ひふ》のかさかさした感じをだすために、薄《うす》い紙をところどころに貼《は》りつけている。また、皮膚《ひふ》を白一色に塗《ぬ》るのではなく、巧妙《こうみょう》に陰《かげ》をつけてあるので、骨が浮《う》いているように見えるのだということもわかった。それに、ひとりの男は頬《ほほ》にペインティングまでしている。これのおかげで、遠目には、歯が全部むきだしになったどくろみたいに見えたのだ。すべては演出だった。まさに化かされていたのだ。

「どこに行くんだ？　教えてくれ！」声をかけた。シャーロックの右腕《みぎうで》を持っている骸骨《がいこつ》が、シャーロックを見おろしてにやりと笑った。歯を苔《こけ》みたいな緑色に染めてある。もちろんそれも演出だ。「行けばわかる」泥沼《どろぬま》の底からあぶくがあがってくるときのような声が返ってきた。「われわれの主《あるじ》、冥界《めいかい》の王に会わせてやる」

「なにが冥界《めいかい》だ。おまえたちは生きてるくせに」

骸骨《がいこつ》はにやにや笑いつづけている。「本当にそう思うか？　命を賭《か》けるか？」

答えようがなかった。

荒《あ》れ地《ち》をどんどん進んでいく。一時間くらいたっただろうか。そのあいだずっと、シャーロックはまわりの様子に目を配り、バージニアの姿をさがしていた。しかし、バージニアも同じように運ばれているとしたら、シャーロックとは時間差があったようだ。それとも、バージニアは小屋から逃《に》げることができたんだろうか。そうだったらいいのだが。

最後は馬の背に乗せられた。両手と両足を縛《しば》ったロープを馬の腹の下で結んだらしい。ズボンのベルトを鞍《くら》に固定されたので、乗っているあいだに体がずり落ちることはなさそうだ。骸骨《がいこつ》のひとりが鞍《くら》にまたがり、駆《か》け足で出発した。

馬の背骨の出っぱりがおなかに何度も当たる。においもひどいので、吐《は》き気がしてきた。馬の横腹にずり落ちかけたままの体勢なので、馬の太い脚《あし》が何度も何度も体に当たる。そのうち全身の骨がばらばらに砕《くだ》けてしまいそうだ。腕《うで》と脚《あし》に力をこめて、できるだけ体を安定させようとした。

頭も上下に激しく動きつづけるので、うしろに流れていく風景を見ることができない。ただ、自分の乗っている馬の前にもうしろにも馬がいるのはぼんやりわかった。バージニアも乗せられているんだろうか。吐《は》き気と痛みが強くなればなるほど、バージニアがこんな目にあっていませんようにという思いも強くなった。

ひづめの音が変わった。それまでは土の地面を走っていたが、いまは石の上を走っているようだ。音が四方にこだまして、まわりに何百頭もの馬が走っているように思える。石を敷《し》きつめた中庭にでも入ってきたんだろうか。馬がスピードを落とし、止まった。シャーロックの体が前に投げだされる形になり、鞍《くら》の後部に激突《げきとつ》して、一瞬《いっしゅん》息ができなくなった。

何本もの手が伸《の》びてきた。ロープがナイフで切られて、またどれかにかつがれた。今度は顔が下向きだ。弱っていたのと吐《は》き気とで、顔をあげて周囲を確かめることもできない。

見えるのは小石だけ。ときおり石塀《いしべい》の端《はし》が見える。

ちらちらする影《かげ》も見える。そこらじゅうにたいまつが置かれているようだ。

ここはどこだろう。街を見おろすように高くそびえていた、花崗岩《かこうがん》でできたエディンバラ城が思いだされる。まさか、エディンバラまで戻《もど》ってきたんだろうか。いや、エディンバラ城のほかにも、お城があるのかもしれない。

廊下《ろうか》らしきところを運ばれて、部屋に入った。動物が吠《ほ》えたりうなったりする声が聞こえる。部屋の奥《おく》にはフェンスで囲まれたエリアがあって、男たちが興味津々《きょうみしんしん》といったようすでその中を見ている。両替《りょうがえ》をしている男たちもいる。フェンスの隙間《すきま》に目をこらすと、二頭の犬が戦っているのが見えた。どちらもすごく大きい犬だ。互《たが》いにむかって跳《と》びかかり、耳に食いつき、爪《つめ》で目をえぐりだそうとする。たいまつの光に照らされて、床《ゆか》に血が飛びちっているのがよく見えた。まだ新しいものもあるが、乾《かわ》いて固まったものもある。ここは、犬を――犬だけじゃないかもしれないが――戦わせるための場所として、長いこと使われているんだろう。

シャーロックはそこから引っぱりだされて、別の部屋に連れていかれた。フェンスで囲ったエリアはないが、何人もの男女がいて、敷石《しきいし》にチョークで描《えが》かれた円をとりかこんでいる。円の中心には疲《つか》れきった感じの男がふたりいて、やはり戦っている。ふたりとも上半身は裸《はだか》。胸はオイルでも塗《ぬ》ったみたいにてらてら光っている。ひとりの胸には爪《つめ》で引っかいたあとがついている。もうひとりがすばやく前に出た。相手の腰《こし》のあたりをつかんで高く持ちあげ、床《ゆか》に投げおとした。まわりの人々《ひとびと》が大興奮で歓声《かんせい》をあげる。

まもなくシャーロックは、その部屋からも連れだされた。次の部屋は、四方の壁《かべ》沿いの通路があって、中央に長方形のプールみたいなものがある。ただ、水ははいっていない。その周囲には腰《こし》くらいの高さの板の囲いがある。すごくいやなにおいがする。獣《けもの》のにおいだ。

なにかがうなっている。囲いの中になにかがいるのだ。シャーロックを運んできた男たちの足音を聞きつけたらしく、囲いに突進《とっしん》してきた。囲いの板が揺《ゆ》れる。いったいどんな動物がいるんだろう。

男たちは奥《おく》のドアめがけて走っていく。その獣《けもの》を恐《おそ》れているらしい。

シャーロックは、また別の広い部屋に連れていかれ、床《ゆか》に落とされた。

しばらくそのままそこに横たわり、天井をながめていた。腕《うで》も脚《あし》も、十センチくらい伸《の》びたような気がする。体じゅうがあざだらけになっているのがわかる。どう考えても、この体では他人と戦うことなんてできそうにない。

天井は白いしっくいが塗《ぬ》られていて、木の梁《はり》でいくつもの正方形に区切られている。古い建物のようだし、とても立派だ。しかし、四隅《よすみ》からはクモの巣の残骸《ざんがい》が垂れさがり、灰色のボロ布を吊《つ》るしているかに見える。

目を閉じて、耳をすませた。火がぱちぱち燃える音が聞こえる。薪《まき》が燃えて割れる音だ。それと、おおぜいの人の話し声。観衆が、なにかがはじまるのを待っているときのような感じだ。小声で話し合ったり、くすくす笑ったり、足を動かしたりしている。なにか見世物がはじまるんだろうか。汗《あせ》のにおいと食べもののにおいがする。それといっしょに、さっきの部屋で嗅《か》いだ獣《けもの》のにおいがかすかに感じられる。

シャーロックはようやく体を起こして床《ゆか》に座り、あたりを見まわした。

石造りのホールのようなところだ。壁《かべ》にはたいまつがとりつけられ、その赤い炎《ほのお》がちらちら揺《ゆ》れながら、あたりを明るく照らしている。たいまつとたいまつのあいだにはタペストリーがかけられているが、どれも、苔《こけ》の生えた古いカーペットみたいだ。たいまつとタペストリーのほかには、動物の頭部の剥製《はくせい》が、楯《たて》みたいな形の飾《かざ》り板の上にのせてある。ほとんどは角のある雄《お》ジカだが、口を大きくあけて歯を見せたオオカミの頭もいくつか混じっている。それと、あれは……クマだ。人の頭がなくてよかった、とシャーロックは思った。

前方には演壇《えんだん》のようなものがあり、椅子《いす》がひとつ置いてある。太い木の幹を手作業で彫《ほ》って椅子《いす》の形にしたもののようだ。その椅子《いす》に座っているのは——まるで王様みたいにゆったり座っているのは——エイミアス・クロウと同じくらい体の大きな男だった。ただし、エイミアス・クロウは、言ってみれば〝白の交響曲《シンフォニー》〟。白い髪《かみ》、白い服、白い帽子《ぼうし》がトレードマーク。それに対して、そこにいる男は〝黒の協奏曲《コンチェルト》〟だった。豊かな髪《かみ》も、太い眉《まゆ》も、伸《の》び放題のあごひげも、夜の色をしている。上着とキルトはチェック柄《がら》だが、黒字に赤と白の線がまばらに入っているだけだ。しかし、クロウと共通したところもある。年齢《ねんれい》は五十代後半か六十代前半に見えるが、若者が束になってかかってきても負けないだろう、と思わせる雰囲気《ふんいき》がある。

うしろには男が何人か立っている。みな、ボクサーやレスラーみたいにがっしりした体格に、つぶれてゆがんだ鼻、いびつな形の耳をしている。身につけているのは、座っている男と同じ、黒のチェックの上着とキルトだ。タータンチェックは氏族ごとに色と模様がちがうときいている。つまり、あそこにいる男たちは、みな同じ氏族なんだろうか。

座っている男はシャーロックを見おろして、片方の眉《まゆ》を吊《つ》りあげた。

「ほう」男は、もはや英語とは思えないほどスコットランド訛《なま》りの強い英語で言った。「ヤンキー連中がさがしている男の相棒ってのが、この若造か」男は片手をあげて、うしろにいる男のひとりに命じた。「やつを連れてこい。感動の再会をさせてやろう。ま、そのあとには悲しみの別離《べつり》ってやつが待っているわけだが」

命じられた男はうなずいて、アーチ形のドアから出ていった。待っているあいだに、シャーロックはあたりを見まわした。演壇《えんだん》の両側にはいろんな人が立っている。シャーロックを見ている人もいれば、椅子《いす》の男を見ている人もいる。男も女もいるし、子どももいる。共通しているのは、抜《ぬ》け目《め》のなさそうな鋭《するど》い目をしていることと、過酷《かこく》な日差しや嵐《あらし》に耐《た》えてきたのをうかがわせるような肌《はだ》をしていること。着ているものはタータンチェックではない。つぎはぎのあるぼろの服ばかりだ。上下セットの服を着ている者もいるが、たまたま似たようなものを着ているだけかもしれない。あるいは盗《ぬす》んだものだろう。そんな集団の中に、白い顔の骸骨《がいこつ》人間たちも混じっている。みんな、骸骨《がいこつ》人間を見てもなんとも思っていないようだ。酒場の客たちが他人のことなんか気にせず、自分の連れと楽しくおしゃべりしているのと似ている。骸骨《がいこつ》たちは、前に見たときのような死人の演技はしていない。だったらどうしてあんな格好をしたままなんだろう、とシャーロックは不思議だった。なにか理由があるにちがいない。

人々《ひとびと》がはっとしてドアのほうを見た。その直後、エイミアス・クロウ、バージニア、ルーファス・ストーン、マティの四人が連れてこられた。四人はきょろきょろして、ここはどこだろうという顔をしている。部屋のまん中にシャーロックがいるのを見て、クロウは前に歩きだそうとした。

「シャーロック」声をかけられて、シャーロックも立ちあがった。「やはりな。バージニアがとらえられたとわかったとき、きみもそうだろうと思っていた」

「バージニアを守れなくて、すみませんでした」

クロウは大きな頭を横に振《ふ》った。「いや、どうすることもできなかっただろう。こいつらはみんなぐるなんだ。わたしたちを丘《おか》の上に連れていき、今度はここに連れてきた」

シャーロックは眉間《みけん》にしわを寄せた。「この人たち、ブライス・スコベルの一味とは別物なんじゃないかという気がしてきました。スコットランドの人たちみたいだし」

クロウはうなずいた。「ああ、エディンバラを本拠地《ほんきょち》とする、スコットランドの犯罪集団のようだな。ただ、わたしたちをとらえてどうするつもりなのかがわからない」

クロウたちをこの部屋に連れてきた男が近づいてきた。「しゃべるな」きつい訛《なま》りでいうと、クロウの耳のあたりを殴《なぐ》ろうとした。クロウは黙《だま》ってその手をつかみ、うしろにひねりあげた。男は悲鳴をあげて、両ひざをついた。

「手荒《てあら》な扱《あつか》いをされるのは好きじゃないんでね」クロウは穏《おだ》やかに言った。「ずいぶん痛い思いをさせてくれたが、やめてくれるとありがたい」

手をつかまれていた男が立ちあがろうとしてもがいている。椅子《いす》のうしろにいた男たちのうちふたりが、クロウに向かってこようとした。すると、リーダーの男が片手をあげた。「手を出すな。なかなか腹の据《す》わった男だ。悪くない」クロウを見てうなずく。「ミスター・クロウ、手を離《はな》してくれるかね。手下全員をあんたに向かわせたら、おもしろい光景が見られそうだな。もうわかっていると思うが、われわれは戦いを見物して、金を賭《か》けるのが大好きでね。問題は、あんたにかかれば、わたしの貴重な人材が大怪我《おおけが》を負うってことだ」

男は立ちあがった。シャーロックが思っていたより背が高い。胸板が厚く、胴体《どうたい》がビールの樽《たる》みたいだ。「わたしの名前はゲーン・マクファーレン。マクファーレン氏族の人間だ。あんたとちょっとした取引をしたいんだが」

マクファーレン？　どこかで聞いたことがある、とシャーロックは思った。聞いたのはつい最近だ。どこで聞いたんだろう。

クロウが微笑《ほほえ》んだ。しかし、目は笑っていなかった。「取引？　ビジネスマンには見えないんだが。どちらかというと、人をいたぶるのが好きな犯罪者という感じだ」

マクファーレンは笑顔を返してきた。「多勢に無勢という状況《じょうきょう》にしては、ずいぶんな言葉だな。ひと口にビジネスといってもいろいろだし、ビジネスマンにもいろんなのがいるものだ。みんながみんな、フロックコートを着てシルクハットをかぶってるわけじゃない」

「なるほど。で、どういったビジネスを？」

「儲《もう》け口はいろいろあるが」マクファーレンが周囲を見まわすと、人々《ひとびと》が視線にうながされたかのように笑い声をあげた。「保険の仕事、とでも言っておこうか。ただ、それも終わりにしたばかりだが」

「保険ってのは」クロウが不愉快《ふゆかい》そうな口調で言った。「街の商店主たちから毎週金を受け取って、トラブルが起きないように目を配ってやる、そういうたぐいのものか？」

「そのとおり。保険金が払《はら》えなくなった店主たちは、どういうわけか、その直後にトラブルに見舞《みま》われることが多い。世の中は危険だらけだ。店が火事になったり、店主がわけもなくチンピラに襲《おそ》われてケガをしたり。わたしがいかに人々《ひとびと》を危険から守ってやっているか、よくわかるだろう？」

クロウはシャーロックを見た。「ゆすり屋だ。善良な商店主たちは、手下たちに襲《おそ》われたり、店に火をつけられたりしたくなければ、この男に金を払《はら》うしかないってことだ。汚《きたな》い商売としか言いようがない」

マクファーレンは肩《かた》をすくめた。「自然界には弱肉強食のルールがある。どんな動物にも天敵がいて、油断すれば食われてしまう。エディンバラの社会も同じなんだ。街の人間はみんな、できれば税金なんか払《はら》いたくないと思ってる。店もそうだ。ビールを水で薄《うす》めたり、小麦粉におがくずを混ぜたり。わたしはそんな店主たちから分け前をいただく。食物連鎖《れんさ》みたいなものだな」にやりと笑う。「わたしたちは〈ブラックリーバー〉と呼ばれている。その名はグラスゴーまで轟《とどろ》き、人々《ひとびと》に恐《おそ》れられているのだ！」

〈ブラックリーバー〉の名前は新聞に出ていた。人々《ひとびと》の恐《おそ》れるギャング集団だ。「じゃあ、〈ブラックリーバー〉の天敵はなんなんですか？」シャーロックはストレートに聞いた。

「あなたの分け前をはねるのはだれですか？」

マクファーレンはひげもじゃの顔をシャーロックに向けた。「エディンバラの食物連鎖《れんさ》の頂点にいるのは、このわたしだ」むっとした表情で言う。「わたしには怖《こわ》いものなどない」視線をクロウに戻《もど》した。「これだけは言っておきたい。わたしは、売春、脅迫《きょうはく》、誘拐《ゆうかい》といった犯罪とは無縁《むえん》だ。どんな形であれ、子どもには手を出さないことにしている。子どもに手を出すのは、犯罪者のうちでも底辺のやつらだ。わたしにはわたしなりのモラルがあってね。まあ、スリや空き巣ならときどきやる。港で働いてるやつらがちょっと油断したすきに、船で運ばれてきた木箱を壊《こわ》して、中身をちょうだいすることもある。組織的犯罪はやらないが、わたしの縄張りで仕事をするスリやコソ泥《どろ》がいれば、分け前はいただくことにしている」

「モラルのある犯罪者、か」クロウは嘲《あざけ》るように言った。「立派なことで」

「現実的な犯罪者、とでも言ってもらおうか」マクファーレンが応じる。「警察は、コソ泥《どろ》やゆすりより、誘拐《ゆうかい》や殺人の犯人をつかまえたがる。そういうことをしなければ、警察に目をつけられにくい」

「ってことは、食物連鎖《れんさ》の頂点にいるわけじゃないと思います」シャーロックが言った。

マクファーレンは顔をゆがめた。「クマだって、スズメバチの巣には近づかないようにするものだ」

おもしろいな、とシャーロックは思った。そんなにムキにならなくてもいいのに。

シャーロックはまわりの人々《ひとびと》を見た。チンピラやスリやコソ泥《どろ》の集団なんだろう。もちろん、骸骨《がいこつ》男たちも混じっている。「けど、死人のふりをした人がいるのはどうしてなんですか？　すごく凝《こ》ってて、よくできてると思うけど、理由がわからないんです」

「相手を怖《こわ》がらせるのが基本だからな。金を払《はら》わないとなにかが起こる、それが怖《こわ》いから、人はわたしに金を払《はら》う。わたしに未知のパワーがあると思えば、人はもっとわたしを恐《おそ》れるだろう。わたしの手下に歯向かおうとする者もいる。追い払《はら》おうとしたり、小銭をつかませようとしたり。だが、相手が死人だったらどうすることもできないだろう。それに、わたしが死者をあやつれると思えば、わたしを死ぬほど恐《おそ》れて、素直に金を払《はら》いつづける」笑い声をあげた。「われわれのことを〈黒い強奪者《ブラッククリーバー》〉ではなく〈黒い復活者《ブラッククリバイバー》〉と呼ぶ人たちもいる。死者を復活させるからだ」

「けど、服装やなにかで死人のふりをしてるだけですよね。本当の死人じゃないって気づかれることもあるのでは？」

「人は、自分が信じたいことだけを信じるものだ。エディンバラは暗い街で、人々《ひとびと》は死者が歩きまわっていると信じたがる。かつてはバークとヘアの連続殺人事件もあったし、スラム街を貧民もろとも埋《う》めてしまった歴史もある。エディンバラ城にまつわる幽霊《ゆうれい》話も山ほどある。それだけで、わたしの仕事は半分仕上がっていたようなものだ」

「なかなかおもしろい話だが」クロウが言った。「あんたたちの仕事にわたしたちはなんの関係もないだろう。わたしたちはコソ泥《どろ》でもないし、スリでもない。商店主でもない。どうしてわたしたちをさらったんだ？」

「ああ、そうか。おもしろい質問だ。よそ者がエディンバラにやってきて、なにやら人探しをしているという噂《うわさ》が耳に入った。ターゲットは、妙《みょう》なしゃべりかたをする白髪《しらが》の大男で、少年のような格好をした赤毛の少女を連れているという。さらには、その子は少年にしか見えないかもしれないが、目の色が独特だからすぐにわかる、とも聞いた」マクファーレンは、クロウとバージニアを指さした。「それがあんたたちだ。奇妙《きみょう》なしゃべりかたをする白髪《しらが》の男と、ハリエニシダみたいな色の目をした少女。そのふたりがクレイモンドにいると聞いて、この目で見てみたくなった。あんたたちにどんな価値があるのか、気になったんだ」

「価値？」クロウは不愉快《ふゆかい》そうな顔で言った。この話がどう展開していくのかわかったんだろう。シャーロックもだいたい予想がついた。

「ああ、話していなかったな。そのふたりには懸賞金《けんしょうきん》がかけられている、という噂《うわさ》もあった。もちろん、生け捕《ど》りが条件だ。五百ポンドと聞いた。こっちじゃけっこうな大金だ。死なせたら金はもらえない。逆に、うっかり殺してしまったら報復されるというんだ」マクファーレンはクロウに笑いかけた。「あんたたちが何者なのか、何者を怒らせたのか、わたしはなにも知らん。だが、だれかがあんたたちを捕《と》らえようと躍起《やっき》になっているってのはわかった。そんなことはどうでもいい。どうして追われているのか、理由を話してみないか？」

クロウはマクファーレンと目を合わせて言った。「だれにでもなにかしら怖《こわ》いものがある」

マクファーレンはうなずいた。「認めにくいことだがな。だが、あんたはいま、ちっとも怖《こわ》がっていないようだ。わたしはあんたたちを追っている男にメッセージを送ったから、そいつはじきにここに来るだろう。そうしたらどうなるかな？」

「あの子たちはどうする？」クロウはシャーロックとマティのほうをあごでしゃくった。

「子どもは傷つけないと言ったな？　あの子たちはたまたま巻きこまれただけなんだ。逃《に》がしてやってくれたら感謝する。礼金は払《はら》えないが、約束はしよう。あの子たちを逃《に》がしてくれたら、わたしはこれ以上あんたたちの手をわずらわせない」

マクファーレンは少し考えてから答えた。「たしかに、子どもに危害を加えるのは不本意だ」

「ぼくはここにいる！」シャーロックは思わず叫《さけ》んだ。

クロウはシャーロックを振《ふ》りかえった。「だめだ。わたしの言うことを聞きなさい。ブライス・スコベルがどういう人間か、きみはわかっていない」

「けど――」

クロウは片手をあげた。「問答無用だ。スコベルの前に差しだされるのは、わたしたちふたりだけでいい。きみとマティが助かったとわかれば、わたしの気も楽になる」マクファーレンに向きなおる。「それでいいか？」

マクファーレンは、クロウをじっと見つめた。「まあ、そのふたりには懸賞金《けんしょうきん》はかかってないからな。だが、人質としてはずいぶん役立ちそうだ。こっちの手もとに残しておいたほうが、あんたは協力的になるんじゃないか？　だめだな、取引は不成立だ。カードは多いほうがいい。あわてて手放すことはない」

シャーロックはまだ、自分の記憶《きおく》と戦っていた。思いだせそうで思いだせないことがある。マクファーレン……。頭の中をすっきりさせないと、記憶《きおく》と記憶《きおく》がもつれあって出てこない。最近聞いた話だ。いや、聞いたのではなく、見たのだ。

「あの殺人事件だ！」シャーロックは唐突《とうとつ》に言った。記憶《きおく》がよみがえってきた。「ベネディクト・ベンサム卿《きょう》が殺された事件だ」ファーナムからロンドンに向かう列車の中で読んでいた新聞の紙面を、はっきり思いだそうとした。プリンシズ・ストリートの公園で読んだ新聞にも、記事は出ていた。「逮捕《たいほ》された女の人の名前もマクファーレンだった。〈ブラックリーバー〉につながりがあると、新聞に書いてあった」

あたりがしんと静まりかえった。マクファーレンの顔が怒《いか》りでゆがんでいた。「かわいそうに」うなるように言う。「妹は無実だ。虫一匹《ぴき》殺せない、やさしい女なんだ」

「ギャングのリーダーの妹か」クロウが低い声で言った。「警察は、それだけの理由で犯人だと決めつけたんだろうな」

マクファーレンは立ちあがり、演台からおりてクロウに近づいていった。ふたりは向かい合って立ち、顔と顔をつきあわせた。身長は同じくらい。立派な体格も、髪《かみ》の豊かさも同じ。違《ちが》いは髪《かみ》の色だけだ。

「妹はなにもやっていない」マクファーレンの小さな声が、静かな部屋に響《ひび》きわたった。波ひとつ立っていない池に石を落としたかのようだ。「わたしのビジネスのやりかたをいつも批判していた。信心深い善人なんだ。なにがあっても、悪いことなどするはずがない」

「世の中、なにが起こるかわからないものだ」クロウも小さな声で言った。「ベネディクト・ベンサム卿《きょう》に襲《おそ》われて、自分を守ろうとしたのかもしれない」

「妹から手紙が来た」マクファーレンは目をしばたたいて、クロウをまっすぐに見た。クロウはマクファーレンの妹が事件に巻きこまれた理由を考えつづけていた。「妹は、聖書に手を置いて誓《ちか》ったのだ。ベネディクト・ベンサム卿《きょう》を死なせるようなことはなにもしていない、と。そして、父親の死を悲しむのと同じくらい、ベネディクト卿《きょう》の死を悲しんでいた。わたしは妹を信じる」

「だったら」シャーロックが声をあげた。「ぼくから取引の提案をさせてください」

15

マクファーレンはクロウを見つめたまま動かなかった。シャーロックの声など聞こえなかったかのようだ。しかし、しばらくすると顔を動かし、今度はシャーロックをまっすぐに見た。「どんな取引だ？　わたしを驚《おどろ》かせてみるがいい」

「ぼくたちが妹さんの濡《ぬ》れ衣《ぎぬ》を晴らしたら、解放してくれますね？　ブライス・スコベルに引き渡《わた》さないと約束してくれますか？」

まわりの人々《ひとびと》が驚《おどろ》きの声を漏《も》らしている。

クロウもシャーロックを振《ふ》りかえった。マクファーレンの落ち着きはらったようすとは対照的に、クロウは眉《まゆ》をひそめ、いったいなにを考えているんだ、と言いたげな顔をしている。じつはシャーロック自身も、自分になにかができるという確信があるわけではなかった。

「つまり――」マクファーレンがゆっくりと話しだす。「警察が見のがしたことはないかきみが調べてみる、と？　アギーの潔白を警察に認めさせることができるだけの証拠《しょうこ》を見つけられると、本気で思っているのか？」

シャーロックは肩《かた》をすくめた。「失うものはないわけでしょう。無実を証明できなかったら、ぼくたちをブライス・スコベルに渡《わた》して、血染めの金を受けとればいい。ぼくたちが妹さんの無実を証明できたら、妹さんが釈放《しゃくほう》されて帰ってくる。どちらにしても、あなたは得をする」

マクファーレンは微笑《ほほえ》んだ。シャーロックが自信満々《じしんまんまん》なのを見ておもしろがっているようだ。「警察のまねごとをするには、十年早いんじゃないか？」

シャーロックの脳裏には、ほんの何ヶ月か前、兄のマイクロフトが人殺しの濡《ぬ》れ衣《ぎぬ》を着せられたときの記憶《きおく》がよみがえっていた。警察は事件をちゃんと調べようともしなかった。目の前に容疑者がいて、証拠《しょうこ》もじゅうぶんにあったからだ。真犯人をつきとめるという警察の仕事をシャーロックがやらなければならなかった。

「警察も、自分たちの見たいものしか見ようとしないものです」シャーロックは苦々《にがにが》しく言った。「自分たちにとっていちばん楽なものしか見ようとしない。だけどぼくは、先入観にとらわれたりしません。警察には見えないものが見えるはずです」

マクファーレンはなにも言わず、シャーロックを見つめた。若造がなにを、という思いとかすかな希望とが混じり合ったような顔をしている。シャーロックの言葉に心を動かされたのかもしれない。

「きみならやってくれるだろう」マクファーレンはとうとうそう言った。「だが、確信がほしい。いまの言葉だけできみを解放するわけにはいかない。ここから逃《に》げるための方便かもしれんからな」

「友だちがつかまってるんだから、逃《に》げたりしません」シャーロックはそう言ってから、周囲を見まわした。なにか――なんでもいいから――マクファーレンを納得させる材料はないだろうか。

「手下が港で働いていると言っていましたね」

マクファーレンはうなずいた。

「ここにいる人のうち、だれが港で働いているのか、当ててみましょうか。当たっていたら、ぼくを信じられるんじゃありませんか?」

「見るだけでわかるというのか。質問もせずに?」マクファーレンは首を横に振《ふ》った。

「信じられん。そんなことができるはずがない」

「二十人、並べてください。そのうち何人が港で働いているのかも、言わなくてかまいません。それも見抜《みぬ》いてみせます」

「もっと難しくしよう」マクファーレンが言った。「手が見えないようにする。ロープで焼けた跡《あと》がついているから、手を見ればわかってしまう」

シャーロックは肩《かた》をすくめた。「どうぞ、お好きなように」

マクファーレンはエイミアス・クロウがそこにいることなど忘れたかのように、その場を離《はな》れた。人々《ひとびと》の中から二十人を選んでいく。「おまえとおまえ、それから、壁《かべ》ぎわにいるおまえもだ。ダギー、おまえも来い。ファーガスもだ。みんな、手をうしろに隠《かく》して出てくるように」

そのあいだ、ルーファス・ストーンがシャーロックに身振《みぶ》りで聞いていた。「シャーロック、本当にそんなことができるのか?」

「たぶん」シャーロックは答えた。「それに、やってみるしかないでしょう。ほかに解放してもらう方法が見つからないし。なにかアイディアがありますか?」

ストーンは肩《かた》をすくめた。「いや、わたしにはなにも思いつかない」

「よし」マクファーレンが言った。「お手並み拝見といこう」

壁際《かべぎわ》に男が二十人並んでいる。全員、両手をうしろにまわした格好だ。シャーロックと同い年くらいの少年もいれば、六十代の男も何人かいる。着ている服の襟元《えりもと》も、耳のうしろも、真っ黒に汚れている。二の腕《うで》には青い刺青《いれずみ》。髪《かみ》は、肩《かた》まで伸《の》ばしている者、ひとつに結わえている者、短く刈《か》りこんでいる者など、いろいろだ。

シャーロックは、男たちの列の端《はし》に近づいていった。そのまま列の前を歩きながら顔や服を観察していくものと、マクファーレンは思っていただろう。しかしシャーロックはそうはせず、その場にしゃがみこんだ。ひとりめの男の靴《くつ》をじっくり見る。チンピラやコソ泥《どろ》たちがくすくす笑っているのが聞こえたが、気にしないようにした。四つんばいになって列の前を動いていき、男たちの靴《くつ》やズボンの裾《すそ》をチェックする。

列の終わりまで行くと、立ちあがった。二十人の男たちはみな、身をのりだすようにしてシャーロックを見ている。興味津々《きょうみしんしん》という顔もあれば、もしかしたらと思っていそうな顔もある。二十人以外の人々《ひとびと》は、おしゃべりをしたり、シャーロックを指さしたりしている。

「わかりました」シャーロックは列の前を逆戻《ぎゃくもど》りしながら、二十人のうち五人を選びだした。「あなた、あなた、あなた、あなた……それと、あなた。前に出てください」そしてマクファーレンを振《ふ》りかえる。マクファーレンは真剣《しんけん》な目でシャーロックを見ていた。

「この五人は、ふだんは港で働いています。ほかの十五人はちがいます」

「正解だ。まさにそのとおり」マクファーレンは男たちにむかって手を振《ふ》り、元の場所に戻《もど》らせた。「どうしてわかった？」

「海水の近くで働いているのなら」シャーロックは答えた。「波しぶきをたびたび浴びているでしょう。ぼくも見たことがあります。ぼくがチェックしたポイントはふたつ。まず、海水に濡《ぬ》れた靴《くつ》には白い跡《あと》が残るということ。革に塩分が残るせいです。もうひとつは、海水がズボンの裾《すそ》の折り返しのところにたまってから蒸発するので、そこに塩の結晶《けっしょう》ができているということ。ぼくの選んだ五人は、靴《くつ》に白い跡《あと》がついているか、ズボンの折り返しのところに塩の結晶《けっしょう》ができているか、どちらか――あるいは両方でした」

「なるほど、みごとだ」マクファーレンは言った。「頭がいいな。殺人事件をろくに調べもせずに妹を逮捕《たいほ》した警官どもより、ずっと頭がいい。わかった。きみの提案を受けよう。ただし、長くは待たないぞ。そうだな――」腕時計《うでどけい》を見る。「――いまは朝の九時だ。ここにいるアメリカ人親子をさがしているやつらとの話し合いが、今日の午後二時に予定されている。それまでの、およそ五時間だ」

シャーロックはエイミアス・クロウを見た。そしてバージニアの白い顔に目をやる。さらにマティを見ると、マティは笑顔で親指を立てた。

「それしか時間がないなら、その時間内にやるまでです」シャーロックは真剣《しんけん》な顔で言った。大風呂敷《おおぶろしき》を広げたのはいいが、本当にできるだろうか。がんばるしかない。

マクファーレンは手下のひとりを手招きした。「ダンロウ、土地勘《とちかん》のあるおまえに頼《たの》む。

すぐに馬車を用意しろ。ブラフとふたりで、この少年に同行しろ。まずは警察署に連れていけ。逃《に》げたらつかまえろよ。なにがあっても、二時までに三人で戻《もど》ってこい。わかったな?」

男たちはうなずいた。

「ベネディクト・ベンサム卿《きょう》の家で働く執事《しつじ》は、わたしのクライアントだ」マクファーレンはシャーロックに言った。「わたしに仕事を頼《たの》まれたと言えば、屋敷《やしき》の中を見せてくれるだろう。収穫《しゅうかく》があるかどうかはわからんが」

「それはぼくにもわかりません」シャーロックは力なく答えた。マクファーレンの部下のブラフという男と歩きはじめたが、途中《とちゅう》で振《ふ》りかえってバージニアに笑いかけた。「きっと戻《もど》ってくるからね」

「わかってる」バージニアが答えた。

ブラフは三十代くらいのやせた男で、禿《は》げた頭にしみがたくさんある。唇《くちびる》はいつもゆがんでいて、なにかいやなにおいを嗅《か》いだときのような顔をしている。シャーロックはブラフに伴《ともな》われて、さっき連れられてきたときとは逆に、いくつかの部屋を通っていった。戦っていた男たちはまだピットにいて、のろのろと打ち合いを続けている。両腕《りょううで》以外はまったく動いていない。ふたりとも疲《つか》れきったようすだし、顔は腫《は》れて血まみれになっていた。闘犬《とうけん》は終わって、さっきは檻《おり》のまわりに集まっていた人々《ひとびと》はばらけていた。まだお金のやりとりが終わっていないらしい。

外は雨まじりの曇《くも》り空だった。弱々《よわよわ》しい光の中、シャーロックは出てきた建物を振《ふ》りかえった。中庭の敷石《しきいし》といい、壁《かべ》のタペストリーや動物の剥製《はくせい》といい、無数のたいまつといい、古い領主館か、もしかしたらお城かもしれないとまで思っていたのだが、驚《おどろ》いたことに、それはどこにでもありそうな木造の大きな倉庫だった。まわりにも同じような倉庫がずらりと並んでいる。近辺に人気《ひとけ》はない。さっきの男たちが働いている港のそばだと思われる。倉庫の外観からして、穀物でもしまってありそうな倉庫に見える。ギャングのアジトになっているなんて、だれも思わないだろう。これも一種の偽装《ぎそう》だ。どんなものでも、手間ひまをかけて細工すれば、ちがうもののように見せかけることができるのだ。

外に出ると、もうダンロウが待っていた。ダンロウはブラフより年上で、背は低いが横に大きい。といっても、ついているのは筋肉ばかりで、太っているという感じはしない。シャーロックはダンロウとブラフにうながされて黒い馬車に乗りこんだ。

三十分後、石造りの家に到着《とうちゃく》した。大きな屋根は黒いスレートでふいてあり、窓には格子がはまっている。玄関《げんかん》ドアの上を見ると、壁《かべ》の石に〈エディンバラ・ロージアン州警察署〉と彫《ほ》ってあった。

「リーダーの妹さんはここにいる」ダンロウが言った。石をこすりあわせた音のような、耳障りな声だった。警察署の前は居心地が悪いのか、そわそわしている。「中に入って、妹さんに会わせてほしいと頼《たの》んでみよう」

「頼《たの》んだからって会わせてもらえるのかなあ」シャーロックは言った。「ぼくは親戚《しんせき》でもなんでもないし。親戚《しんせき》だと嘘《うそ》をついても、ひとことしゃべれば、スコットランドの人間じゃないってわかっちゃうよ」

「そういうときは小銭を渡《わた》すんだ。留置場にいる容疑者に会わせてくれる」ダンロウが嫌《けん》悪感《おかん》をあらわにした。「中産階級のやつらは、警察につかまった貧乏人《びんぼうにん》を見物するのが好きなんだ。悪いやつがつかまってよかった、枕《まくら》を高くして寝《ね》られる、とか言いやがる。おまわりに一シリング渡《わた》して、イングランドの貴族の息子が来たとでも言ってやるよ。理由も聞かずに、よろこんで通してくれるさ。十分もあればいいだろ?」シャーロックの驚《おどろ》いた顔を見て、ダンロウは続けた。「警察なんてそんなもんさ。犯罪者とは紙一重。制服を着てるかどうかのちがいしかないのさ」

ダンロウは警察署に入っていき、五分後に戻《もど》ってきた。

「受付にいるおまわりのところに行けば、留置場に連れてってくれるってさ。時間は十五分。それ以上なら追加でもう一シリングだ」

シャーロックは信じられない思いで警察署に足を踏《ふ》みいれた。かびくさい、いやなにおいがする。入ってすぐのところで制服姿の警官が待っていてくれた。あごひげと口ひげをたっぷりたくわえている。「こっちだ」警官はシャーロックと目を合わせようともせず、ぶっきらぼうな口調で言った。「十五分。会って話すだけだ。余計なことはするな。いいな?」

「もちろんです」余計なことってなんだろう。シャーロックはわからなかったが、とりあえずそう答えた。

石の階段をおりる。建物がよほど古いのか、角のところが丸くなっていた。ロンドンの警察署に収監《しゅうかん》された兄のマイクロフトと面会したときのことを思いだして、いやな気持ちになった。ただ、あのときは結果的にうまくいった。今回もそうなるといいのだが。

巡査《じゅんさ》はあるドアの前で足を止めて、ベルトにつけた大きな鍵《かぎ》のひとつを鍵穴《かぎあな》にさしこんだ。ドアを押《お》しあけ、シャーロックを振《ふ》りかえる。「十五分だ」巡査《じゅんさ》は念を押《お》した。「この女は泣いてばかりだから、襲《おそ》ってきたりはしないと思うが、なにがあってもおかしくない。危ないと思ったらドアを叩《たた》け。ドアの外で待っててやる」

シャーロックは中に入った。ドアが閉まる。鍵《かぎ》のかかる音がした。殺人犯かもしれない人間とふたりきりになったのだ。

女は鉄のベッドに横たわっていた。ベッドは蝶番《ちょうつがい》と鎖《くさり》で壁《かべ》に固定されているようだ。女はシャーロックを見た。年は三十五歳《さい》くらい。髪《かみ》はわらのような色、目はブルー。顔の輪郭《りんかく》がなんとなくお兄さんに似ているが、体は小柄《こがら》で華奢《きゃしゃ》な感じだ。顔は汚《よご》れて涙《なみだ》のあとがついている。服はしわだらけ。寝《ね》るときもそのままなのだろう。

「牧師なんかいらないわ」弱々《よわよわ》しいが、強い意志を感じさせる声だった。「まだ神様の声を素直に聞く気になれないから」

「ぼくは牧師じゃありません」シャーロックは言った。「お兄さんに頼《たの》まれて来たんです」

「兄に?」女は体を起こした。目に動揺《どうよう》があらわれている。「兄を巻きこまないで。兄は関係ないから」ドアのほうに目をやった。警官が立ち聞きしているのではと恐《おそ》れているようだ。「警察がこの事件に兄が関わってると考えたら、地球の果てまでも追いかけていって、なにがなんでもつかまえると思う」

「大丈夫《だいじょうぶ》です。お兄さんが巻きこまれたわけじゃありません。これはぼくからお兄さんに申し出たことなんです。なにが起こったのか、真実をつきとめたいと」

「なにが起こったか、ですって?」女は顔をそらした。目に涙《なみだ》が浮《う》かぶ。「ベネディクト卿《きょう》が死んで、警察はわたしが殺したと思ってる。それがすべてよ」

「あなたが殺したんですか?」

女ははっとしたようにシャーロックに視線を戻《もど》した。「そんなこと、できるわけないわ！　ベネディクト卿《きょう》には二十年もお世話になってきたのよ。お父さんみたいな存在だと思ってたわ」

シャーロックはうなずいた。「わかりました。では、どうして警察はあなたが犯人だと思っているんでしょうか」

女は両手で顔を覆《おお》った。「わたしが専属のコックだから。いえ、コックだったから、と言うべきね。ベネディクト卿《きょう》の食事はすべてわたしが料理していたの。ベネディクト卿《きょう》が食事に毒を盛られて亡くなった——少なくとも警察はそう言ってる——ということは、わたしがやったにちがいない、というわけ。理屈《りくつ》ではそうなるわね」

「ほかの人が料理に触《さわ》ったり、運んだりすることができたのでは？」

女はかぶりを振《ふ》った。「ベネディクト卿《きょう》はとても……疑い深い人だった。商売敵《がたき》に命を狙《ねら》われている、食べものにいつ毒を盛られるかわからない、と言っていたわ。お屋敷《やしき》のあちこちにボディガードを立たせて、だれかに侵入《しんにゅう》されたり火をつけられたりしないように、自衛していた。外出するときは必ずボディガードを同行したわ。ドアや窓にはすべて、頑丈《がんじょう》な鍵《かぎ》とかんぬきがつけてあった。わたしだけを信用して、料理と配膳《はいぜん》をまかせてくれたの」小さなため息をついた。「窮屈《きゅうくつ》で、牢屋《ろうや》にいるみたいだと思ったこともあるけど、しあわせだったわ。長いことお世話になっていたし、ベネディクト卿《きょう》も、わたしが裏切ることはないと信じてくれていた。それに、遺言書にもわたしの名前を書いてくれた。自然死したときは、わたしに五百ポンドものお金をくれるって。執事《しつじ》やメイド、庭師、ボディガードたちもそうよ」鼻をすすって続ける。「もちろん、お金のためにベネディクト卿《きょう》をどうにかしようなんてこと、考えもしなかった」

「あなたが料理をして、配膳《はいぜん》をしていたんですね。ひとりだけで」

「ええ、そうよ。生鮮食料品《せいせんしょくりょうひん》の調達も、わたしがしていたわ。ハーブと野菜と牛乳は市場で買い、肉は肉屋に行って買っていた。パンもすべてわたしが焼いた」

「つまり、野菜や肉に毒が仕込《しこ》まれていたら、その店のほかの客も死んでいたはずなのに、そういうことはなかったんですね」

「そのとおりよ。そんなわけで、わたしはこうして檻《おり》の中にいるの」

シャーロックは懐中時計《かいちゅうどけい》を見た。時間は限られている。ブライス・スコベルがゲーン・マクファーレンに会いにいくまでに、もう何時間もないのだ。「市場と肉屋以外のところから食材を仕入れることはないんですね？」

「ええ」女はためらった。「ただ、ウサギは別よ。庭師が罠《わな》をかけてつかまえて、まだ体の温かいウサギを持ってきてくれることがあったわ。さばくのはわたしがやった。ベネディクト卿《きょう》は、ウサギをマスタード風味のクリーム煮《に》にしたのが好きで、一週間に二回くらいリクエストされた」鼻をすする。また涙《なみだ》がこぼれそうになっていた。「ベネディクト卿《きょう》を死なせたのも、その料理だったらしいわ。残りを犬に食べさせたら、犬も死んだそうよ」

「ふうん。最後に食べた食事は、ウサギのクリーム煮《に》だったんですね」

女はうなずいた。

「あなたがひとりで料理をした。まちがいないですね?」

「ええ。クリームとマスタードは市場で買ったものよ。庭師がくれたのはウサギだけ。まだ温かかったから、死んだばかりだったと思う」

ほかに聞いておくべきことはないだろうか。シャーロックは必死で考えたが、なにも浮《う》かんでこない。鉄のベッドに座った女は涙《なみだ》に濡《ぬ》れて、悲しみにくれているが、わずかな望みを持っているようだ。この少年に潔白を証明してもらえるかもしれない、と思っているんだろう。この人だけじゃない、エイミアス・クロウも、バージニアも、マティもルーファス・ストーンも、ぼくに望みをかけているんだ。期待に応えなければ、とシャーロックは思った。しかし、アギー・マクファーレンの濡《ぬ》れ衣《ぎぬ》を晴らす方法が見つからない。いま聞いた話が本当なら、料理に毒が混じるはずがないのだ。しかし、アギー・マクファーレンが犯人だとするなら、だれかほかの人間が料理に毒を盛った可能性を示唆《しさ》するような話をするはずではないか？　その可能性はないと正直に話せば、自分自身を処刑台《しょけいだい》に送りこむことになってしまうのだから。

「お屋敷《やしき》を見せてもらおうと思います」シャーロックは力なく言った。「事件の……現場を見てみたいんです。なにかわかったらすぐに知らせます」

シャーロックが留置場を出るとき、女の目には新たな希望の灯がともっていた。

ダンロウとブラフのところに戻《もど》ると、シャーロックは、ベネディクト・ベンサム卿《きょう》の屋《や》敷《しき》に行きたいと言った。ふたりはいぶかしげな顔をしたが、黙《だま》って応じてくれた。

屋敷《やしき》までは二十分ほどかかった。そのあいだ、シャーロックは少なくとも五回は時計を見た。一分一秒が惜《お》しかった。

道路から私道に入って、事件のあった屋敷《やしき》に近づいた。建物の正面を通りすぎて、裏手にまわる小道を進んだ。

「こっちに勝手口がある」ダンロウが言った。

三人は馬車からおりて、ダンロウ、シャーロック、ブラフの順に並び、屋敷《やしき》の裏にある勝手口に向かっていった。勝手口に着いたとき、ドアが開いた。やせて背の高い、口ひげを細く整えた男が立っている。黒のジャケットにストライプ柄《がら》のズボン。左のほおが少しふくらんでいる。食事中だったんだろうか、とシャーロックは思った。

「なにしに来たんだ?」男は声を殺して言った。「今週のぶんは払《はら》ったじゃないか。出ていってくれ!」

「マクファーレンからの要望だ。この子にベネディクト卿《きょう》が亡くなった場所を見せてやってくれ」

「ここは観光地じゃない。観光ツアーなどやっていない」

「警察はまだいるのか?」

執事《しつじ》は首を横に振《ふ》った。「必要なものは全部集めたと言っていた」

「だったら見せてくれてもいいだろう。ベネディクト卿《きょう》が死んだ場所と、料理をしたキッチンに案内してほしい。いやだと言うなら、その理由をマクファーレンに説明してくれないか」

執事《しつじ》は気が進まないようすでシャーロックを見た。「この子だけなら。二、三分ですませてくれ。それ以上はだめだ」

ダンロウはシャーロックを見た。

「十分です」シャーロックは答えた。

執事《しつじ》が先に立ち、家に入った。まず入ったのは使用人の部屋。壁《かべ》のペンキは剥《は》げて、カーペットはすりきれている。そのむこうに家の中心部があった。ペンキは完璧《かんぺき》に塗《ぬ》られているし、カーペットはふかふかで、雲の上を歩いているようだ。中央廊下《ろうか》に出た。柱時計がカチカチと音を立てて、貴重な時間が一秒一秒過ぎていくのを知らせてくれる。執事《しつじ》がドアのひとつをあけた。ダイニングルームだ。シャーロックは、執事《しつじ》が口を動かしていることに気がついた。やはりなにか食べていたのか。

「ベネディクト卿《きょう》はここで死んだ」執事《しつじ》はそう言って、テーブルの端《はし》の椅子《いす》をあごでしゃくった。「あそこに座っていた」

執事《しつじ》がしゃべるとタバコのにおいがする。そのにおいで、シャーロックは気づいた。この男の頬《ほほ》がふくらんでいるのは、噛《か》みタバコを噛《か》んでいるからだ。

「食事を運んだのはだれですか？」シャーロックは聞いた。アギー本人から聞いてはいたが、その裏付けをとりたかった。

「アギー・マクファーレンだ」執事《しつじ》は唇《くちびる》をすぼめた。「ベネディクト卿《きょう》のいちばん近くにいた人間だ。ある意味、近くにいすぎたんだな。あの日も、なにも変わったことなどないかのように、料理を運んできた。毒が入っているのを知っていたくせに」

「あなたは、彼女《かのじょ》が毒を盛ったと思っているんですね？」

執事《しつじ》は眉《まゆ》をひそめた。「アギーにしかできないじゃないか。そうだろう？」

もっともな言葉だ。シャーロックも同じ質問を頭の中で繰《く》りかえしていたところだ。

「食器はどうですか？　お皿に毒が塗《ぬ》られていたという可能性は？」

執事《しつじ》は一瞬《いっしゅん》置いてから口を開いた。ほおの内側に貼《は》りつけていた噛《か》みタバコを、少し動かしたのだろう。「コックはいつも、料理を盛りつける直前に皿を洗わせていた。そのことはみんなが知っていた。前もって毒を塗《ぬ》っておいても意味がないんだ。それに、警察は料理の残りを犬に食べさせたと聞いている。皿ではなく、オーブンに残っていたものを食べて、犬は死んだ。つまり、皿ではなく料理そのものに毒が仕込《しこ》まれていたってことだ」

「なるほど」シャーロックは落ちついて答えた。「しかし、そうすると、オーブンに入れる前に毒を仕込《しこ》んだということになりますね。不思議だなあ。オーブンの熱で毒が消えてしまうかもしれないのに。食卓《しょくたく》に出す直前に毒を盛るのがふつうじゃないかな」胸がざわつきはじめた。はじめて、アギー・マクファーレンの潔白を示す証拠《しょうこ》が見つかった。警察を動かすほどの説得力はないが、少なくとも自分が正しいことをしているという確信を持つことができた。

廊下《ろうか》の時計がごとごとと雑音を立てた。歯車が動いているようだ。シャーロックは思わずそちらに目をやった。時間をむだにしてはならない。

「キッチンを見せてください」

「こっちへ」

ふたたび使用人の部屋を通ったとき、懐中時計《かいちゅうどけい》をとりだした。午前十時半。残された時間はあと二時間半だ。そのうち三十分は、マクファーレンの倉庫に戻《もど》るために必要だ。あと二時間しかない。

キッチンは、ホームズ荘《そう》と同じような作りだった。まん中に大きなテーブルがあって、長年使われてきたことを示すさまざまな傷や汚《よご》れがついている。オーブンのドアがたくさんついた大きなコンロ。いろんな皿の入った食器棚《しょっきだな》。天井からはフックが下がっている。ウサギやキジの死骸《しがい》をかけておくところだ。シンクは正方形で、とても大きい。全体としてとてもよく整った調理場だ。汚《よご》れた皿や鍋《なべ》はひとつも放置されていない。アギーが料理しながら片づけていたか、あるいは、料理を出してから逮捕《たいほ》されるまでに時間があったのだろう。

ここにはなんのヒントもなさそうだ。

「そのウサギですけど」シャーロックは言った。「どこでつかまえたんですか?」

「それは――」執事《しつじ》は鼻をすすった。「わたしにはわからない。わたしの担当は室内で、外のことはノータッチなんでね。庭師を呼んでこよう」執事《しつじ》は庭に通じるドアをあけて外に出ると、噛《か》みタバコを茶色い唾液《だえき》といっしょに吐《は》きだした。それはドアのそばの地面に落ちた。「ヘンドリクス！　来てくれないか」

執事《しつじ》はシャーロックを振《ふ》りかえった。「ヘンドリクスに聞いてくれ。じゃ、わたしは失礼するよ。新しい職場をさがさなきゃならないんでね」

執事《しつじ》が去っていくと、シャーロックはひとりになった。キッチンの戸口に立って、手入れの行き届いた庭をながめる。執事《しつじ》の吐《は》きすてた嚙《か》みタバコのにおいがして、少し気分が悪くなってきた。人はどうしてタバコなんか吸ったり嚙《か》んだりするんだろう。そんな悪い習慣、なくなればいいのに。紙巻きタバコも嚙《か》みタバコも、おとなになっても絶対にやらないぞ、とシャーロックは決意した。

庭の小道のむこうにある生《い》け垣《がき》の切れ目から、人があらわれた。年は四十代だろうか。短く刈《か》りこんだごま塩頭。あごひげも同様だ。深緑色のジャケットに、モールスキンのズボンをはいている。「だれか呼んだかね？」スコットランドの訛《なま》りが強い。執事《しつじ》の神経質なしゃべりかたとは正反対だ。

「ヘンドリクスさんですか？」

「呼び捨てでかまわんよ」庭師はシャーロックの服を見て、言いなおした。「かまいませんよ。なにかご用ですか？」

自己紹介《しょうかい》をして、ここに来た目的を説明すべきだろうか。シャーロックは一瞬《いっしゅん》迷ったが、やめた。知りたいことだけを質問しよう。「あなたがつかまえたというウサギのことを、教えてください。アギー・マクファーレンが料理してベネディクト卿《きょう》に出したウサギです。どこでつかまえたんですか？」

ヘンドリクスはシャーロックを見つめてから答えた。「お教えしましょう。こっちに来てください」

シャーロックは時計を見た。時間が足りない。大切な人たちの命が危ない！

16

シャーロックはヘンドリクスについていき、生《い》け垣《がき》の隙間《すきま》を通りぬけた。向こう側には木立があったが、そこも屋敷《やしき》の敷地《しきち》内らしい。ヘンドリクスは、シャーロックがついてきているかを確かめようともせず、軽い足どりでどんどん歩いていく。

シャーロックはまた懐中時計《かいちゅうどけい》をとりだした。もうすぐ十一時。時間がないというのに、こんな田舎を歩いているだけでいいんだろうか。間に合わないかもしれない。

庭師は草に覆《おお》われた土手で足を止めた。土手の反対側には丸いくぼみがあって、そこには木が生えていない。土手の縁《へり》のところには、黒っぽい穴がいくつも見える。ウサギ穴だ。

そのとき、ある記憶《きおく》がよみがえってきた。ファーナムでウサギの頭を見つけたときのことだ。今回の旅はあそこからはじまったのだ。ずいぶん昔のことのように思えるが、実際には何日もたっていない。

「ここに罠《わな》をしかけたんですよ」ヘンドリクスが言った。シャーロックを振《ふ》りかえらず、遠くのほうを見ている。「若木を曲げて、くくり罠《わな》をとりつけておきました。ウサギが罠《わな》に頭を入れたら罠《わな》が作動する。曲げていた若木が元に戻《もど》ろうとする力でループが締《し》まり、同時に、かかった獲物《えもの》が地面から持ちあげられるって仕組みです。罠《わな》は二時間おきにチェックしています」

シャーロックは罠《わな》のあったところに目をやったが、事件解決の手がかりはなにも見つかりそうになかった。ふと思いたって、ウサギ穴の近くに行ってみた。しゃがみこんで、いちばん近い穴を観察した。ウサギはいないようだ。ただ、穴の入口に、なにかの植物の茎《くき》みたいなものが何本か落ちているのが気になった。ウサギが巣に持ちかえって食べたものの残骸《ざんがい》だろうか。しかし、それはおかしい。ウサギが食べものを巣に持ちかえるところなんて、見たことがない。ウサギは草が生えているその場で食べるものだ。落ちている茎《くき》を拾ってみた。先端《せんたん》に花が残っている。紫色《むらさきいろ》の釣《つ》り鐘《がね》形の花だ。反対側の端《はし》は、刃物《はもの》で切られたようになっている。つまり、これは故意にここに――ウサギ穴の入口に――置かれたものだ。いったいだれが、そんなことをするんだろう。

「これ、なんだかわかりますか?」シャーロックは茎《くき》を高く掲《かか》げてヘンドリクスに見せた。

「ジギタリスですね」庭師はそう言って眉間《みけん》に皺《しわ》を寄せた。「気をつけてくださいよ。〝魔《ま》女《じょ》の指ぬき〟とも呼ばれるもので、葉っぱをちょっと噛《か》んだだけで死んでしまいます。近くで息をしただけで死ぬっていう人もいますが、まあ、それはないでしょう。わたしはこのへんの森を何年も歩いてますが、問題ないですからね。ただ、ジギタリスを見かけたこと自体、あまりありません。このへんにはほとんど生えていないんじゃないですかね」

「ウサギはどうして、そんな毒草を食べたのかな。動物は毒のあるものを避《さ》けるはずなのに」シャーロックは、手に持った茎《くき》をくるくる回してみた。「もっと不思議なのは、ウサギ穴の入口に、こんな毒草を置いた人がいるってことだ。どうしてそんなことをしたんだろう」

「ウサギはジギタリスを食べても平気だと聞いたことがあります」庭師は顔をゆがめた。よほど真剣《しんけん》に考えこんでいるらしい。「本当かどうかはわかりませんがね。ただ……」

「本当にそうなら」シャーロックが言葉を継《つ》いだ。言葉より先に頭がフル回転している。「ジギタリスの毒は、ウサギの肉に蓄積《ちくせき》する。そして、そのウサギを食べた人が中毒を起こすんだ！」

顔を上げると、ヘンドリクスはシャーロックを見つめていた。ゆがんだ顔に暗い影《かげ》ができている。ウサギ穴の前にジギタリスを置いたのはこの男か？　それを食べて毒の蓄積《ちくせき》したウサギをアギー・マクファーレンに渡《わた》せば、それを使った料理をベネディクト卿《きょう》が食べて死ぬことになる。もしそうなら、そのことに気づいた人間の口をふさごうとするだろう。

シャーロックは全身に力がこもった。ヘンドリクスがこっちに向かってきたら、すぐに駆《か》けださなければならない。

しかし、それはないだろう。ヘンドリクスが犯人なら、謎《なぞ》を解く手がかりをわざわざ与《あた》えてくれるはずがない。

「だれかがジギタリスをわざわざここに置いて、ウサギに食わせたと?」ヘンドリクスは言った。「わたしに毒ウサギをつかまえさせるために?」

シャーロックはうなずいた。「毒が蓄積《ちくせき》するまでにどれくらいかかるでしょう?」

「一週間、いや、二週間かな。だが……いったいだれがそんな恐《おそ》ろしいことを?」

シャーロックはその問いに答えることができず、足元の地面を見た。すごく固い。これでは足跡《あしあと》は残らない。犯行の手口はわかったが、だれがやったのかわからなければどうしようもない。

時間が気になるが、時計を見るのはやめた。残り時間を知ったところで、頭の回転が速くなるわけではない。

ウサギ穴のまわりを観察した。なにか見つからないだろうか。なんでもいい、手がかりがほしい。すると、地面に奇妙《きみょう》なものが落ちているのに気がついた。茶色くてからからに乾《かわ》いている。細長い虫のようだ。しかし、死んだ虫があんなにまっすぐ伸《の》びているのは変だ。そう思ったとき、はっとした。

これは虫ではない。だれかが噛《か》みタバコを噛《か》んで、唾液《だえき》ごと吐《は》きすてたものだ。

ヘンドリクスに目をやった。ヘンドリクスもシャーロックと同じものに気がついて、じっと見ている。

「噛《か》みタバコ――あなたも噛《か》みますか?」シャーロックはささやくように聞いた。

「いや、わたしはやりません。噛《か》むのも、吸うのも。しかし、やる人間は知っています」

シャーロックは執事《しつじ》がタバコを噛《か》んでいたのを思いだした。それに執事《しつじ》は、家の外のことは知らないと言っていた。もしそれが本当なら、どうして家から離《はな》れたこんなところまで来ていたのか。

「警察に行ってください」シャーロックは言った。「いまわかったことを話してください」

「気づいたのはわたしじゃありませんよ」ヘンドリクスは苦々《にがにが》しい口調で言った。「ああ、もっと早く気づいてもよさそうなものだったのに」

シャーロックは首を横に振《ふ》った。「そんなことはいいんです。ぼくが警察に行っても、話なんか聞いてもらえません。子どもだし、よそものだから。あなたが行ったほうがいい。アギー・マクファーレンの濡《ぬ》れ衣《ぎぬ》を晴らしたいなら、あなたが行って、すべて話してください」

「ええ、そうしますとも」ヘンドリクスが笑顔になった。「アギーのことは昔から好きだった。なんとしても助けてやりたい。本当にわたしが行っていいんですね？」

シャーロックは今度こそ時計を見た。

一時十分。一時間以内に戻《もど》って、真犯人をつきとめたとマクファーレンに説明しなければ。

「ぼくは戻《もど》ります。大急ぎで行かなきゃならないところがある」

シャーロックは駆《か》けだした。屋敷《やしき》に戻《もど》ると、ダンロウとブラフが待っていてくれた。馬車に乗りこむ前から、シャーロックは叫《さけ》んでいた。「急いで馬車を出して！　倉庫に戻《もど》ってくれ！」

動きはじめた馬車に乗りこみ、屋敷《やしき》を振《ふ》りかえったとき、一階の窓に執事《しつじ》の顔が見えたような気がした。馬車が揺《ゆ》れていたのでたしかに見えたとは言えないが、執事《しつじ》はこちらをにらんでいた。エグランタインさんのことが思いだされる。家を切り盛りする使用人はみんな、ああいう悪い人間なんだろうか？

懐中時計《かいちゅうどけい》を手に握《にぎ》りしめた。馬車はごとごと揺《ゆ》れながら、エディンバラの街を縦横に走りぬける。心臓がどきどきした。耳もこめかみも激しく脈打っている。馬車をおりて駆《か》けだしたいくらいだったが、そんなことをしてもしかたがないとわかっていた。馬車はすでに、自分が走るより速いスピードで走っている。

待つのはつらい。だいじなことを人まかせにするのもつらい。自分ではなにもできないのが歯がゆくてたまらない。

これで何千回目だろう。窓の外に目をやった。壁《かべ》、窓、道路標識、街灯——さまざまなものがぼやけながらどんどんうしろに流れていく。エディンバラは素敵な街だと思うけれど、いまは大嫌《だいきら》いだ。

ふつうの家ではなく倉庫が見えるようになってきた。マクファーレンのアジトはもうすぐだ。馬車がスピードを落とす。止まると同時に、シャーロックは馬車から飛びおりて、見覚えのある倉庫に駆《か》けこんだ。

「おい、待ってくれ!」ダンロウが叫《さけ》ぶ。シャーロックはかまわずに、表の入口から全速力で駆《か》けこんだ。見張りの男たちに止められそうになったが、伸《の》びてきた手を振《ふ》りきって、叫《さけ》び声を背中で聞きながら走りつづけた。闘犬《とうけん》の部屋を通りすぎ、ボクシングの部屋を通りすぎる。

「やったぞ!」叫《さけ》びながら、マクファーレンのいる部屋に駆《か》けこんだ。エイミアス・クロウがバージニアをかばうようにして、演壇《えんだん》に立っている。ルーファス・ストーンとマティもいる。みんなのはっとしたような視線を感じながら、シャーロックは演壇《えんだん》の前で足を止めた。「ベネディクト・ベンサム卿《きょう》を殺した真犯人がわかりました。妹さんじゃありません！　執事《しつじ》です。理由はわかりませんが、執事《しつじ》が犯人だというのはまちがいありません」

「いい知らせをありがとう」マクファーレンは言ったが、どうもようすがおかしい。さっきは機嫌《きげん》がよさそうだったのに、そうではなくなっている。「恩に着る。だが、約束は果たせなくなってしまった」

どういうことだ？　そんなのおかしいじゃないか！　そう言おうとしたとき、シャーロックは、みんなの視線が自分とマクファーレン以外のものを見ていることに気がついた。視線は自分を通りすぎて、部屋の入口に向けられている。みんながなにを見ているのかを察しながら、シャーロックも振《ふ》りかえった。

壁際《かべぎわ》に男が十人並んでいる。部屋に入ってくる人間には見えないような位置にいたのだ。九人はクロスボウをかまえて、マクファーレンや手下たち、そしてシャーロックを狙《ねら》っている。もうひとりは残りの九人よりも一歩前に出て、じっと立っている。身長は平均より低く、短い髪《かみ》をきちんとなでつけている。非の打ちどころのないスーツ姿で、片手には黒いステッキ。ステッキの先端《せんたん》は足元の床《ゆか》に置かれ、持ち手のところには黄金のどくろがついている。そんな光景がシャーロックの目に飛びこんできた。その中でもいちばん印象的なのは、男の顔と両手だった。人の名前が隙間《すきま》なく彫《ほ》りこまれている。シャーロックの場所からは、「アルフレッド・ホワイティング」「ビル・コティングハム伍長《ごちょう》」「ウィニー・トマス」「ポール・ファローズ」という名前が黒字で彫《ほ》られているのが見える。しかし、それ以上に目立っているのは、額に彫《ほ》られた赤字の名前、「バージニア・クロウ」だ。

「ブライス・スコベル」シャーロックは落ちついた声で言った。

「また会ったな」スコベルが言う。奇妙《きみょう》なほど丁寧《ていねい》で穏《おだ》やかな口調だった。「驚《おどろ》かせて悪かった。約束の刻限より早いとはわかっていたが、どうしても待てなくなった。ミスター・クロウと美しい娘《むすめ》のことで頭がいっぱいになってしまったものでね。もちろん、この皮膚《ひふ》も」シャーロックを見るスコベルの目は、黒一色だった。瞳孔《どうこう》があるのかどうかもわからない。「きのうはずいぶんな手間をかけさせてくれたな。おまえのせいで、手下のふたりが重傷を負った」

シャーロックは壁際《かべぎわ》に並んだ男たちに目をやった。しかし、包帯やギプスをつけている者はいない。

「ああ、ここにはいない」スコベルの顔にかすかな笑みが浮《う》かんだ。「馬と同じで、ケガをした者は安楽死させるのだ」

「人をそんなふうに扱《あつか》うあなたのもとで働く人間がいるのが理解できない」シャーロックは言った。「ぼくだったら、怖《こわ》くて働けないと思う」しゃべりながら、スコベルの全身を目でさぐった。なにか——なんでもいいから——隙《すき》がないだろうか。言葉で指摘《してき》してやったら相手がひるむような弱点はないだろうか。スコベルには人間らしさがまったく感じられない。歩いてしゃべるロボットを相手にしているようなものだ。

「わたしのもとを離《はな》れたらどうなるか——手下たちはそれを恐《おそ》れているのだ。それと、わたしは報酬《ほうしゅう》をたっぷりはずんでいる。リスクが高くても、リターンもそのぶん高いというわけだ。人間の習性について、わかったことがひとつある。だれも、自分が死ぬとは思っていないということだ。自分以外のだれかは死ぬかもしれないが、自分だけは死なないと、ひそかに信じているものなのだ」

シャーロックは、黄金のどくろが気になっていた。くぼんだ眼窩《がんか》がこちらをにらんでいるみたいだ。頭のてっぺんのところに、なにかがある。細い切りこみのようなもの。しかし、それがなんだか見きわめる前に、スコベルがステッキをつかみ、先端《せんたん》をシャーロックの顔に向けてきた。スコベルの指が小さく動いて、左の眼窩《がんか》を押《お》す。すると、ステッキの先端《せんたん》から細長い刃《は》が飛びだしてきた。刃先《はさき》がシャーロックの右目の一センチ手前で止まった。

シャーロックの額に玉の汗《あせ》が浮《う》かんだ。

「では、このへんで」スコベルは、不気味なほど優しい口調で言った。「挨拶《あいさつ》や冗談《じょうだん》はおしまいにしよう。わたしは忙《いそが》しい。今日は、何年も前から決意していたことを実行に移すのだ。復讐《ふくしゅう》を料理にたとえるなら、よく冷やして供するのがいいらしい。しかしわたしの復讐《ふくしゅう》は時間がかかりすぎて、皿の上で凍《こお》ってしまったようだ」クロウを見た。「借りを返してもらうときが来たようだ。わたしの妻と子を死なせた罰《ばつ》を与《あた》えてやる」

「少年たちを解放してやってくれ!」エイミアス・クロウが叫《さけ》んだ。「ふたりは関係ないだろう。恨《うら》みを買ったのはわたしなんだから」

「そうは行かない」スコベルは答えた。「こいつらのおかげで、優秀《ゆうしゅう》な部下を何人も失った。あとで復讐《ふくしゅう》してやる。その前に、まずはおまえの美しい娘《むすめ》だ。ただし、復讐《ふくしゅう》が終わったときには、あまり美しくなくなっているだろう。その次がおまえだ」

ゲーン・マクファーレンが前に出た。「ここはわたしの活動拠点《きょてん》だ」うなるように言う。「客人には立場をわきまえてもらいたい。わたしの命令にしたがってもらおう」

スコベルはステッキの先端《せんたん》を床《ゆか》におろし、黄金のどくろのスイッチを押《お》した。細長い刃《は》がステッキの中に引っこんだ。

カチリ。いかにもなにかの掛《か》け金《がね》に引っかかったような音だ。いつでもその掛《か》け金《がね》をはずしさえすれば、またさっきの刃《は》が飛びだしてくるんだろう。それにしても——シャーロックはまだ黄金のどくろが気になっていた。頭のてっぺんにある切りこみ。あれはなんなんだろう。

スコベルは穏《おだ》やかな目でマクファーレンを見た。「カードはすべて、わたしが持っている。さいわい、おまえはまだわたしを怒《おこ》らせていない。だが、おまえが明日という日を迎《むか》えられるかどうかは、おまえがその態度を守るかどうかにかかっている」

「ここはわたしの活動拠点《きょてん》だ。命令を出すのは――」

マクファーレンが言いおわらないうちに、スコベルが片手をあげた。うしろにいる手下のひとりがクロスボウを少しだけ動かして、引き金を引いた。ビーンという金属的な音がして、弓がしなる。放たれた矢は、ダンロウの胸に命中した。ダンロウは胸に刺《さ》さった矢を信じられないという目で見ていたが、次の瞬間《しゅんかん》、床《ゆか》に膝《ひざ》をついた。マクファーレンの顔を見あげ、なにか言おうとしたが、そのまま横向きに倒《たお》れてしまった。

「命令を出すのはわたしだ。好きなとき、好きなように命令する」スコベルが言った。新聞を買うときのような、平然とした口調だった。

シャーロックはあたりを見まわして、見えるものすべてを頭に入れた。なにか利用できるものはないだろうか。状況《じょうきょう》を一変させられるようなものはないだろうか。しかし、スコベルの手下にとりかこまれている現状では、どうすることもできない。あと何分かすれば、バージニアもエイミアス・クロウも死んでしまう。自分自身も。マティとルーファス・ストーンも。なんとかしなければ。

ゲーン・マクファーレンに目をやった。マクファーレンは、ずっとシャーロックを見つめていたようだ。その目を隣《となり》の部屋に通じるドアに向け、またシャーロックを見る。そしてうなずいた。

なにが言いたいんだろう？

隣《となり》の部屋には長方形のプールみたいなものがあって、その中に獣《けもの》がいた。マクファーレンは、それを思いだせと言っているんだろうか。そもそもあの獣《けもの》はなんだったんだろう。ただ、別の部屋で闘犬《とうけん》やボクシングがおこなわれていたことや、壁《かべ》に動物の首の剥製《はくせい》があったことからすると、マクファーレンは、人間や動物が戦うのを見るのが好きなんだろう。隣《となり》の部屋にいるのは、大きくて獰猛《どうもう》な獣《けもの》にちがいない。犬や、もしかしたら人間を、その獣《けもの》と戦わせていたのだろうか。勝つか負けるかではなく、犬や人間がどれだけ持つかで、賭《か》け事をしていたのかもしれない。

アイディアが浮《う》かんだ。しかし、実行するにはきっかけが必要だ。

「そろそろ――」スコベルが言った。「額と腕《うで》にある名前を、赤い文字から黒い文字にするときが来たようだ。まっ黒な字に書きかえてやる」

スコベルが前に進みでる。シャーロックはふたたび、黄金のどくろに目を奪《うば》われていた。

あのどくろの左の眼窩《がんか》を押《お》せば、ステッキの先端《せんたん》から剣《けん》が飛びだす。それはわかったが、どくろには眼窩《がんか》がふたつあるのだ。

シャーロックはさっと手を伸《の》ばして、どくろの右の眼窩《がんか》を押《お》した。

どくろの頭頂部から剣《けん》が出てきて、スコベルの手を貫《つらぬ》いた。スコベルは甲高《かんだか》い悲鳴をあげた。室内の全員が、驚《おどろ》きのあまり一瞬《いっしゅん》動けなくなった。しかしシャーロックは別だ。スコベルをわきに押《お》しのけて、隣《となり》の部屋――謎《なぞ》の獣《けもの》がとらわれている部屋――に向かった。

スコベルの手下が我に返ってクロスボウを撃《う》ちはじめたが、そのときにはもう、シャーロックは戸口を抜《ぬ》けていた。何本もの矢が飛んでくる音がする。そして悲鳴が聞こえた。スコベルの手下たちは、混乱の中で相討ちをしてしまったらしい。

怒号《どごう》や悲鳴、走りまわる足音が聞こえる。しかしシャーロックは、目の前の光景に目を見張っていた。プールのように一段深くなった場所。それをとりかこむ、腰《こし》までの高さの板。

中にいる獣《けもの》が咆哮《ほうこう》をあげた。どかどかと勢いよく走ってくる。爪《つめ》が床《ゆか》に当たってかちかち音を立てる。

シャーロックは一枚の板をつかんで、上に引きあげた。釘《くぎ》で床《ゆか》に打ちつけられていたのですぐには動かなかったが、無我夢中で力をこめると、板ははずれた。失敗は許されない。

はずした板の大きさは、長さ五メートル、幅《はば》一メートルくらい。とても重いので苦労したが、なんとかその向きを変えて、片方の端《はし》を水のないプールの底に落とし、反対の端《はし》をプールの縁《ふち》にかけてやることができた。

これで、中にいる獣《けもの》が上にあがってくることができる。

これしか手だてがない。不利な状況《じょうきょう》が、これでようやく五分五分になる。

巨大《きょだい》な獣《けもの》はふたたび咆哮《ほうこう》をあげて、板を駆《か》けあがってくると、うしろ足で立ちあがった。毛むくじゃらの腕《うで》を大きく広げる。その先端《せんたん》についた爪《つめ》は、まるでひとつひとつがナイフみたいだ。獣《けもの》は熊だった。茶色の熊だ。鼻先から尻尾《しっぽ》の先までで三メートルはあるだろう。目は怒《いか》りと興奮で真っ赤に燃えている。マクファーレンはいったいどこから、こんな生き物を調達してきたんだろう。小熊のころから飼っていたのかもしれない。何年ものあいだ、こんなところに閉じこめられて、見世物にされたりいじめられたり、戦わされたりしたのだろう。そしていま、ようやく自由になったのだ。

熊が前足を振《ふ》りまわした。シャーロックが床《ゆか》に転がったちょうどそのとき、残っていたスコベルの手下たちが、シャーロックを追って部屋に入ってきた。熊はシャーロックの存在を忘れて、男たちと、男たちが手にしたクロスボウを見た。そして、これまでに受けた痛みを思いだした。

熊の攻撃《こうげき》がはじまった。

シャーロックは転がった勢いでプールの底に落ちてしまった。その瞬間《しゅんかん》、スコベルの手下たちの悲鳴と、熊の咆哮《ほうこう》が重なって聞こえた。

落ちた衝撃《しょうげき》で、一瞬《いっしゅん》息ができなくなった。目の前に火花が散る。少したってようやく動けるようになると、うつぶせになってからゆっくり立ちあがり、あたりを見まわした。

プールの深さは四、五メートルあって、床《ゆか》には骨が散らばっている。古いものもあるが、まだ赤い血のついた、新しいものもある。いくつかは人間のものだ。

注意深く板をのぼった。熊はみんなのいる部屋に移動している。戸口を入ったところには、スコベルの手下たちが五、六人倒《たお》れている。状況《じょうきょう》が状況《じょうきょう》なので、何人がやられたのかはっきりわからない。

シャーロックはそっと部屋に入った。

マクファーレンの手下たちはほとんど逃《に》げたあとだったが、マクファーレンはまだ演壇《えんだん》にいる。そのまわりに、ルーファス・ストーン、マティ、クロウ、バージニアの姿がある。部屋のまん中で起こっている騒《さわ》ぎを、恐怖《きょうふ》の面持ちで見つめている。

スコベルの手下の残りもみな、熊の前足でなぎ倒《たお》された。熊を倒《たお》そうという努力はしたようだ。クロスボウの矢が何本か、熊の体に刺《さ》さっている。しかし効き目はまったくなかったものと見える。手下たちを片づけたあと、熊はブライス・スコベルに向かっていった。立ちあがった熊の体長は、スコベルの身長の二倍近くあった。スコベルの顔に恐怖《きょうふ》の色は見えない。痛みも感じていないようだが、ステッキの剣《けん》が刺《さ》さったままの右手からは、血が流れつづけている。

「邪魔《じゃま》だ。どけ」スコベルは少しいらだたしそうに言った。「わたしにはやることがあるのだ」

熊はブライス・スコベルの体を殴《なぐ》りつけた。鋭《するど》い爪《つめ》が胸に突《つ》きささる。スコベルの体はそのまま高く持ちあげられた。そして、ぼろ人形のようになった体は宙を飛び、壁《かべ》に激突《げきとつ》すると、ずるずると滑《すべ》って床《ゆか》に落ちた。落ち着きはらって、なにごともなかったかのような顔をしている。いままでもずっとそうだったが、これからもずっと、その表情が変わることはないだろう。

熊は演壇《えんだん》にいる人々《ひとびと》のにおいに気づいたようだ。いったん前足をおろして、四本足で向かってくる。胸の底からわきあがるような咆哮《ほうこう》が、床《ゆか》を震《ふる》わせる。

シャーロックは熊の背後から近づいた。なんとかして熊を止めなければ。しかし、どうしたらいいかわからない。スコベルの手下が使っていたクロスボウが、足元に落ちている。矢がついたままだ。シャーロックはかがんでそれを拾いあげた。熊の体には、すでに五本か六本の矢が刺《さ》さっている。急所を狙《ねら》わなければ意味がない。しかし、熊に急所なんかあるんだろうか。

ゲーン・マクファーレンが一歩前に出たが、エイミアス・クロウがその肩《かた》に手を置いた。マクファーレンはクロウを振《ふ》りかえって、眉《まゆ》をひそめた。クロウはマクファーレンの前に出て、演壇《えんだん》からおりた。まっすぐ熊に向かっていく。マティとストーンは動けずにいる。熊もクロウめがけて駆《か》けだし、低くうなった。バージニアが口元に手をやるのが見えた。目を大きく見ひらいている。父親が目の前で死ぬのを、これから目撃《もくげき》することになるのか。シャーロックはクロスボウをかまえた。熊の首に狙《ねら》いを定める。背骨を粉砕《ふんさい》するつもりだった。うまくいく可能性はきわめて低い。両手ががくがく震《ふる》えているのだ。しかし、やるしかない。

熊がうしろ足で立ちあがった。クロウよりずっと大きい。前足を横に大きく伸《の》ばし、爪《つめ》を広げた。のけぞるように上を向き、耳をつんざくような雄叫《おたけ》びをあげる。

そのとき、エイミアス・クロウは奇妙《きみょう》な行動をとった。両腕《りょううで》を大きく広げて頭をのけぞらせ、熊と同じように吠《ほ》えたのだ。声は部屋じゅうに響《ひび》きわたった。巨大《きょだい》な胸板と、筋肉隆々《りゅうりゅう》の腕《うで》や脚《あし》の存在感がものすごい。急に実物以上に大きくなったように見えた。まさに熊そのものだ。茶色いグリズリーではなく、白い北極熊のようだった。

熊は、上をむいていた顔を元に戻《もど》して、クロウを見おろした。自信をなくしたかのように、鼻をくんくんさせる。

「わたしは、おまえなんかよりずっと大きな熊を何頭も、朝めしにしてきたんだ」クロウが有無を言わせぬ口調で申しわたす。「命が惜《お》しければ、おとなしく元の場所に戻《もど》るがいい」

驚《おどろ》いたことに、熊は前足を床《ゆか》におろした。それでも頭の高さはクロウと同じくらいだ。熊はしばらくにおいを嗅《か》ぎつづけていたが、やがてクロウに背を向け、力のない足どりでとなりの部屋に戻《もど》っていった。シャーロックのそばを通るときも、頭を低く垂れたまま、シャーロックのほうを見ようともしなかった。

「いやはや」マクファーレンが沈黙《ちんもく》を破った。「たいした見ものだった。ミスター・クロウ、うちで働いてくれないか。熊との戦いは週に二回。報酬《ほうしゅう》はこれから相談しよう」

クロウはシャーロックを見た。シャーロックの手に握《にぎ》られたままのクロスボウにも目をやって、うなずいた。「その手の仕事からは何年も前に足を洗っていてね。いまは教師の仕事のほうがおもしろいし、やりがいがある」

17

翌日、一行はスコットランドを出発した。列車の中で、シャーロックはずっと眠《ねむ》ってい
た。心身ともに疲《つか》れはてていたのだ。ほかの四人も、おしゃべりを楽しむ気にはなれな
かったようだ。深い眠《ねむ》りから一時的に目覚めたシャーロックが顔をあげると、みんなは寝《ね》
ているか、新聞を読んでいるか、暗い顔で窓の外をながめているかだった。列車がニュー
カッスルで止まったとき、マティは列車から駆《か》けだした。列車がまた動きだすと同時に
戻《もど》ってきたマティは、袋《ふくろ》いっぱいのロールパンを持っていた。出来事らしい出来事といえ
ば、それくらいしかなかった。

ファーナムで解散になった。まわりの乗客たちも列車をおりて、ポーターたちが荷物や
木箱を列車からおろしはじめる。

「これからもここに?」ルーファス・ストーンがクロウに聞いた。シャーロックがずっと
聞きたかったのに聞けずにいたことだった。

「よそへ行く理由がなくなったからね」クロウは答えた。バージニアを守るように、左手をその肩《かた》にまわす。バージニアはまだ顔色が悪かった。「もう逃《に》げなくていいんだ。アメリカに帰る必要もない」バージニアを見て、次にシャーロックを見る。「というより、ここにいる理由が山ほどあるからな。願わくば、あの家が無事に残っていて、だれにも占《せん》領《りょう》されていないといいのだが」

「みんなを代表して言わせてもらいますよ」ストーンが言う。「よかった。クロウさんがいなくなったら、毎日がつまらなくなってしまう。まあ、そのほうが安全なのかもしれませんけどね」

クロウはストーンに手を差しだした。「そばにいてほしいと思ったとき、きみはそばにいてくれた。わたしにとって、友情とはまさにそういうものだよ。どうもありがとう」

ストーンは面食らいながらもクロウの手を握《にぎ》ったが、まだ力の入らない手をきつく握《にぎ》りかえされて、痛みに身をよじった。「楽しい冒険《ぼうけん》だったと言いたいところですが、そうとは言いがたいですね。これからもいつでも助けを求めてくださいと言いたいところですが、やはり、できれば控《ひか》えていただいたほうがありがたいかな」ストーンは笑顔だ。冗談《じょうだん》なのだろう。「まあ、いろいろありましたが、帰ってきてくれて、本当によかった」

クロウは次にマティの手を握《にぎ》った。「きみは勇敢《ゆうかん》な少年だ。それに世馴《よな》れている。きみの直感とシャーロックの頭脳は黄金のコンビだ。ありがとう」

「どういたしまして」マティは照れくさそうにもじもじした。人に褒《ほ》められることに慣れていないからだろう。注目されるのが苦手なのかもしれない。

クロウはシャーロックと向きあった。しばらく黙《だま》って顔を見ていたが、やがて首を左右に振《ふ》った。「シャーロック、きみには驚《おどろ》かされてばかりだ。これではどちらが先生でどちらが生徒だかわからないな。対等の関係になったということなのかもしれん。ありがたいことだ。いくつになっても、学ぶことがあるというのはいいことだ」クロウはいったん言葉を切り、つばを飲んだ。「きみがいなかったら、バージニアとわたしはいまも逃《に》げつづけていただろう。言葉に言いあらわせないほどの恩を感じているよ」

シャーロックは、ざわついた駅の風景に目をやった。「ぼく、変化が嫌《きら》いなんです」小さな声で話しはじめた。「大切なものを失いたくないし、大切なものがいつも同じ場所にあるとほっとする。ものだけじゃなくて、人もそうなんです」

「シャーロック、安心してくれ。わたしたちはファーナムの住人になる」

クロウはバージニアの肩《かた》から手を離《はな》し、家に向けて出発しようとした。するとバージニアがシャーロックに近づいた。

「ありがとう」バージニアはそう言うと、シャーロックの唇《くちびる》にキスした。

シャーロックはなにもできず、ただ顔を赤らめるばかりだった。バージニアはあっというまに体を離《はな》し、父親の腕《うで》に腕《うで》をからめて歩きだした。

駅の中に汽笛が響《ひび》く。発車の合図だ。

「なんだか――」ルーファス・ストーンが重い沈黙《ちんもく》を破った。「きつめのラムを一杯《いっぱい》ひっかけたい気分だよ。それと、痛み止めに浸《ひた》した包帯を指に巻いたら楽になりそうだ。いや、強めの痛み止めを一杯《いっぱい》飲んで、ラムに浸《ひた》した包帯を巻いてもいいかな。どっちでも同じことだ。ファーナムのラム酒は痛み止めみたいな味がするし」首をかしげてシャーロックを見た。「バイオリンのレッスン再開は、しばらく先になりそうだ。いまはきみの指のほうがずっと器用に動きそうだからね。生徒の前で恥《はじ》をかくのはいやなんだ」

ストーンはマティに視線を移し、敬礼のまねごとをした。「ミスター・アーナット、また会おう」

気取って歩きだしたストーンのうしろ姿を、シャーロックは見送った。もっと感慨《かんがい》にふけっていてもいいはずなのに、どこか上の空だった。バージニアのキスのおかげで、唇《くちびる》が熱く燃えているせいだろう。

「じゃ、また明日」マティが言った。

「そうだね。いまはとにかく眠《ねむ》りたい。いくらでも眠《ねむ》れそうだよ」

マティは、列車からおろされた木箱の山に目をやった。「おっ、うまそうなものが入ってるぞ。おれ、あの木箱のあとをつけていくよ。事故でも起これば、おこぼれにあずかれるかも」

シャーロックはにっこり笑った。マティはいつだってこの調子だ。なにがあっても生き抜《ぬ》くだろう。たとえば十五年後とか二十年後に、マシュー・アーナットという有名な実業家が国の経済を牛耳っていても、驚《おどろ》かない。そうなってもなお、マティは市場の露店《ろてん》からパイを盗《ぬす》んだりして、腕《うで》を鍛《きた》えつづけているだろう。まちがいない。

「世の中の人たちは、法に触《ふ》れることと触《ふ》れないことのあいだに明確な境界線があると思ってる」シャーロックは淡々《たんたん》と言った。「ファーナムに来てからぼくが学んだことがあるとすれば、そのことだよ。境界線なんかない。そこには白でも黒でもない灰色のゾーンがあるんだ。だからこそ、ぼくたちは自分がどこに立っているのか、気をつけなきゃならない」

「ま、白に近いほうに立ってりゃ大丈夫《だいじょうぶ》だよ」マティはそう言うと、にやっと笑ってきびすを返し、駆《か》けだした。

シャーロックはしばらくそのままの場所に立って、なにかが起こるのを待っていた。具体的になにを待っていたのかはわからないが、向かってきた嵐《あらし》がすぐそこで足踏《あしぶ》みしている、そんな気がしてならなかった。しかし、待っていてもだれも話しかけてこないし、なにも起こらない。拍子抜《ひょうしぬ》けしたような気分で、駅をあとにした。

農民の荷車に乗せてもらって、ホームズ荘《そう》に戻《もど》った。門の前で荷車から飛びおりると、着替《きが》えや洗面道具の入った荷物を持ち、湾曲《わんきょく》した私道を歩いて玄関《げんかん》に向かった。

ドアに鍵《かぎ》はかかっていなかった。射しこんでくる日差しが玄関《げんかん》ホールを照らしている。これまでは暗くて不気味な場所だったはずなのに、明るくて、温かみさえ感じられる。まるで別の家に入ってきたかのようだ。この家に慣れたということだろうか。それとも、エグランタインさんがいなくなったせいでそう思えるんだろうか。エグランタインさんの姿といっしょに、闇《やみ》や影《かげ》も消えてしまったのかもしれない。

そう思っていると、ダイニングルームから人が出てきた。

「シャーロック坊《ぼ》っちゃまですね！」

シャーロックの疲《つか》れた目がとらえたのは、中年の女性だった。麦わらみたいな色の髪《かみ》の毛をお団子にまとめている。優しそうな顔だちをして、茶色の目はいきいきと輝《かがや》いている。服は黒だが、お通夜やお葬式《そうしき》ではなく、パーティーや舞踏会《ぶとうかい》を連想する華《はな》やかな雰囲気《ふんいき》がある。

「はい。しばらく旅に出ていて、いま戻《もど》ったところです」

「ええ、旦那様《だんな》にうかがっておりますわ。じきに戻《もど》られるとおっしゃっておいでてでした」にっこり笑って続ける。「マルヒルと申します。新しい家政婦です。きのうからお世話になっています」

「ホームズ荘《そう》へようこそ」

「ありがとうございます。こちらでお仕事をするのを楽しみにしていたんですのよ」マルヒルさんはシャーロックの荷物に目をとめた。「お洗濯《せんたく》ものがありますでしょう。おまかせください。どうぞごゆっくりなさってくださいね。お茶とビスケットをお持ちしますわ。旦那《だんな》様も奥様《おくさま》も、いまはお出かけになっておられますが、夕食までにはお戻《もど》りとのことです」

「お茶とビスケット、うれしいな！」

旅行カバンをマルヒルさんにまかせると、シャーロックはおじの書斎《しょさい》に行った。おじが留守のあいだはそこで過ごすのが大好きだった。応接間はお客さんを通すための部屋だし、ダイニングルームは食事のための部屋。自分の部屋にあがっていく気にもなれなかった。おじの革張りの椅子《いす》に体をあずけ、本や原稿《げんこう》用紙のにおいを吸いこんだ。それだけで癒《いや》される。机の上には、説話集や手紙などが山と積まれている。これの整理をおじに頼《たの》まれていたのだ。それからジョシュ・ハークネスと戦い、ゲーン・マクファーレンやブライス・スコベルに命を狙《ねら》われた。整理にとりかかったのがついこのあいだのことだなんて、とても信じられない。

目の前にある説話集には見おぼえがあった。イングランドの中部地域に住む牧師が、さまざまな異端《いたん》や分派について語ったものだ。「末日聖徒イエスキリスト教会」という言葉がページの中ほどにある。それを見た瞬間《しゅんかん》、シャーロックははっとした。

黄金の皿《プレート》。エグランタインさんは、黄金の皿をさがしていた。おじのシェリンフォード・ホームズがその話をしているのを立ち聞きし、この家のどこかに黄金の皿が隠《かく》されていると思いこんだのだ。高価なお宝だと思ってさがしたのに、どんなにさがしても見つからなかった。

宝物は宝物でも、それは、彼女《かのじょ》が思うようなものではなかった。

末日聖徒イエスキリスト教会はモルモン教という別名で知られるが、それについての本を、この書斎《しょさい》で読んだことがある。モルモン教の活動がはじまったのは、四十年ほど前のアメリカだった。この宗派を立ち上げたのはジョーゼフ・スミス・ジュニアという男で、モルモン書と呼ばれる教典を、聖書の内容を補完するものであると主張した。モルモン書はどこから来たものかと聞かれたスミスは、十七歳《さい》のとき、モローニという名の天使に、その存在を教えられたと答えた。ニューヨークの近くにある丘《おか》のふもとに、太古の預言者たちの言葉を刻みこんだ黄金の板が埋《う》まっている。そこには、イエス・キリストが生まれる六百年前、神に導かれてエルサレムからアメリカにやってきた部族のことが記されているとのことだった。

黄金の板《プレート》。

笑いがこみあげてきた。エグランタインさんは、末日聖徒イエスキリスト教会にとってのお宝である黄金の板について、おじがおばに話しているのを立ち聞きしたのだ。もしかしたら、〝大切なもの〟などという表現があったのかもしれない。たとえば「この手紙はとても大切なものだよ。モルモン教の黄金の板など存在しなかったという主張の裏付けになるからね」などと話していたのではないか。エグランタインさんはその中の〝大切なもの〟と〝黄金の板〟という言葉だけを聞きつけて、勝手な勘違《かんちが》いをしたのだ。エグランタインさんに聞いてみなければわからないが、二度と会いたくないし、おそらく二度と会わずにすむだろう。エグランタインさんが必死に追いもとめたお宝は、幻《まぼろし》に過ぎなかったのだ。

シャーロックはまた笑った。おじが帰ってきたら話してみよう。この屋敷《やしき》に黄金の宝がないと知っても、おじはたいして残念がらないと思う。世俗《せぞく》的な物欲のない人だから。

笑っているうちに、甘《あま》いにおいが漂《ただよ》ってきた。なつかしいにおいでもあるし、なんとなく薬のようなにおいでもある。どこかで嗅《か》いだことがあるが、思いだせない。マルヒルさんがダイニングルームにお茶とビスケットを持ってきてくれたんだろうか。しかし、ダイニングルームから書斎《しょさい》まではずいぶん離《はな》れている。

立ちあがろうとしたとき、目の前がぼやけた。机に手をついて体を支えようとしたが、うまくいかなかった。うつぶせに倒《たお》れ、机の上の吸取器《ブロッター》に頭をぶつけた。しかし、痛みは感じなかった。感じるのは甘《あま》い倦怠感《けんたいかん》だけ。暖かな霧《きり》に全身が包まれる。そして眠《ねむ》りに落ちていった。

視界がぼやけて、つぎはぎにした絵や写真を見ているかのようだ。黒い馬車。ロープ。甘《あま》ったるいにおいの布が口に当てられた。空。顔。赤いひげ。ぎらぎらした目。どこかで見たことがあるのに、思いだせない……。

目覚めたとき、世界が一変していた。

シャーロックは、タールにまみれた太いロープに埋《う》もれるようにして座っていた。小さな部屋は、床《ゆか》も天井も、粗雑《そざつ》な板でできている。頭がずきずきする。吐《は》き気がする。床《ゆか》が動いているみたいだ。ロープを押《お》しのけて立ちあがろうとしたとき、おかしいのはこの部屋であって、自分の平衡《へいこう》感覚ではないと気がついた。床《ゆか》が本当に動いている。ドアをあけて外に出たが、ドア枠《わく》から手を離《はな》したら倒《たお》れてしまいそうだった。

ここは船のデッキだ。手すりのむこうには、三角波の立った灰色の海が広がっている。ところどころで白いしぶきがあがっている。陸地は見えない。

ひとりの船乗りがあらわれて、シャーロックを見つけて立ちどまった。大げさなため息をつき、うしろを振《ふ》りかえる。「ラーチモント氏を連れてきてくれ。密航者がいるぞ！」

船乗りはシャーロックに向きなおると、首を横に振《ふ》った。「よりによってこの船で密航しようとは、失敗したな」

「失敗？　この船はどこに行くんですか？」

「地中海クルーズみたいな観光船じゃないことはたしかだ」船乗りは笑い、ヤニで黄ばんだ歯を見せた。「この船は〈グロリア・スコット号〉。行き先は中国だ！」

本書は、二〇一八年十月に静山社より刊行したものの児童版です。

著者　**アンドリュー・レーン**

作家であり、ジャーナリスト。そして、根っからのシャーロック・ホームズ・ファン。イギリス、ハンプシャー州在住。アーサー・コナン・ドイルの著作に対する愛情と、10代のシャーロック・ホームズを描きたいという思いから、コナン・ドイル財団の協力を得て本シリーズを執筆。世界一有名な探偵をふたたび世に送りだした。

訳者　**西田佳子《にしだよしこ》**

東京外国語大学英米語学科卒業、英米文学翻訳家。主な訳書は「キンケイド警視」シリーズ（講談社文庫）、『赤毛のアン』（西村書店）、『花言葉をさがして』（ポプラ社）、『ホートン・ミア館の怖い話』（理論社）、『テラプト先生がいるから』（静山社）、『ぼくがスカートをはく日』（学研）など。

〔児童版〕ヤング・シャーロック・ホームズ4
炎《ほのお》の嵐《あらし》

2024年2月20日　初版発行

作者　アンドリュー・レーン
訳者　西田佳子

発行者　吉川廣通
発行元　株式会社静山社
〒102-0073 東京都千代田区九段北1-15-15
電話・営業 03-5210-7221
https://www.sayzansha.com

発売元　株式会社ほるぷ出版
〒102-0073 東京都千代田区九段北1-15-15
電話・営業 03-6261-6691
https://www.holp-pub.co.jp

カバーイラスト　禅之助
カバーデザイン　岡本歌織（next door design）
印刷・製本　中央精版印刷株式会社

ISBN 978-4-593-10471-0　Printed in Japan

十年屋

時の魔法はいかがでしょう？

廣嶋玲子 作　佐竹美保 絵

おかげさまで大好評！
魔法使いと執事猫の、心あたたまる
不思議なお店の物語

他人から見たらガラクタでも、自分にとっては絶対になくしたくない、捨てられない。そんな大切なものを、十年間、魔法で預かってくれる不思議なお店「十年屋」。魔法使いと執事猫のカラシのもとに、今日はどんなお客さんがやってくるでしょう。